HERDER LEXIKON *Symbole*

Das HERDER LEXIKON SYMBOLE beschreitet innerhalb der Reihe HERDER LEXIKON Neuland. Mit diesem handlichen Nachschlagewerk liegt ein kompaktes, reich illustriertes Symbol-Lexikon vor; die 450 Abbildungen wurden zum größten Teil eigens für diesen Band erarbeitet. Das Lexikon erklärt Herkunft und Bedeutung aller wichtigen Zeichen und Symbole. Es behandelt abendländische, ägyptische, altorientalische, chinesische, japanische, afrikanische und indianische Symbole, die dem heutigen mitteleuropäischen Menschen noch bewußt sind oder ihm begegnen können.
Dazu gehören Tiere und Fabeltiere (z. B. Adler, Einhorn, Lamm, Löwe, Phönix, Schlange); Pflanzen (Alraune, Lilie, Lotos, Mimose); Gegenstände (Gürtel, Hammer, Messer, Pflug, Sanduhr, Sense); Natur (Sonne, Mond, Berg, Tal, Licht, Schatten, Feuer, Wasser); Meditationszeichen (Yin und Yang, Yantra); Farben u. a.
Jeder einzelne der über 1000 Stichwortartikel gibt einen genauen Einblick in die weitgefächerten Bedeutungen ein und desselben Symbols. Eine Fundgrube für alle, die aufgeschlossen sind für bildhaftes Denken.

HERDER LEXIKON

Symbole

mit über 1000 Stichwörtern
sowie 450 Abbildungen

Herder Freiburg · Basel · Wien

Herausgeben vom Verlag Herder

Bearbeitet im Auftrag der Lexikonredaktion
von Marianne Oesterreicher-Mollwo

7. Auflage

Satz: VID, Villingen-Schwenningen
Druck und Einband: Freiburger Graphische Betriebe 1985
ISBN 3-451-17377-8

Abkürzungsverzeichnis

↗	=	siehe (bei Verweisungen)
□	=	Abbildung
ahd.	=	althochdeutsch
allg.	=	allgemein
AT	=	Altes Testament
atl.	=	alttestamentlich
bes.	=	besonders
Bz.	=	Bezeichnung
bzw.	=	beziehungsweise
ca.	=	circa
chin.	=	chinesisch
d. Ä.	=	der Ältere, die Ältere
d. h., d. i.	=	das heißt, das ist
d. J.	=	der Jüngere, die Jüngere
dt.	=	deutsch
Dtl.	=	Deutschland
entspr.	=	entsprechend
europ.	=	europäisch
ev.	=	evangelisch
Ez.	=	Einzahl (Singular)
Fkr.	=	Frankreich
frz.	=	französisch
gen.	=	genannt
gg.	=	gegen
Ggs.	=	Gegensatz
gr.	=	griechisch (nur bei Herkunfts-Bz.)
hebr.	=	hebräisch
hist.	=	historisch
hl., hll.	=	heilig, heilige
idg.	=	indogermanisch
It., it.	=	Italien, italienisch
jap.	=	japanisch
Jh.	=	Jahrhundert
Jt.	=	Jahrtausend
kath.	=	katholisch
lat.	=	lateinisch
Lit.	=	Literatur
m	=	männlich
MA	=	Mittelalter
ma.	=	mittelalterlich
Mz.	=	Mehrzahl (Plural)
n. Chr.	=	nach Christi Geburt
NT	=	Neues Testament
ntl.	=	neutestamentlich
s	=	sächlich
Slg.	=	Sammlung(en)
sog.	=	sogenannt
St.	=	Sankt, Saint
u.	=	und
u. a.	=	unter anderem und andere(s)
u. ä.	=	und ähnliche(s)
urspr.	=	ursprünglich
usw.	=	und so weiter
u. U.	=	unter Umständen
v.	=	von
v. Chr.	=	vor Christi Geburt
vgl.	=	vergleiche
w	=	weiblich
zahlr.	=	zahlreich(e)
z. B.	=	zum Beispiel
Zshg.	=	Zusammenhang
z. T.	=	zum Teil
zus.	=	zusammen
zw.	=	zwischen
z. Z.	=	zur Zeit

Einleitung

Jede Sprache fungiert als Träger und Vermittler von Bedeutungen. Wie jede Sprache lebt daher auch die Sprache der Symbole aus der Spannung zwischen Bezeichnendem und Bezeichnetem. Während jedoch sprachliche Einheiten wie z. B. das Wort dem jeweils gemeinten Gegenstand nur *zugeordnet* werden, *bindet* das Symbol Bezeichnendes und Bezeichnetes so *eng* wie nur möglich *zusammen.* Zeitweilig – vor allem im mythisch-magischen Weltbild – war diese Bindung so eng, daß sie oft fast einer Identität gleichkam. Zahlreiche, von uns nur noch als Symbole empfundene Bedeutungen waren daher ursprünglich direkt verstandene Aussagen über Realitäten; so war die Sonne nicht Symbol des göttlichen Lichtes, sondern selbst ein Gott, war die Schlange nicht Sinnbild des Bösen, sondern selbst böse, war die Farbe Rot nicht bloß Sinnbild des Lebens, sondern selbst Lebenskraft. Die Grenzen zwischen mythischem oder magischem Vorstellen und symbolischem Denken sind daher selten scharf zu ziehen.
Eine weitere Eigenart des Symbols als Bedeutungsträger ist seine stark ausgeprägte Mehrdeutigkeit, die oft so weit gehen kann, daß gerade gegensätzliche Bedeutungen in einem Symbol bzw. Sinnbild zusammenfallen. Während wir die Vieldeutigkeit gesprochener und geschriebener sprachlicher Zeichen auflösen oder mindern können durch Hinzufügen weiterer Zeichen und Beachten grammatischer Regeln, können wir die Mehrdeutigkeit eines Symbols jeweils nur sehr unvollständig oder vage in zusammenhängende Beschreibungen übersetzen: Die Fülle des symbolischen Bildes bleibt letzten Endes unübersetzbar, dem inneren Anschauen vorbehalten.
Die beiden erwähnten Schwierigkeiten begegnen jedem, der sich mit Symbolen auseinandersetzt. Der vorliegende Band sah sich darüber hinaus in besonderer Weise vor das Problem der *Auswahl* gestellt, da er den Versuch unternimmt, auf engem Raum über Symbole aus zahlreichen Kulturkreisen zu informieren. Es wurden vorzugsweise solche Symbole aufgenommen, die dem heutigen mitteleuropäischen Menschen noch bewußt sind oder nahestehen. Der Begriff »Symbol« wurde dabei recht weit verstanden, auf Allegorien und Zeichen konnte allerdings aus Raumgründen kaum eingegangen werden. Berücksichtigt wurden vor allem »alte« Symbolvorstellungen, die in den Völkern oft über die Jahrtausende hinweg lebendig waren oder noch sind (es wurde daher in der Regel auch nicht eigens das *alte* China, *alte* Ägypten usw., sondern nur China, Ägypten usw. als Quelle angegeben). Außerdem wurden gelegentlich symbolähnliche bildhafte Vorstellungen aufgenommen, die z. B. re-

densartlich oder umgangssprachlich in unserem Bewußtsein leben; auch verschiedene abergläubische Spekulationen, die ja häufig dem Symboldenken verpflichtet sind, wurden berücksichtigt. Einen relativ breiten Raum nehmen weiterhin dem mythischen Denken nahestehende (z. B. kosmogonische oder alchimistische) Bild-Deutungen der Welt ein. Mythologische Figuren, wie etwa Götter- und Heldengestalten, wurden dagegen nicht behandelt; eine Ausnahme bilden verschiedene Monstren oder tiermenschliche Mischwesen der Antike (z. B. Zentaur, Chimäre, Furien), die in unserem heutigen Wortgebrauch häufig die Rolle symbolartiger Bilder spielen. – Symbolgruppen wie Marien-, Rechts-, Sexual- oder Todessymbole wurden bis auf wenige Ausnahmen (z. B. Jahreszeiten) wegen der raumsprengenden Fülle des dann abzuhandelnden Materials nicht aufgenommen. – Psychoanalytische Symboldeutungen wurden nur dann eigens angegeben, wenn ihr Bezug zum tiefenpsychologischen Denken besonders eklatant ist. Grundsätzlich gilt natürlich, daß jede Symbolbedeutung psychoanalytische Relevanz hat.
Der Leser findet in dem vorliegenden Bändchen an Hand von Beispielen einen Überblick über den Typenreichtum des menschheitlichen Symboldenkens und wird zugleich zu eigenem weiterem Suchen angeregt. Möge das Buch deshalb dazu beitragen, daß wir, die wir oft allzuleicht Symbole als vorbegriffliche Ungenauigkeiten abtun, nicht nur die Bilderflut der Massenmedien konsumieren, sondern auch die im Laufe der Entwicklung verkümmerten Reste unseres *bildhaften Denkens* reaktivieren. Denn das Symbol ist zwar nie so präzise wie das abstrakte Wort, es transportiert jedoch allemal mehr komplexe Wirklichkeit.

Abendstern, wie der ↗Morgenstern Bz. für den hellen Planeten Venus, jedoch im Ggs. zum Morgenstern auf die abendl. Position der Venus bezogen; Künder der hereinbrechenden Nacht, daher im Christentum gelegentl. Symbol Luzifers.

Abgrund. Das Grund- u. Bodenlose symbolisiert Zustände, die (noch) nicht Gestalt gewonnen haben oder vom Standpunkt des durchschnittlichen Bewußtseins aus unvorstellbar sind: also sowohl die im Dunklen liegenden Ursprünge der Welt wie deren Ende; die Unbestimmtheit der frühen Kindheit u. die Auflösung der Person im Tod; aber auch das Einswerden mit dem Absoluten in der unio mystica. Bei C. G. Jung erscheint das Symbol des Abgrundes in Verbindung mit dem Archetyp (↗Archetypen) der liebenden u. zugleich schrecklichen Mutter sowie mit den Kräften des Unbewußten.

Abracadabra: A. im Schwindeschema

Abracadabra, *Abrakadabra,* bereits aus spätgriech. Schriften bekanntes Beschwörungswort, wahrscheinlich mit ↗Abraxas zusammenhängend. Es wurde als Amulettaufschrift, vor allem im Schwindeschema (↗□), benutzt, um Krankheiten zum „schwinden" zu bringen.

Abraham, der biblische Patriarch, wurde oft aufgefaßt als Symbolfigur eines neuen Menschengeschlechts; er repräsentiert den von Gott erwählten Menschen, der mit erfüllten Verheißungen gesegnet ist (Reichtum, Nachkommenschaft); er gilt außerdem als Urbild eines unbedingten, gehorsamen Glaubens u. fragloser Opferbereitschaft. Die „Opferung" seines Sohnes Isaak wurde verschiedentl. als das symbolische Vorausbild der Passion Christi gedeutet. – Die Darstellungen v. *Abrahams Schoß* sind ein Symbol für die Geborgenheit der Gläubigen in Gott: A., der dem NT als bevorrechtet im Paradies gilt, trägt, in einem Tuch versammelt, eine Gruppe von Erwählten auf dem Schoß; auch Lazarus im Schoße A.s begegnet gelegentl. (mit Bezug auf das Gleichnis vom armen Lazarus).

Abraham: A.s Schoß; Miniatur des 12. Jh.

Abrahams Schoß ↗Abraham.

Abrakadabra ↗Abracadabra.

Abraxas, *Abrasax,* mag. Zauberwort, in der griech. Gnosis Name des Jahresgottes; das Wort setzt sich wahrscheinl. aus den Anfangsbuchstaben hebr. Gottesnamen zusammen. Die 7 Buchstaben des Namens haben den Zahlenwert 365 (a = 1, b = 2, r = 100, x = 60, s = 200). Das Wort findet sich als mag. Zeichen u. Totalitäts-Symbol (u. a. wohl auch mit Bezug auf die Zahl ↗Sieben) in hellenist. Zauberpapyri, auch auf antiken u. ma. Amulettsteinen, meist in Verbindung mit einem menschl. Rumpf mit Hahnenkopf, menschl. Armen u. Schlangenbeinen.

Abraxas: Abraxasgemme

Acedia (Trägheit), weibl. Personifikation einer der 7

Todsünden, reitet auf einem Esel; Symbole u. a.: Vogel Strauß mit dem Kopf im Sand.

Achat *m*, seit dem Altertum hochgeschätzter Schmuckstein; galt als Heilmittel u. Aphrodisiacum sowie als Schutz, u. a. gg. Unwetter, Schlangenbisse u. den bösen Blick.

Achse ↗Weltachse.

Acht, Zahl der Hauptrichtungen der Windrose in ihrer einfachsten Form; u. a. mit Bezug darauf Zahl der kosm. Ordnung u. des kosm. Gleichgewichts. – Eine wichtige Rolle spielt die 8 im Hinduismus u. Buddhismus, sie ist häufig die Anzahl der Speichen des buddhist. Rad-Symbols (↗Rad), 8 Blätter hat oft die symbol. Lotosblüte (↗Lotos), 8 Pfade führen zur geistigen Vollkommenheit; der hinduist. Gott Vishnu hat 8 Arme, die in Zshg. mit den 8 Wächtern des Raumes gesehen werden müssen usw. – In Japan gilt die 8 außerdem als Zahl der im Grunde nicht meß- u. zählbaren Größe. – Im christl. Symboldenken verweist die 8 auf den „achten Schöpfungstag", d. h. auf die Neuschöpfung des Menschen; sie ist daher zugleich ein Symbol der Auferstehung Christi u. der Hoffnung auf die Auferstehung der Menschheit.

Acker, als gepflügter A. (↗Pflug) Symbol des weibl. Schoßes, als ungepflügter A. gelegentl. Symbol für die Jungfräulichkeit Marias.

Adam, repräsentiert im bibl. Schöpfungsbericht den ersten Menschen, d. h. den Menschen überhaupt. In der Kunst relativ selten ohne Eva (↗Adam u. Eva) dargestellt. Nach der Legende war die Schädelstätte Golgatha der Ort des Begräbnisses A.s, repräsentiert durch den auf Kreuzigungsdarstellungen häufig zu findenden Schädel A.s (gelegentl. auch mit der Rippe, aus der Eva hervorging oder mit dem ganzen Skelett) unter dem Kreuz: Symbolischer Hinweis auf Christus als den neuen Adam. – In der Alchimie steht A. mehrfach für die materia prima. – Bei C. G. Jung symbolisiert A. den „kosm. Menschen", die urspr. Gesamtheit aller psych. Kräfte; erscheint im Traum u. a. in Gestalt des alten weisen Mannes.

Adam und Eva: Eva reicht Adam den Apfel; Reims, Kathedrale, 13. Jh.

Adam u. Eva, verkörpern nach dem bibl. Schöpfungsbericht das erste, d. h. typ., Menschenpaar. Häufigste Darstellung: die Versuchung durch die ↗Schlange im Paradies, oft zusammen mit dem ersten Auftreten v. Scham u. der Vertreibung aus dem Paradies. Man findet A. u. E. auch zu beiden Seiten des Kreuzes Christi dargestellt, alle Menschen repräsentierend, die, Christus folgend, Erlösung finden werden. Nicht selten begegnen symbolische Kennzeichen bei A. u. E.: ein ↗Lamm zu Evas Füßen verweist auf Christus, einen ihrer Nachkommen. Schafe, Ähren u. Werkzeuge weisen auf die Arbeit, die jenseits des Paradieses geleistet werden muß.

Aderlaßmännchen ↗Tierkreis.

Adler, als Symbol-Tier sehr weit verbreitet, meist mit der ↗Sonne u. dem ↗Himmel gelegentl. auch mit dem ↗Blitz u. dem ↗Donner in Zshg. gebracht. Symbolprägend waren vor allem seine Kraft u. Ausdauer u. sein dem Himmel zustrebender Flug. In mehreren indian. Kulturen wird der A., als sonnen- u. himmelverwandt, dem chthonischen ↗Jaguar gegenübergestellt. Seine Federn wurden als Symbole der Sonnenstrahlen zu kult. Schmuck verwendet. – Der A. gilt als „König" der Vögel u. war bereits im Altertum ein Königs- u. Götter-Symbol. In der griech.-röm. Antike war er Begleiter u. Symbol-Tier des Zeus (Jupiter). In der röm. Kunst verkörpert oder trägt ein auffahrender A. die Seele des Herrschers, die nach Verbrennen der Leiche zu den Göttern aufsteigt. Die röm. Legionen hatten den A. als Feldzeichen. – In der Bibel begegnet der A. als Sinnbild für Gottes Allmacht oder auch für die Stärke des Glaubens. – Der ↗Physiologus schreibt dem A. die gleichen legendären Eigenschaften wie dem ↗Phönix zu, daher ist er im MA auch ein Symbol für Neugeburt u. Taufe sowie gelegentl. Symbol Christi u. (auch wegen seines Fluges) Symbol für dessen Himmelfahrt. Die Mystiker verglichen den auffliegenden A. verschiedentl. mit dem Gebet. Da der A. angebl. (nach Aristoteles) beim Aufsteigen direkt in die Sonne blickt, galt er auch als Symbol der Kontemplation u. spirituellen Erkenntnis. Mit Bezug darauf wie auf seinen Höhenflug ist er auch Attribut des Evangelisten Johannes (↗Evangelistensymbole). – Unter den sieben Todsünden symbolisiert der A. den Hochmut, unter den vier Kardinaltugenden die Gerechtigkeit. – C. G. Jung sieht im A. ein väterl. Symbol. – Der A. war in Fortführung der röm. Tradition dt. Reichsadler, heute ist er dt. Bundesadler; als Zeichen der Souveränität steht er auch in vielen anderen Staatswappen.

Adventskranz ↗Kranz.

Affe, verbreitetes Symbol-Tier, vor allem wegen seiner Beweglichkeit, Intelligenz, aber auch Hinterlist u. Geilheit sowie wegen seines Nachahmungstriebs u. seines streitbaren Geizes. – Im Fernen Osten häufig Symbol der Weisheit; berühmt wurden die 3 A.n v. „Heiligen Stall" in Nikko, v. denen der eine sich die Augen, der andere die Ohren u. der dritte den Mund zuhält; heute oft populär als ein Sinnbild weisheitsvollen (u. damit auch glückl.) Lebens, bes. des Umganges mit den Menschen, gedeutet: nichts sehen, nichts hören u. nichts reden; sie spielten urspr. allerdings eine Rolle als Boten, die den Göttern über die Menschen berichten sollten u. daher als eine Art Abwehrzauber stumm, taub u. blind dargestellt wurden. – Der *Mantelpavian* wurde in Ägypten als göttl.

Adler

Einköpfiger Reichsadler des Mittelalters

Doppelköpfiger Reichsadler seit 1401

Adler als Symbol des Geistes; aus: Hermphroditisches Sonn- und Mondskind, 1752.

Adler: Symbol des Evangelisten Johannes; Kapitell im Kloster Saint Trophime, Arles; 12. Jh.

Affe: Pavian aus einer Unterweltsszene; Grab des Tutanchamûn, 18. Dyn.

Affe: Kapitell der Kirche Saint-Jouin-de-Marnes

Wesen verehrt, er war – vor allem groß, weiß, hockend, mit erigiertem Phallus u. häufig mit der Mondscheibe auf dem Kopf – die Verkörperung des Mondgottes Thot, des Schutzpatrons der Gelehrten u. Schreiber, der auch oft als Götterbote u. Seelenführer auftritt. In der jenseitigen Welt empfingen die Seele aber nicht nur gute, sondern auch dämon. A.en, die sie z. B. mit Fangnetzen bedrohten. – In Indien sind A.n bis heute oft heilig u. unantastbar. – In der christl. Kunst u. Literatur wird der A. meist negativ gesehen; er symbolisiert – häufig mit einem ↗Spiegel in der Hand – den durch seine Laster zum Tier herabgesunkenen Menschen (äußere Ähnlichkeit zw. Mensch u. A.), bes. die Todsünden Geiz, Wollust u. Eitelkeit. Mit einer Kette gefesselt, stellt er meist den überwundenen Satan dar. – Die psychoanalyt. Traumdeutung sieht im A. häufig ein Symbol der Unverschämtheit, des inneren Aufruhrs oder auch, wegen seiner Menschenähnlichkeit, die animal. Karikatur der Persönlichkeit. – Der A. ist das 9. Zeichen des chines. ↗Tierkreises, er entspricht dem ↗Schützen.

Agave, *Aloë.* Die in der Bibel erwähnte *Aloë* ist ein hoher Baum, aus dessen Holz ein sehr wertvolles, bitteres u. duftendes Öl gewonnen wurde; häufig wurde dies zus. mit der ↗Myrrhe verwendet; die Aloë u. ihr Öl galten als Symbol für Buße u. Enthaltsamkeit; sie steht, da sie bei der Grablegung Christi erwähnt wird, auch in sinnbildl. Zshg. mit Christi Tod. Die oft sehr langlebige *Agave* (auch *100jährige Aloë*) treibt nur einmal einen hohen mit zahlreichen Blüten besetzten Schaft u. stirbt dann ab; sie galt im MA als Symbol der jungfräul. Mutterschaft Marias.

Ägide ↗Aigis.

Ägis ↗Aigis.

Ägypten, nach dem AT das Land der Knechtschaft des Volkes Israel u. Land des Götzendienstes; daher sinnbildl. negatives Pendant zum „Land der Verheißung".

Ähre ↗Weizen.

Aigis *w, Ägis,* Schutzwaffe des Zeus, ein v. Hephaistos geschmiedeter Schild; trägt in der Mitte das Haupt der Gorgo (↗Gorgoneion); auf Grund etymolog. Fehldeutungen galt sie in nachhomer. Erzählungen als mit der Haut der ↗Ziege Amaltheia überzogen; wurde v. Zeus u. a. der Athena geliehen. Sie war ein Sinnbild des Schutzes der Götter, daher noch heute die sprachl. Wendung „unter jemandes *Ägide* stehen". – Die Deutung der A. als Symbol des Gewitters u. der Gewitterwolke ist umstritten.

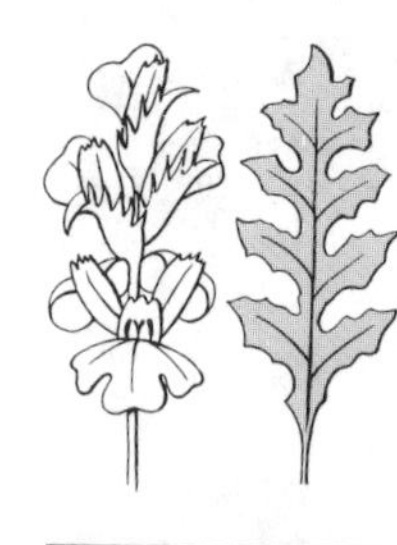

Akanthus: oben Blüte und Blatt, unten A. an einem Kapitell

Akanthus *m,* distelähnl. Pflanze wärmerer Länder. Die buchtig gezähnten Blätter v. 2 Arten des A. im Mittelmeergebiet gaben das Vorbild für ein Blattornament, bes. am korinth. Kapitell; auch als Geschlinge zur Flächenfüllung verwendet. Die symbol. Bedeutung des A. bezieht sich wahrscheinl. auf seine Stacheln: er zeigt an, daß eine schwierige Aufgabe vollendet gelöst wurde.

Akazie, häufig mit der *Robinie* oder der *Mimose* gleichgesetzter Baum. Das Holz der echten A. ist sehr dauerhaft, daher galt sie als Symbol der Unveränderlichkeit. Vor allem bei den Freimaurern ist sie ein Symbol für Reinheit, Unsterblichkeit u. Einweihung.

Akelei

Akelei, Pflanzengattung der nördl. gemäßigten Zone; urspr. der german. Muttergöttin Frija geweiht; in der christl. Kunst Marienattribut.

Alant *m,* Korbblüter; Helena soll ihn bei ihrer Entführung durch Paris in Händen gehalten haben (daher der lat. Name Inula Helenium); das Kraut *Moly,* das Hermes dem Odysseus brachte, damit er seine Gefährten vom Zauber der Circe befreie, wurde gelegentl. als A. (zumeist allerdings als der Schwarze Nieswurz) gedeutet. – Im Christentum begegnet der A. selten als Symbol-Pflanze; er bedeutet „Erlösung".

Alchimie *w,* die wohl hauptsächl. in Ägypten entstandene u. im MA bis in die frühe Neuzeit in Blüte stehende theoret. u. experimentelle Auseinandersetzung mit chem. Stoffen. Die A. war ein Höhepunkt des Symbol-Denkens und stellte eine enge Durchdringung früher naturwissenschaftl., religiöser u. psycholog. Vorstellungen dar; sie stand außerdem in engem Zshg. mit der Astrologie u. der Medizin ihrer Zeit. Die alchimist. Praktiken zielten vor allem auf eine Veredelung der Stoffe u. eine myst. Vereinigung v. Mikro- u. Makrokosmos sowie – damit verbunden – auf eine Läuterung der Seele. – Als ↗Elemente galten den Alchimisten außer den 4 der griech. Naturphilosophie (↗Feuer, ↗Wasser, ↗Luft u. ↗Erde) die „philosophischen Elemente" ↗Salz, ↗Schwefel u. Quecksilber (↗Mercurius).

Alpha und Omega: A. u. O. mit Christusmonogramm

Alkohol, *Feuerwasser,* symbolisiert die Vereinigung der gegensätzlichen Elemente ↗Feuer u. ↗Wasser, damit auch Symbol für Lebenskraft.

Aloë ↗Agave.

Alpha, der erste Buchstabe des griech. Alphabets u. erster Buchstabe des Wortes arché = Anfang; symbolisiert in der Bibel sowie in der christl. Kunst u. Literatur den Uranfang. ↗Alpha u. Omega.

Alphabet ↗Buchstaben.

Alpha u. Omega, A u. Ω, Anfangs- u. Endbuchstaben des griech. Alphabets, die alle anderen Buchstaben „einschließen"; damit Symbol für das Umfassende, die Totalität, für Gott u. insbesondere Christus, als den Ersten u. Letzten (häufiges Begleitmotiv zum Christusmonogramm). Teilhard de Chardin verwendete die beiden Buchstaben zur Veranschaulichung seiner Evolutionstheorie. ↗Alpha, ↗Omega.

Alraune: A. aus „Hortus sanitatis", deutsch 1485

Alraune *w,* Bz. für die Wurzel der *Mandragora* bzw.

Mandragola, eines Nachtschattengewächses, das dem Volksglauben nach unter Galgen aus dem Sperma der Gehenkten wuchs (daher wurde die Wurzel auch häufig *Galgenmännlein* genannt). Der Wurzelstock hat eine rübenartige, häufig verzweigte Form u. erinnert oft an die Gestalt eines Menschen. Die A. wurde seit altersher vielseitig verwendet als Heil- u. Zaubermittel sowie als Aphrodisiacum. Verschiedentl., z. B. in Ägypten u. bei den Hebräern, galt sie daher im Hinblick auf die letztgenannte Wirkung als mag. wirksames Liebes- u. Fruchtbarkeits-Symbol. – Im ma. Volksglauben sagte man der A. die Fähigkeit nach, Glück, Fruchtbarkeit u. Reichtum zu bringen; seither wird in diesem Sinne mehrfach, z. B. in sprichwörtl. Redensarten, auf sie Bezug genommen. ↗Ginseng.

Altar: Schlachtung des Kalbes auf dem Opferaltar; nach einer Miniatur im Evangeliar aus Auersbach, 12. Jh.

Altar, erhöhte Stätte (altus) innerhalb des Kultzentrums, die in fast allen Religionen dem Opfer u. anderen sakralen Handlungen dient. Die Erhöhung versinnbildlicht die Erhebung der Opfergaben zu den Göttern oder zu Gott; gelegentl. wurde der A. auch verstanden als spirituelles Zentrum der Welt. – Im Christentum versinnbildlicht er den heiligen Tisch des Mahles mit Christus oder den Leib Christi selbst (das weiße Altartuch symbolisiert dann das Leichentuch). Seit dem 4. Jh. wird der A. auch als Ort des Schutzes u. der Zuflucht verstanden: Selbst die größten Verbrecher durften nicht in der Kirche u. vor allem nicht am A. ergriffen werden.

Amboß, häufig als weibl. Pendant zum symbolisch als aktiv u. männl. empfundenen ↗Hammer gedeutet. – Gelegentl. erscheint der A. auch als Attribut der Kardinaltugend Tapferkeit.

Ambrosia *w,* in der Antike häufig zusammen mit Nektar erwähnte Götterspeise, verleiht Unsterblichkeit. – In der christl. Lit. werden das Wort Gottes u. die Eucharistie verschiedentl. symbol. als A. bezeichnet.

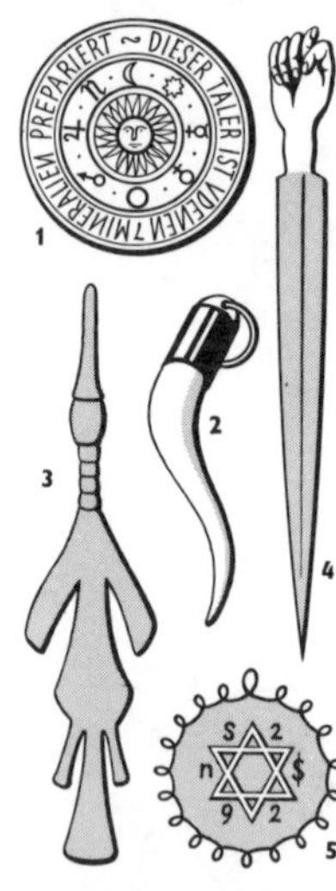

Amulett: 1 Astrologisches Krankheits-A. **2** Abwehr-A. aus Büffelhorn gegen „Bösen Blick". **3** Vogel-A. der Tungusen (Sibirien). **4** Feigen-A. (Neid- oder Verschreifeige), vor allem in südl. Ländern gebräuchlich. **5** Medaillon-A. mit Drudenfuß

Ameise, wie die ↗Biene Symbol für Fleiß u. organisiertes Gemeinschaftsleben, wegen ihrer ausgiebig angelegten Wintervorräte auch Symbol der weisen Voraussicht. – In Indien wegen ihrer rastlosen Geschäftigkeit Symbol der Nichtigkeit aller Handlungen des ird. Lebens. – Bei afrikan. Völkern steht der *A.nhaufen* verschiedentl. in Zshg. mit kosmogon. Vorstellungen; gelegentl. wird er auch mit der weibl. Fruchtbarkeit in Verbindung gebracht, die er Frauen, die sich auf ihn setzen, angebl. verleiht.

Ameisenhaufen ↗Ameise.

Amen, im jüd. Synagogen-Gottesdienst, im NT, in allen christl. Liturgien u. im Islam liturg. Akklamations- u. Bekräftigungsformel. In der Apokalypse wird Christus symbolisch „das Amen" genannt. ↗Neunundneunzig.

Amethyst *m,* galt in der Antike als Mittel gegen Gift u. Trunkenheit (amethysios = nicht trunken). – In der christl. Symbolsprache Sinnbild der Demut, da er die Farbe des bescheidenen Veilchens trägt sowie symbol. Hinweis auf die Passion Christi (↗Violett). Der A. galt außerdem als einer der Grundsteine des himml. Jerusalem (↗Jerusalem, himmlisches).

Amulẹtt *s,* zumeist am Körper getragener kleiner Gegenstand, dient den Menschen im mag. Weltbild als Abwehrzauber (gg. Geister, den bösen Blick, Unglück, Krankheit) u. als Glücksbringer, wobei wahrscheinl. oft die Seltenheit oder die spezif. Form des Gegenstandes symbolisch als Ausdruck des Herbeizwingens besonderer Schicksalsmächte empfunden wurde. Vorherrschende A.typen sind: das ↗Horn, Kriechtiere, Spinnen, Kleeblätter (↗Klee), obszöne ↗Feige, (Halb-)Edelsteine, Namen oder Buchstaben, auffällige Naturfomen (↗Alraune), aber auch Heiligenbildchen usw. Das Tragen v. Schmuck hängt wahrscheinl. urspr. mit dem Gebrauch v. A.en zusammen. – A.e waren bereits in vorgeschichtl. Zeit übl., verbreitet waren sie bes. im Alten Orient u. in China; in Ägypten wurden die Mumien mit A.en vor dem „Tod“ geschützt. – Das A.wesen lebt teilweise bis heute fort. ↗Abracadabra, ↗Abraxas, ↗Pentagramm, ↗Sator-Arepo-Formel.

Anastasiskreuz: A. von einem Sarkophag, 4. Jh.

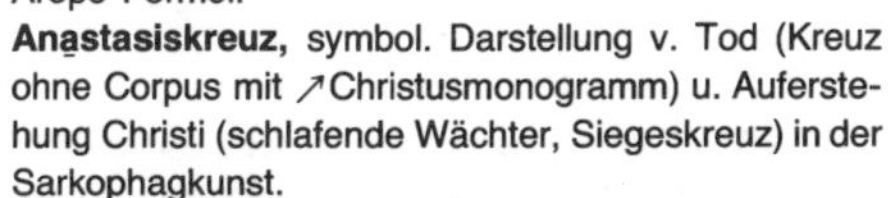

Anạstasiskreuz, symbol. Darstellung v. Tod (Kreuz ohne Corpus mit ↗Christusmonogramm) u. Auferstehung Christi (schlafende Wächter, Siegeskreuz) in der Sarkophagkunst.

Anemọne, in der Antike Symbol für das Vergängliche, da sie nicht von langer Dauer ist (anemos bedeutet auf Griechisch „Wind“). Blume des Adonis, der von Venus in eine purpurrote A. verwandelt wurde. – In der christl. Symbolsprache bedeuten A.n das vergossene Blut von Heiligen (neben Rosen u. Margariten).

Angẹlica ↗Engelwurz.

Anker, Attribut verschiedener Meeresgottheiten. – Da der A. bei Sturm den einzigen Halt des Schiffes bedeutet, ist er ein Symbol der Hoffnung, vor allem in der christl. Symbolsprache (häufig auf Grabdenkmälern u. Sarkophagen), u. ein Sinnbild der Beständigkeit

Anemone

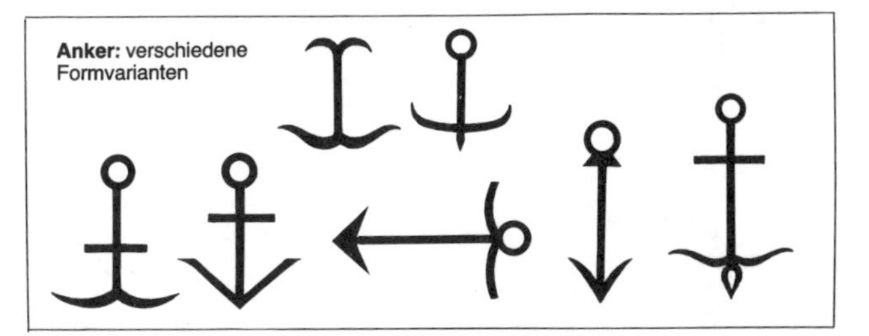

Anker: verschiedene Formvarianten

Apostelattribute

Andreas
(Andreaskreuz, Kreuzstab)
Bartholomäus
(Messer, abgezogene Haut)
Jakobus d. Ä.
(Keule, Pilgertracht mit Muschel)
Jakobus d. J.
(Schwert, Walkerstange oder Fahne)
Johannes
(bartlos, Kelch mit Schlange)
Judas Thaddäus
(Kreuz, Keule, Buch)
Matthäus
(Schwert, Beutel, Beil)
Paulus
(Schwert, Schriftrollen)
Petrus
(Schlüssel, Kreuz)
Philippus
(Kreuzstab, Antoniuskreuz)
Simon
(Kreuz, Buch)
Thomas
(Lanze, Winkelmaß)
Matthias
(Beil, Stein)

u. Treue. Als verborgenes Kreuzsymbol wurde er im frühen Christentum durch Einführung einer Querstange verwendet.

Ankh, ägypt. *Schleifenkreuz,* symbolisiert die Befruchtung der Erde durch die Sonne sowie das Leben. Sehr häufig in der ägypt. Kunst, oft in der Hand v. Göttern u. Königen. Bei der Darstellung v. Bestattungsritualen wird es oft oben, an der Seite der Schleife, gehalten (einen Schlüssel symbolisierend, der das Totenreich aufschließt?). – Die christl. Ägypter (Kopten) übernahmen das Zeichen als Symbol für die lebenspendende Kraft des Kreuzes Christi.

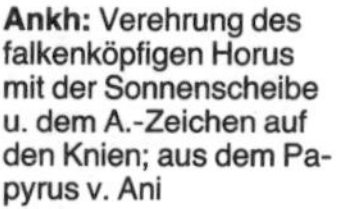

Ankh: Verehrung des falkenköpfigen Horus mit der Sonnenscheibe u. dem A.-Zeichen auf den Knien; aus dem Papyrus v. Ani

Ankh: die Göttin Nut, mit einem A.-Zeichen an jedem Handgelenk, trägt die Sonne; Malerei aus dem Grab Nr. 2 Khabeket; 20. Dyn.

Apfel, altes Fruchtbarkeits-Symbol, vor allem der rote A. auch weit verbreitetes Liebes-Symbol. Wegen seiner Kugelgestalt verstand man ihn verschiedentl. als Sinnbild der Ewigkeit. – Der A. begegnet auch mehrfach, z. B. in der kelt. Tradition, als Symbol spirituellen Wissens. – Die goldenen Äpfel der Hesperiden galten als Sinnbilder der Unsterblichkeit. – Die Kugelgestalt des A.s wird u. a. in der christl. Symbolik auch als Sinnbild der Erde verstanden, seine schöne Farbe u. Süßigkeit entsprechend als Symbol der Verlockungen dieser Welt; der A. ist daher auch häufig Sinnbild des ersten Sündenfalles. Ein A. in der Hand Christi symbolisiert mit Bezug darauf die Erlösung v. der durch den Sündenfall entstandenen Erbsünde, Äpfel am ↗ *Weihnachtsbaum* die durch Christus erwirkte Rückkehr der Menschheit ins Paradies. In demselben Sinne muß auch der A. als Attribut Marias, der neuen Eva, verstanden werden. – Der *Reichsapfel,* das Sinnbild der Erdkugel, ist ein Symbol der Weltherrschaft: in der Antike verschiedentl. mit der Darstellung der Siegesgöttin Nike, bei christl. Herrschern meist mit dem Kreuz bekrönt.

Apokalypse *w,* letztes kanon. u. einziges prophet. Buch des NT, geschrieben vom hl. Johannes auf Patmos; enthält 7 Sendschreiben an christl. Gemein-

Arche: die A. Noah; nach einer Darstellung aus: Queen Mary's Psalter, 14. Jh.

den in Kleinasien u. Gesichte über die unmittelbar erwartete Endzeit, die z. T. schwer deutbar sind u. herankommende Schrecken, die Herrschaft des Antichrist u. seine Überwindung schildern.

Apophis ↗Schlange.

Apostelattribute. In der christl. Kunst werden seit dem 13. Jh. die Apostel durch ihre Attribute unterschieden (siehe Randspalte).

Arbor philosophica, *Arbor Dianae, Baum der Philosophen, Silberbaum,* bäumchen- und zweigförmige Kristallisationserscheinung aus einer mit Quecksilber versetzten Silbernitratlösung; galt den Alchimisten als Symbol u. Beweis für die „pflanzenhaft sprossende Natur" der Metalle. – Der Begriff bezeichnet außerdem die meist zwölf „alchimist. Operationen" (Calcinatio, Solutio, Elementorum separatio, Coniunctio, Putrefactio, Coagulatio, Cibatio, Sublimatio, Fermentatio, Exaltatio, Augmentatio, Proiectio), deren Zusammenhang untereinander häufig bildhaft anschaul. in Form eines verzweigten Baumes dargestellt wurde.

Arm: A. Gottes mit Lamm (Christus) u. Taube (Hl. Geist); Dreifaltigkeitssymbol, nach einer Graphik von R. Seewald

Arche, in der Bibel die *A. Noah,* das ↗Schiff, mit dem Noah, seine Familie u. die ausgewählten Tiere der Sintflut entgingen. Die A. Noah wird als Vorbild der Errettung durch die Taufe gesehen. Sie ist auch ein Symbol der Kirche, außerdem symbolisiert sie die Gesamtheit des heiligen Wissens, das nicht zugrunde gehen kann. – C. G. Jung spricht von der A. als einem Symbol des mütterlichen Schoßes. – *A. des Bundes* heißt die Bundeslade der Israeliten; auch die Gottesmutter wird, als Vermittlerin des Heils, so genannt.

Archetypen [Mz., gr.], *Urtypen,* nach der spätantiken Philosophie in der geistigen Welt existierende Urbilder oder Ideen. – C. G. Jung verwendete den Begriff zur Bz. v. menschheitl.-allg. Symbol-Figuren u. -Bildern, die sowohl in Träumen wie in Mythen, Märchen usw. begegnen können (kollektives Unbewußtes) u. den Menschen die Einsicht in stets wiederkehrende Grundstrukturen der Individualentwicklung auf bildhafte Weise nahebringen.

Arm: Tanzender Schiwa mit vier A.en; Bronze; um 1400

Ariadnefaden ↗Faden.

Arm, Symbol der Kraft, der Macht; der ausgestreckte A. ist auch häufig Symbol der richterl. Gewalt. – Verschiedene ind. Gottheiten besitzen mehr als zwei A.e zum Ausdruck ihrer Allmacht. – In der christl. Liturgie z. B. bedeuten erhobene Arme die Öffnung der Seele u. das Bitten um Gnade. Der A. (oder die ↗Hand), der aus dem Himmel ins Bild greift, ist in der christl. Malerei des MA ein Symbol Gottes. – Erhobene Arme als Geste bei Unterlegenen bedeuten die Aufgabe jeglicher Verteidigung.

Arnika, *Bergwohlverleih, Johannisblume,* Korbblüter mit gelben, würzig duftenden Blüten, bereits bei den Germanen Heilpflanze. Urspr. der german. Muttergöt-

Arnika

Äskulapstab: Asklepios mit Stab und Schlange

tin Frija, später der Maria geweiht; galt auch als Schutz gg. Blitz, Hexen u. Zauberer.

Aronstab, Pflanze mit kolbenförmigem Blütenstand u. weißl., lilienähnl. Hochblatt; im MA Marienattribut. Da die Pflanze außerdem auf den grünenden Stab Aarons verweist, steht sie, wie dieser, auch in Zshg. mit der Auferstehungssymbolik.

Asche. Die Symbol-Bedeutung der A. hängt zusammen mit ihrer Staubähnlichkeit u. mit der Tatsache, daß sie der kalte u. gleichsam gereinigte Verbrennungsrückstand nach Erlöschen des Feuers ist; sie gilt daher in vielen Kulturen als Symbol des Todes, der Vergänglichkeit, der Reue u. Buße, aber auch der Läuterung u. Auferstehung. – Das Haupt mit A. zu bestreuen oder sich darin zu wälzen galt bei Griechen, Ägyptern, Juden, Arabern u. – gelegentlich auch noch heute – bei primitiven Stämmen als Ausdruck der Trauer. – Die ind. Yogis bedecken zum Zeichen ihres Weltverzichts ihren Körper mit A. – Die heilige A. verbrannter Opfertiere galt u. a. im Judentum als reinigend. – Das Christentum kennt die Verwendung v. A. mit Bezug auf die Buß- u. Reinigungssymbolik bei verschiedenen kult. Handlungen, u. a. am Aschermittwoch u. bei der Kirchenweihe.

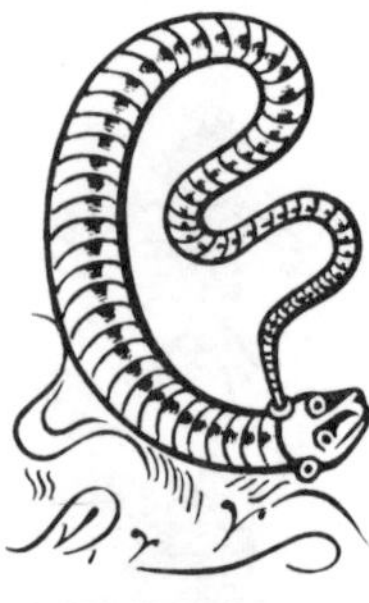

Aspis: Darstellung nach einer englischen Miniatur

Äskulapstab, v. einer ↗Schlange umwundener Stab, Attribut des Asklepios, des antiken Gottes der Heilkunst; Symbol des Arztberufes und, verbunden mit einer Schale, Zeichen der Apotheken. Die Schlange, die sich jährl. häutet, erscheint in diesem Zshg als Symbol der Lebenserneuerung; zugleich versinnbildlicht sie die heilbringende Verwendung ihres Giftes. ↗Kerykeion.

Asphodelus *m, Asphodelos,* im Mittelmeergebiet heimisches Liliengewächs mit weißen Blütenrispen u. fleischiger, zuckerhaltiger Wurzel. Bei Griechen u. Römern Totenpflanze (daher dem Hades u. der Persephone heilig); die Wurzeln galten als Speise der Verstorbenen, die man sich gelegentlich (Homer) auch auf A.-Wiesen wandelnd vorstellte. Außerdem galt der A. als Abwehrmittel gg. böse Geister. – Das MA brachte den A. mit dem Planeten Saturn in Verbindung.

Atem: der Schöpfer-Gott haucht Adam den Odem des Lebens ein; nach einem Mosaik, Kathedrale v. Monreale; 12. Jh.

Aspis *w,* ↗Schlange oder ↗Drache (gelegentl. auch Vierfüßler), in der Bauplastik u. Buchkunst des MA oft mit ↗Basilisk, ↗Löwe u. ↗Drache dargestellt; erscheint verschiedentl. mit einem Ohr am Boden, das andere mit dem Schwanz zustopfend. Symbol des Bösen u. der Verstocktheit.

Astraltänze, in vielen Kulturen verbreitete Kult-Tänze, die die Bewegungen der Gestirne versinnbildlichen; meist Ausdruck der Beschwörung kosm. Mächte.

Atem, Symbol für kosm., belebende Kräfte, verschiedentl. auch für den Geist, bes. den schaffenden Geist am Urbeginn der Welt. So findet sich z. B. im Taoismus die Vorstellung v. neun verschiedenen uranfängl. A.strömen, deren allmähl. Zusammenfließen erst den phys. Raum, die Voraussetzung für alles Seiende, schuf. – In Indien spielt die Auffassung v. einem alles durchdringenden, die verschiedenen Seinsebenen verbindenden A. eine große Rolle. Der *Atman,* das individuelle, geistig-ewige Selbst, das sich am Endziel der geistigen Entwicklung mit Brahma, dem göttl. Selbst, vereinigt, wurde urspr. als A. gedacht; darüber hinaus entfaltet sich die psychophys. Gesamtheit des Menschen in fünf verschiedenen A.strömen, die in engem Zshg. mit der *Kundalinischlange* (↗Schlange) stehen. – In der Genesis erweckt Gott den v. ihm erschaffenen Menschen durch seinen A., der hier den Schöpfergeist symbolisiert, zum Leben.

Athanor *m,* alchimist. Ofen, in dem sich die phys., myst. u. moral. Verwandlungen vollziehen; wurde verschiedentl. mit der ↗Gebärmutter oder auch mit dem Weltenei (↗Ei) verglichen.

Atlantis, nach Platon sagenhaftes Reich im Atlant. Ozean, vom Meere verschlungen. Im übertragenen Sinne Symbol des verlorenen Paradieses u. des Goldenen Zeitalters.

Atman ↗Atem.

Auffahrt, Darstellung einer zum Himmel auffahrenden Figur; häufig mit ausgebreiteten oder erhobenen Armen. Symbolisiert entweder die Seele nach dem Tod (↗Adler) oder eine Einweihung, eine geistige Berufung, eine Vereinigung mit Gott.

Auge, steht als Hauptorgan der sinnl. Wahrnehmung in engem symbolischem Zshg. mit dem ↗Licht, der ↗Sonne, dem Geist. Es ist Sinnbild der geistigen Schau, aber auch – als „Spiegel" der Seele – Instrument des seel.-geistigen Ausdrucks. Das rechte A. wurde verschiedentl. mit der Aktivität, der Zukunft u. der Sonne, das linke mit der Passivität, der Vergangenheit u. dem Mond in Verbindung gebracht. – Der Buddhismus kennt das *Dritte A.* als Symbol der inneren Schau. – Im Altertum begegnet das A. häufig als Symbol der Sonnengottheit. – Ein in Ägypten weitverbreitetes ↗Amulett war das sog. *Udjat-Auge,* das Falken-A. des Himmelsgottes Horus, das auf

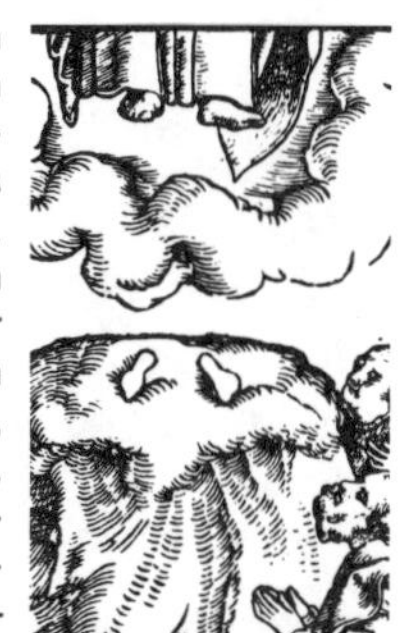

Auffahrt: Himmelfahrt Christi; H. L. Schaeufelein; Holzschnitt (Ausschnitt; zu beachten die Fußspuren!)

Auffahrt: Auferstehung Christi, dargestellt als A.; nach dem Gemälde des Matthias Grünewald auf dem Isenheimer Altar

Auge: Kopf und Hand der tibetischen Göttin Tara; Standbild im Kloster Traschilhümpo

Auge: A. zur Abwehr des Bösen Blickes; Eingangsmosaik einer röm. Villa

Auge: das ägypt. Udjat-Auge; Fayence der Spätzeit

Augenbinde: die Synagoge; Plastik am Straßburger Münster; um 1230

Aureole: Auferstehung Christi (Ausschnitt v. einem Wandgemälde), A. da Firenze, 1366

Axt: altkretisches Doppelaxtsymbol mit Kultschleife

einem krummstabähnl. Zepter aufruht; das A. symbolisiert weite Sicht u. Allwissenheit, das Zepter Herrschergewalt, das gesamte Amulett sollte Unverletzbarkeit u. ewige Fruchtbarkeit verleihen. – In der Bibel erscheint das A. als Symbol der Allwissenheit, Wachsamkeit u. behütenden Allgegenwart Gottes. In der christl. Kunst bedeutet ein v. Sonnenstrahlen umgebenes A. Gott, ein A. in der Hand Gottes die schaffende göttl. Weisheit, ein A. im Dreieck Gottvater in der Dreifaltigkeit. A.n auf Flügeln der Seraphim u. Cherubim deuten auf deren durchdringende Erkenntnisfähigkeit. – Darstellungen des A.s wurde seit altersher auch häufig eine apotropäische Wirkung beigemessen.

Augenbinde, Symbol für das „Nichtsehen". *Positiv:* A. der ↗Justitia, die ohne Ansehen der Person richtet. *Negativ:* die A. der ↗Fortuna, die wahllos ihre Gaben verteilt (gelegentl. auch durch ausgekratzte Augen ersetzt); die A. der Synagoge, die, im Ggs. zur ↗Kirche, geistig blind bleibt.

Aum ↗Om.

Aureole *w,* vor allem in der christl. Kunst ein die ganze Gestalt umgebender, das göttl. Licht symbolisierender, heller Schein oder Strahlenkranz; im Ggs. zum ↗Heiligenschein in der christl. Kunst vor allem Christus u. Maria vorbehalten; in mandelförmiger Gestalt ↗Mandorla.

Avaritia (Geiz), weibl. Personifikation einer der 7 Todsünden, reitet u. a. auf einer Kröte, einem Dachs oder einem Wolf.

Axt, *Beil,* Symbol des Krieges, der Zerstörung (vor allem bei Indianern). – Als Instrument der Schlachtung v. Opfertieren auch Kult-Symbol, außerdem Macht-Symbol u. Würdezeichen (als *Doppelaxt* bes. im Vorderen Orient, in der minoischen Kultur u. in Nordeuropa). – Verschiedentl. in symbol. Verbindung zum ↗Blitz gedeutet. – In der Bibel begegnet die A., die bereits an die Wurzel der Bäume gelegt ist, als Symbol des Jüngsten Gerichts. – Eine A. auf der Spitze einer Pyramide oder eines auf die Spitze gestellten Kubus erscheint in der Freimaurerei verschiedentl. auf älteren Dokumenten; vermutl. handelt es sich um ein Initiations-Symbol, das auf den mutigen Akt der Freilegung des verborgenen Geheimnisses verweist.

Babel, Turmbau von (Babel = hebr. Name für „Babylon"), Symbol der hochmütigen, maßlosen Menschheit, der es gleichwohl nicht gelingt; sich über die von Gott gesetzten Grenzen zu erheben; die v. Gott verhängte Strafe der Sprachverwirrung findet ihre positive Entsprechung im NT in der Ausgießung des Hl. Geistes zu Pfingsten u. dem daraus resultierenden Sprachenwunder.

Babel, Turmbau von: nach einer Radierung v. C. Anthonisz, 1547

Babylon (babylon. Babilu = „die Gottespforte", in der Bibel jedoch mit dem Begriff „Verwirrung" in Verbindung gebracht), Stadt am Euphrat. Nebukadnezar II. nahm den Juden ihre nationale Selbständigkeit u. führte einen großen Teil von ihnen in die *Babylonische Gefangenschaft;* von daher die negative Bedeutung B.s aus jüdischer Sicht; B. als Antithese zum himmlischen Jerusalem. In der Offenbarung ist B. der Sitz aller antichristlichen Mächte, ein Ort des gottlosen Lebens u. der Hurerei („Sündenbabel", ein im heutigen Wortgebrauch noch üblicher Begriff). Johannes beschreibt die Vision der „Hure B.", ein in Scharlach u. Purpur gekleidetes Weib, das einen goldenen Becher voller Unrat in der Hand hält, B. ist hier jedoch – aus neutestamentlicher Sicht – der Deckname für die dem Christentum feindliche Macht Rom. ↗Babel, Turmbau von.

Babylon: die Hure B. auf dem apokalypt. Tier; nach Dürer (Apokalypse)

Backofen ↗Ofen.

Bad, *positiv:* Ort der Reinigung, Erneuerung u. Wiedergeburt, sowie – in der Alchimie – Ort myst. Vereinigungen; *negativ:* vor allem als warmes B. Zeichen der Verweichlichung, des Luxus u. Ort der unkeuschen Sinnenlust. In vielen Kulturen steht das B. in enger Verbindung mit dem Kultus, namentl. unter dem Gesichtspunkt der Abwaschung aller Sünden (↗Taufe). In der Antike wurden selbst Götterstatuen zeremoniell gebadet zum Zeichen der Erneuerung der Beziehung zw. Göttern u. Menschen. – Die Psychoanalyse versteht das B. auch als Ausdruck eines

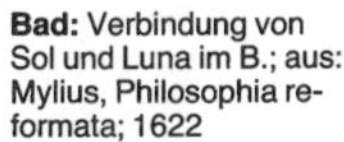

Bad: Verbindung von Sol und Luna im B.; aus: Mylius, Philosophia reformata; 1622

Baldachin: Überkrönung einer got. Statue; Vorhalle im Freiburger Münster

Bambus: B. an einem Felsen (Ausschnitt); chin. Tuschzeichnung, Chao Pei, Anf. 17. Jh.

Bär: die kelt. Göttin Artio mit ihrem Symbol-Tier

unbewußten Versuches, in den Uterus zurückzukehren. ↗Hand- und Fußwaschung.

Baldachin *m,* vor allem im Orient Symbol herrscherl. Würde (bestand dort meistens aus Seide). – In der christl. Baukunst über Altar, Kanzel, Grabmälern u. Statuen gebräuchl.; erhöht symbolisch die spirituelle Bedeutung oder den Herrschaftsanspruch des unter ihm Stehenden oder Sitzenden.

Baldrian, *Katzenkraut, Hexenkraut,* bereits im Altertum bekannt als Heilpflanze. Aus dem ind. Nardenbaldrian wurde das berühmte *Nardenöl* hergestellt, mit dem z. B. Jesus in Bethanien gesalbt wurde; mit Bezug darauf erscheint die Pflanze verschiedentl. auf Tafelbildern des MA. – Der ma. Volksglauben verwendete B. zum „Ausräuchern" des Teufels u. Vertreiben v. Hexen.

Bambus, in Ostasien glückbringende Pflanze; häufig als Gegenstand einer meditativ verstandenen Malerei dargestellt; die Knoten, die einzelnen Abschnitte u. der gerade Wuchs des B. symbolisieren im Buddhismus u. Taoismus den Weg u. die einzelnen Stufen der geistigen Entwicklung.

Bananenbaum, Riesenstaude mit weichem Scheinstamm u. oft vom Winde zerfetzten Blättern. Von Buddha als Symbol der Hinfälligkeit alles Irdischen gesehen; in der chines. Malerei mehrfach dargestellt: ein Weiser, unter einem Bananenbaum über die Nichtigkeit der Welt meditierend.

Band ↗Bänder.

Bänder, häufig Symbol herrscherl. oder richterl. Gewalt; sie bezeichnen die Macht, zu binden u. zu lösen. In anderen Zusammenhängen können sie aber auch Sinnbild freiwillig eingegangener Bindungen sein.

Bär, spielt bereits, wie Felsenbilder u. Knochenfunde beweisen, in prähistor. Zeit eine wichtige kult. Rolle. Vor allem bei den Völkern des Nordens als menschenähnl., mächtiges Wesen verehrt; galt verschiedentl. als Mittler zw. ↗Himmel u. ↗Erde sowie bei vielen Völkern als Ahnvater der Menschen. – Nach nordeurop. Überlieferung war nicht der ↗Löwe, sondern der B. König der Tiere. Bei den Kelten stand der B. den Kriegern u. dem Kriegshandwerk nahe. In Sibirien u. Alaska wurde er mit dem ↗Mond in Verbindung gebracht, weil auch er, als ein Tier, das Winterschlaf hält, regelmäßig „kommt u. geht". – Mit Bezug auf seinen Winterschlaf ist er auch gelegentl. in der ma. Kunst ein Symbol für Alter u. Tod des Menschen. – In China galt der B. als männl., dem Prinzip Yang (↗Yin und Yang) nahestehendes Tier. – Die Alchimisten sahen im B. ein Sinnbild der Dunkelheit u. des Geheimnisses der Urmaterie. – In der griech. Mythologie ist der B. Begleiter oder Inkarnation der Artemis. –

In der christl. Symbolik erscheint er zumeist als gefährl. Tier, das gelegentl. den Teufel repräsentiert; zuweilen ist er auch ein Sinnbild der Todsünde Völlerei. Manchmal begegnet allerdings eine *Bärin* als Symbol der Jungfrauengeburt, da sie angebl. ihren Jungen erst durch Belecken die Gestalt gibt. – C. G. Jung sieht im B. ein Sinnbild für die gefährl. Aspekte des Unterbewußtseins.

Bär: der schwarze B. als Reittier eines gehörnten dämon. Wesens; nach einer Darstellung in: Jean Wier, Pseudomonarchia daemonum

Barke ↗Kahn.

Bart, Symbol für Männlichkeit u. Kraft, ein langer B. ist oft ein Symbol für Weisheit. Götter, Herrscher u. Helden wurden meistens bärtig vorgestellt (Indra, Zeus, Hephaistos, Poseidon, der Gott der Juden u. der Christen). Selbst weibl. ägypt. Herrscher wurden mit einem B. als Symbol ihrer Macht ausgestattet. In der Antike trugen Philosophen u. Rhetoren zum Zeichen ihrer Würde einen Bart. Christus wird dagegen bis zum 6. Jh. meistens bartlos, d. h. als Jüngling, dargestellt. – Als schwere Beleidigung galt in manchen Kulturen das Abschneiden des B.es bei einem Feind; als Zeichen der Trauer schnitt man sich dagegen verschiedentl. selber den B. ab.

Bart: 1 Zeus (griech. Plastik, Marmor) **2** Chons (ägypt. Plastik, Granit)

Basilisk *m,* Fabeltier, das angebl. aus einem mißgebildeten Hühner- oder einem Hahnenei v. Schlangen, Kröten oder durch den Mist ausgebrütet wird; in der Symbolik des späten Altertums als Schlange, im MA als phantast. Mischwesen (Hahn mit Schlangenschwanz, Zwitterwesen zw. Hahn u. Kröte u. ähnl.) beschrieben; v. tödl. Macht durch Hauch oder Blick. Sinnbild für Tod, Teufel, den Antichrist oder die Sünde; oft dargestellt unter den Füßen des siegreichen Christus.

Bauch, Symbol mütterl. Wärme u. mütterl. Schutzes (↗Gebärmutter) aber auch grausamen Verschlingens. – Die Betonung des B.es als Sitzes des Magens ist auch ein symbolischer Hinweis auf Gefräßigkeit u. materialist. Lebenseinstellung. – In der bildenden Kunst des Buddhismus, vor allem in Japan, symbolisiert ein nackter dicker B. bei männl. Figuren (z. B. Glücksgöttern) Freundlichkeit, Ruhe u. Wohlergehen.

Baum, eines der bedeutungsreichsten u. weitestverbreiteten Symbole; wurde als machtvolle Repräsentation des Pflanzenreichs oft kult. als Sinnbild göttl. Wesenheiten oder Aufenthaltsort numinoser Mächte verehrt. Der *Laubbaum* mit seinem jährl. sich erneuernden Blattkleid ist vor allem ein Symbol der den Tod stets aufs neue besiegenden Wiedergeburt des Lebens, der immergrüne *Nadelbaum* ein Sinnbild der Unsterblichkeit. Die Gestalt des B.es mit seinen der Erde verhafteten Wurzeln, seinem kräftigen, senkrecht aufsteigenden Stamm u. der oft scheinbar dem Himmel zustrebenden Krone ließen ihn häufig zu einem Symbol für die Verbindung der kosm. Bereiche

Basilisk: Gravierung am Schrein der hl. Elisabeth in Marburg

Baum: B. der Erkenntnis mit Adam u. Eva u. Schlange; nach einer Darstellung im Cod. Vigilanus seu Albeldensis

Baum: Reigentanz um ein Baumidol, Tonmodell aus Cypern; um 1000 v. Chr.

Baum: der paradies. B. der Erkenntnis, dargestellt als B. des Todes; Holzschnitt v. Jost Amman

des Unterirdisch-Chthonischen, des Lebens auf der Erde u. des Himmels werden. Diese Aspekte spielen auch bei der Vorstellung v. *Weltenbaum* eine Rolle, der entweder als Träger der Welt oder – häufiger – als Verkörperung der ↗Weltachse gesehen wurde (z. B. in der nord. Mythologie die immergrüne Weltesche Yggdrasil); Blätter u. Zweige solcher Weltenbäume sind häufig bewohnt v. myth. Tieren, v. den Seelen der Verstorbenen oder Ungeborenen (oft in Gestalt v. ↗Vögeln) oder auch v. den auf- u. absteigenden Gestirnen Sonne u. Mond; wahrscheinl. mit symbolischem Bezug auf den ↗Tierkreis begegnen auch in manchen myth. Vorstellungen, z. B. in Indien u. China, zwölf Sonnenvögel, die das Gezweig des Weltenbaumes bewohnen; Vögel, die in der Krone des Weltenbaumes leben, können außerdem Symbole für höhere geistige Seins- u. Entwicklungsstufen sein. – Weit verbreitet sind anthropomorphe Deutungen des B.es (der aufrecht steht wie der Mensch u. wie dieser wächst u. vergeht), so erscheint er z. B. bei verschiedenen Volksstämmen, etwa in Zentralasien, Japan, Korea, Australien als myth. Ahne der Menschen. Eine weitere sinnbildl. Identifikation des B.es mit dem Menschen ist die in mehreren Gebieten Indiens verbreitete, auf Stärkung der Fruchtbarkeit abzielende Sitte, die Braut vor der Hochzeit mit einem B. zu vermählen; auch symbolische Hochzeiten zw. zwei Bäumen, deren Lebenskraft auf ein bestimmtes Menschenpaar übergehen soll, gehören in diesen Zshg. – Der fruchttragende, Schatten u. Schutz gewährende B. wird bei vielen Völkern als weibl. bzw. mütterl. Symbol verstanden, der aufrechte Stamm allerdings ist in der Regel ein Phallus-Symbol. – Verbreitet ist auch die Verbindung des B.es mit dem ↗Feuer, was wahrscheinl. mit der dem B. zugeschriebenen Lebenskraft zusammenhängt: das Feuer gilt als in dem Holz bestimmter Bäume verborgen, woraus es durch Reibung hervorgeholt werden muß. – Die ind. Tradition kennt die Vorstellung v. einem *umgekehrt* gewachsenen B., dessen Wurzeln im Himmel verankert u. dessen Zweige unter der Erde ausgebreitet sind, möglicherweise u. a. ein Symbol für die lebensspendende Kraft der Sonne im phys. u. des spirituellen ↗Lichts im geistigen Bereich (↗Höhe, ↗Tiefe). Die Bhagavad Gita deutet den umgekehrten B. auch als Symbol für die Entfaltung alles Seienden aus einem Urgrund: die Wurzeln repräsentieren das Prinzip aller Erscheinungen, die Zweige die konkrete u. detailreiche Verwirklichung dieses Prinzips. Der umgekehrte B. taucht auch noch in anderen Zusammenhängen auf, so in der Kabbala als Lebensbaum oder im Islam als B. des Glücks. – In der Bibel erscheint der B. vor allem in der doppelten Gestalt als B. des Lebens u. als

B. der Erkenntnis v. Gut u. Böse. Der *B. des Lebens* symbolisiert die uranfängl. Paradiesesfülle u. ist zugleich ein Symbol für die erhoffte Erfüllung der Endzeit; der B. der Erkenntnis symbolisiert mit seinen verlockenden Früchten den Reiz, den göttl. Geboten zuwiderzuhandeln. Die christl. Kunst u. Literatur stellen häufig eine enge symbolische Beziehung zw. den Paradies-Bäumen u. dem Kreuz Christi her, der „uns das Paradies zurückgegeben hat" (↗Baumkreuz) u. der der „wahre Lebensbaum" ist. – Die Psychoanalyse sieht im B. ein wichtiges Symbol, das oft in sinnbildl. Bezug zur Mutter, zur seel.-geistigen Entfaltung oder auch zu Absterben u. Neugeburt gedeutet wird. – Gewisse psycholog. Testverfahren suchen Zeichnungen v. Bäumen als symbolische Ausdrucksschemata der Gesamtpersönlichkeit auszuwerten. – ↗Apfel, ↗Arbor philosophica, ↗Baumkreuz, ↗Birnbaum, ↗Eiche, ↗Esche, ↗Feigenbaum, ↗Lebensbaum, ↗Linde, ↗Olivenbaum, ↗Pfirsichbaum, ↗Pflaumenbaum, ↗Weihnachtsbaum, ↗Wurzel Jesse, ↗Zeder, ↗Zypresse.

Baum: Lebensbäume, auf einem ägypt. Glasgefäß (dem ältesten der Welt); 1500 v. Chr.

Baumkreuz, bes. in Dtl. u. It. anzutreffende Form des Kreuzes Christi mit Blättern, Blüten u. Früchten als Symbol der Todesüberwindung (↗Baum). – Gelegentl. weist ein Blätter u. Früchte tragender Baum mit dem Gekreuzigten auch zurück auf den paradies. Baum der Erkenntnis u. damit auf die Überwindung der Erbsünde durch Christus.

Baumkreuz: die personifizierte Kirche mit dem grünenden Kreuz; Buchmalerei, um 1180

Bausymbolik, sinnbildl. Bedeutung eines Bauwerks oder seiner Teile, vielfach erst nachträgl. hineingelegt (z. B. durch kult. Gebrauch, aber auch durch theoret. Deutung); spielte schon in der altoriental. Baukunst eine bedeutende Rolle (Stufentempel als Darstellung der Planetensphären, Grabkuppel als mütterl. Erdhülle usw.), bestimmte aber auch wesentl. den ma. christl. Kirchenbau (z. B. die byzantin. Kuppelkirche als Abbild des Kosmos, die basilikale Form als ↗Schiff usw.).

Becher, als Gefäß, das beim Trinken v. Hand zu Hand gereicht wird, Symbol der Freundschaft u. Verbundenheit. – In der Bibel ambivalentes Symbol: als *Zornesbecher* Sinnbild des göttl. Strafgerichts, als B. des Segens u. der Freude Symbol der Gottesnähe.

Beelzebub ↗Fliege.

Beifuß, Gattung der Korbblüter. Verschiedene B.-Arten wurden als Brautpflanzen verstanden u. daher auch in Verbindung mit Maria, der himmlischen Braut, gebracht. ↗Wermut.

Beil ↗Axt.

Bellis ↗Gänseblümchen.

Benediktenwurzel ↗Nelkenwurz.

Berg, wegen seiner oft bis in die Wolken ragenden Höhe Symbol der Verbindung zw. ↗Himmel u. ↗Erde sowie (ähnl. der ↗Leiter) des geistigen Aufstiegs, der mühsam zu erringenden Höherentwicklung. – Überall auf der Welt finden sich heilige B.e, die oft als Wohnsitze v. Göttern verstanden wurden. Auf B.en ereigneten sich schon immer geistig bedeutsame Tatsachen, so opferten z. B. die chines. Kaiser auf B.gipfeln, Moses empfing die Gesetzestafeln auf dem B. Sinai usw. – Wegen seiner großen ruhenden Masse kann der B. auch ein Symbol der Unerschütterlichkeit sein; bei den Sumerern war er ein Sinnbild der undifferenzierten Urmaterie. – Sehr verbreitet ist auch die Auffassung v. einem B. als Mittelpunkt oder Achse der Welt (↗Weltachse). – Für einige Völker liegt das Reich der Toten oder der Aufenthaltsort besonderer verstorbener Persönlichkeiten in der Tiefe eines B.es.

Bergwohlverleih ↗Arnika.

Bes, zwergähnl. ägypt. Schutzgeist mit einer *Fratze* als Gesicht, meist mit herausgestreckter Zunge; sollte vor bösen Einflüssen schützen u. Frohsinn bringen. ↗Neidköpfe.

Besen: die nachgeahmte Hexenfahrt auf dem B., aus: The History of Mother Shipton; Holzschnitt, 18. Jh.

Beschneidung, bei vielen Völkern geübter Brauch, häufig Teil v. Initiationsriten, die den Übergang zur Geschlechtsreife begleiten; möglicherweise symbolisches Opfer an Fruchtbarkeitsgötter. Bei einigen afrikan. Völkern, die z. T. auch eine B. der Mädchen kennen, bedeutet die B. der Vorhaut, die das weibl. Element am Manne repräsentiert, oder der Klitoris, die als Sitz des männl. Elements an der Frau verstanden wird, die eindeutige Festlegung auf das eigene Geschlecht u. damit die Geschlechtsreife. – Bei den Juden gilt die B. als Symbol des Bundes mit Gott.

Besen, nicht nur profanes, sondern auch kult. Gerät, verschiedentl. verwendet zur symbolischen Reinigung des Tempels. – Im negativen Sinne: Instrument, auf dem die Hexen reitend vorgestellt werden (phall. Symbol? oder Symbol für die Mächte, die der B. nicht vertreiben konnte u. die sich nun seiner bemächtigen?).

Biene: zwei B.n mit Honigwabe; minoischer Schmuckanhänger

Biene, Symbol-Tier mit Bezug auf verschiedene Eigenschaften, vor allem: Fleiß, Organisation des B.nvolkes, Reinheit, da sie das Unreine meidet u. vom „Duft" der Blumen lebt. – In Chaldäa u. dem kaiserl. Fkr. herrscherliches Symbol (man hielt die B.nkönigin lange Zeit für einen König); vermutl. entwickelte sich die Bourbonenlilie aus dem Bienen-Symbol. – In Ägypten brachte man die B. in Verbindung mit der Sonne u. sah in ihr ein Symbol der Seele. – In Griechenland galt sie als priesterliches Tier (die Priesterinnen von Eleusis und Ephesus hießen, wohl auch mit Bezug auf die „Jungfräulichkeit" der Arbeitsbienen, B.n). Die B., die im Winter zu sterben scheint u. im Frühjahr wiederkommt, begegnet auch verschiedentl. als ein Symbol für Tod u. Auferstehung

(Demeter – Persephone, Christus). Ihre unermüdl. Arbeit ließ sie im Christentum weiterhin zu einem Symbol der Hoffnung werden. Für Bernhard von Clairvaux war sie ein Symbol für den Heiligen Geist. Die Verbindung v. ↗Honig u. Stachel war ein weiterer Ansatzpunkt, die B. zum Christus-Symbol werden zu lassen: der Honig repräsentiert dabei Christi Milde u. Mitleid, der Stachel Christus, den Weltenrichter. – Da die B.n nach antiker Überlieferung ihre Brut nicht selbst hervorbringen, sondern aus Blüten sammeln, galten sie im MA auch als Symbol der Unbefleckten Empfängnis. – Schließl. verstand man die B. verschiedentl. auch als Symbol für honigsüße Beredtsamkeit, Intelligenz u. Poesie.

Biene: Hieroglyphen aus der königl. Titulatur; die Binse u. die Biene, König v. Ober- u. Unterägypten

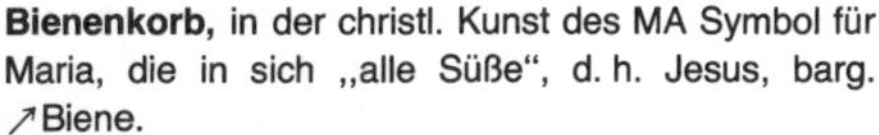

Bienenkorb, in der christl. Kunst des MA Symbol für Maria, die in sich „alle Süße“, d. h. Jesus, barg. ↗Biene.

Binde ↗Augenbinde, ↗Bänder.

Binden u. Lösen, bei mag. Praktiken sehr häufige sinnbildl. Handlung, die jeweils bestimmte Kräfte entweder durch Binden zu hemmen oder durch Lösen freizulassen intendiert. ↗Bänder, ↗Knoten.

Binse, grasartige, ausdauernde Pflanze; im Christentum Symbol der unermüdlichen Gottesliebe.

Birke, vor allem in Rußland Symbol des Frühlings u. des jungen Mädchens.

Birke

Birnbaum, Kernobstgehölz mit rein weißer Blüte, die wegen ihrer Zartheit u. raschen Vergänglichkeit in China ein Trauer-Symbol ist. – Im MA galt der B. (wohl wegen der makellosen Weiße seiner Blüten) als Marien-Symbol. – Die *Birne* wird wegen ihrer unbestimmt an weibl. Formen erinnernden Gestalt in der psychoanalyt. Traumdeutung häufig sexuell interpretiert. – Im Volksglauben deuten viele Birnen auf reichen Kindersegen.

Birne ↗Birnbaum.

Blase, *Luftblase,* Symbol für nichtige, unrealist. Pläne u. Wünsche. In moral. u. religiösem Zusammenhang, vor allem im Buddhismus u. Taoismus, Symbol für die Eitelkeit u. Unbeständigkeit der Welt.

Blasebalg, steht in engem symbolischem Zshg. mit dem ↗Atem; spielt im Taoismus eine Rolle als Sinnbild für die Beziehungen zw. ↗Himmel u. ↗Erde, wobei die obere Platte den Himmel, die untere die Erde repräsentiert.

Blatt, allg. Symbol des Pflanzenreichs, verbreitet in der Ornamentik bäuerl. Kulturen. – In Ostasien Symbol für Glück u. Wohlstand, ein Zweig mit Blättern symbolisiert das Zusammenwirken Einzelner an einem Ganzen. – Im Christentum symbolisiert ein *Dreiblatt* (↗Klee) die Dreifaltigkeit, ein *Vierblatt* das ↗Kreuz, die vier Evangelien oder die Kardinaltugenden. – Das *Feigenblatt* (↗Feigenbaum) symbolisiert als erste Kleidung Adams u. Evas nach dem Fall die Schamhaftigkeit.

Blau, Farbe des ↗Himmels, der Ferne, des ↗Wassers, zumeist als transparent, rein, immateriell u. kühl empfunden; Farbe des Göttlichen, der Wahrheit u., im Sinne des Festhaltens an der Wahrheit sowie mit Bezug auf das festgefügte Firmament des Himmels, Farbe der Treue. – Auch Farbe des Irrealen, Phantastischen (↗Blaue Blume), gelegentl. auch im negativen Sinne (z. B. „blau sein", d. h. aus Trunkenheit den Verstand verlieren). – Ägypt. Götter u. Könige tragen häufig blaue Bärte u. Perücken. – Die hinduist. Gottheiten Shiva u. Krishna werden meistens blau oder blau-weiß dargestellt. – Zeus u. Jahwe thronen über dem Azur. – In der christl. Tafelmalerei des MA wird der Kampf zw. ↗Himmel u. ↗Erde häufig durch die Opposition v. B. u. ↗Weiß gg. ↗Rot u. ↗Grün versinnbildlicht (z. B. Kampf Georgs mit dem Drachen). B. ist außerdem, als Reinheits-Symbol, die Farbe des Mantels der Maria. – Im Orient gilt B. noch heute als Schutz vor dem bösen Blick.

Blindheit: Blindenheilung Christi; Bernwardsäule, Hildesheim; um 1020

Blaue Blume, Symbol der Dichtung in Novalis' Roman „Heinrich von Ofterdingen"; v. daher allg. Symbol der romant., ins Unendliche gerichteten Sehnsucht sowie der romant. Dichtung überhaupt.

Blei, wegen seines hohen spezif. Gewichtes Symbol der Schwere oder auch drückender Last. In der Alchimie ist das B. mit dem *Saturn* ident., der oft als gebückter Greis mit einer ↗Sense, gelegentl. auch als grauer Zwerg dargestellt wird; er galt als kalt, feucht, krank u. melanchol. machend, positiv aber auch als der Philosophie, allg. dem systemat. Denken u. der Askese nahe stehend. – In der christl. Symbolik bedeutet B. gelegentl. den mit Sünden belasteten Menschen. ↗Metalle.

Blindheit. Blinde Greise versinnbildlichen häufig die Weisheit, das innere Licht, die visionäre Schau; *Seher* (z. B. Teiresias) sind deshalb oft blind. B. kann zugleich (auch bei Sehern) die Götterstrafe für das unerlaubte Erblicken von etwas Göttlichem sein; in der Bibel auch (neben Wahnsinn) Strafe für Ungehorsam gegen Gott. – Die Blindenheilungen Christi werden gelegentlich als Handlungen verstanden, die die Erleuchtung in geistiger Finsternis versinnbildlichen, damit gelten sie zugleich auch als Symbol für die Erleuchtung durch die Taufe. – Die Synagoge wird meistens mit verbundenen Augen dargestellt, ein Sinnbild ihrer geistigen Blindheit oder Verblendung. ↗Augenbinde.

Blitz: blitzschleudernder Zeus; griech. Kleinplastik; Bronze, erstes Viertel des 5. Jh.

Blitz, gilt in vielen Kulturen als Symbol oder Ausdruck göttl. Kraft, die als schreckl. oder als schöpfer. in Erscheinung tritt. B. u. ↗Donner werden in den myth. Vorstellungen vieler Völker ursächl. auf den obersten

Gott zurückgeführt (z. B. Jupiter bzw. Zeus, Indra). – In der Bibel häufig in Zshg. mit dem göttl. Zorngericht: der strafende Gott des Feuers, der B.e u. des Donners. – Der blitzeschleudernde Zeus der Antike kann sowohl als befruchtende, erleuchtende wie auch als strafende Gottheit erscheinen. – Bes. im Orient wird die Verbindung des B.es mit dem Gewitter-Regen u. damit sein symbolischer Zshg. mit der Fruchtbarkeit betont; er kann daher auch eindeutig phall. Bedeutung haben. – In einigen Gegenden Asiens u. Europas brachte man bis in die heutige Zeit dem B. Milch-Opfer zur Besänftigung.

Blitz: Ausschnitt aus einer Darstellung der Apokalypse des Johannes; Holzschnitt v. M. Greyff, 1492

Blond, hat als lichte Haarfarbe teil an der Symbolbedeutung des ↗Goldes. Die Griechen stellten sich daher ihre Götter gerne blond vor.

Blume, *Blüte,* Sinnbild des krönenden Abschlusses, des Wesentlichen. Symbol der vor allem weibl. Schönheit. Das empfangende Verhältnis zur ↗Sonne u. zum ↗Regen macht die B. auch zu einem Sinnbild der passiven Hingabe u. der Demut; wegen der meist radialen Anordnung ihrer Blütenblätter kann sie andererseits aber auch als Zeichen für die Sonne begegnen. Da sie rasch verblüht, ist sie vielfach ein Symbol der Unbeständigkeit u. Vergänglichkeit. Gelegentl. werden B.n, ebenso wie die sie besuchenden ↗Schmetterlinge, symbolisch in Zshg. mit den Seelen Verstorbener gebracht. Nach Farben unterschieden, stehen *gelbe* B.n in symbolischem Zshg. mit der Sonne, *weiße* mit Tod oder Unschuld, *rote* mit dem ↗Blut u. *blaue* mit Traum u. Geheimnis (↗Blaue Blume). *Goldene* B.n begegnen verschiedentlich, z. B. im Taoismus, als Symbole höchsten geistigen Lebens. – In Japan entwickelte sich die Kunst des *B.nsteckens (Ikebana)* zu einer symbolischen Ausdruckskunst, die verschiedene Ausprägung in unterschiedl. Schulen fand; als Grundpositionen begegnen häufig: Himmel (oben), Mensch (Mittelpunkt), Erde (unten).

Blumenstrauß ↗Strauß.

Blut, gilt von alters her als Sitz der Seele u. der Lebenskraft; steht symbolisch dem ↗Feuer u. der ↗Sonne nahe. – Die Griechen ließen B. in die Gräber der Verstorbenen fließen, um den Schatten im Jenseits Lebenskraft zu geben. – Bei verschiedenen Völkern tranken Seher B., um sich in Ekstase zu versetzen. – Im Kult der Kybele u. dem des Mithras wurden die Mysten mit dem als reinigend u. kraftspendend gedeuteten B. geopferter ↗Stiere (↗Opfer) getauft. – Andererseits ist jedoch auch die Vorstellung verbreitet, daß B. verunreinige; so sind vor allem bei Naturvölkern Frauen, die menstruieren oder ein Kind geboren haben, bestimmten Absonderungs- u. Reinigungsriten unterworfen. – Das Christentum sieht im B. Christi eine sühnende u. erlösende Kraft.

Bock: B. als Hexenreittier; Ausschnitt aus einem Holzschnitt in: Praetorius, Blockes-Berges Verrichtung, Leipzig, 1669

Blüte ↗Blume.

Bock, *Ziegenbock,* häufig als positive oder negative Verkörperung der männl. Sexualkräfte verstanden. – In Indien sonnenhaftes Tier, dem Gott des Feuers heilig. – Im antiken Griechenland dem Dionysos als Opfertier heilig u. Reittier der Aphrodite, des Dionysos u. des Pan. – In der Bibel Opfertier, das die Sünde des Volkes auf sich nimmt, in diesem Zshg. auch als *Sündenbock* stellvertretend in die Wüste verstoßen; aber auch stinkendes, unreines, dämon. Tier, Symbol der Verdammten im Jüngsten Gericht. – Das MA stellte sich den Teufel mit *B.shörnern* u. *B.sfuß* als Attributen vor. Der B. galt auch als obzönes Reittier der Hexen u. der personifizierten Wollust.

Bodhibaum ↗Feigenbaum.

Bogen ↗Pfeil u. Bogen.

Bogenschütze ↗Pfeil und Bogen.

Bohnen, als Samen reichtragender Nutzpflanzen vor allem in Japan Glück u. Fruchtbarkeit verheißend, Abwehrmittel gg. böse Geister, Krankheit u. Blitz. ↗Saubohne.

Boot ↗Kahn.

Borretsch

Borretsch, *Gurkenkraut,* stand lange in dem Ruf, trübe Gedanken zu vertreiben. Da er rauh u. behaart, zugleich aber eine wohlschmeckende Würzpflanze ist, ist er ein Symbol für hohe Qualitäten, die sich hinter Unscheinbarkeit verbergen, insbesondere für die äußere Schlichtheit der Jungfrau Maria.

Braun, die Farbe der Erde u. des Herbstes. Im Altertum u. im MA Trauerfarbe; im Volkslied u. der Lyrik seit dem späten MA hat B. auch erot. Bedeutung.

Brautschleier ↗Schleier.

Bronzenes Zeitalter ↗Zeitalter.

Brot, als eines der wichtigsten phys. Nahrungsmittel zugleich Symbol für spirituelle Nahrung. Zu den Opfern des AT gehörten die *Zwölf Schaubrote,* Sinnbilder für das B. des Lebens. Im NT ist Christus das „lebendige B., das v. Himmel herabgekommen ist“. Durch die eucharist. Verwandlung erhält das B., neben dem ↗Wein, im Christentum seine heiligste Bedeutung. ↗Salz.

Brotschrank, in der Symbolik des MA Symbol für Maria, die Gottesmutter, die in sich das ↗Brot des Lebens trug.

Brücke, Verbindungsglied zw. räuml. Getrenntem; in diesem Sinne weitverbreitetes Symbol der Verbindung u. Vermittlung. Bei vielen Völkern findet sich die Vorstellung v. einer ↗Himmel u. ↗Erde verbindenden B., oft in Gestalt des ↗*Regenbogens;* häufig ist sie der Weg, den die Seelen der Verstorbenen nach dem Tode zu gehen haben. Im Islam z. B. ist sie schmaler als ein Haar u. glatter als eine Schwertklinge, so daß die Verdammten in die Hölle abstürzen, während die

Auserwählten rascher oder langsamer – je nach ihren Verdiensten – auf ihr ins Paradies gelangen. Diese Vorstellung belegt anschaul. den prinzipiell doppelten symbolischen Bedeutungsgehalt der B.: sie verbindet nicht nur, sondern „überbrückt" auch im Sinne der Überwindung.

Brunnen, steht symbolisch in Zshg. mit dem ↗Wasser, zugleich jedoch mit der Tiefe des Geheimnisses u. dem Zugang zu verborgenen Quellen. Das Herabsteigen in den B. (z. B. in Märchen) symbolisiert häufig den Zugang zu esoterischer Erkenntnis oder zum Bereich des Unbewußten. Das Eintauchen in das Wasser des B.s entspricht symbolisch oft dem Trinken eines besonderen Elixiers (↗Trank): es verleiht Unsterblichkeit, Jugend u. Gesundheit (*Jung-B.).* – In der Bibel begegnet der B. in sinnbildl. Zshg. mit *Reinigung, Segen* u. *Wasser des Lebens.* – Die quadrat. ummauerten B.n arab. Länder gelten verschiedentl. als Sinnbilder des Paradieses.

Brunnen: der Lebensbrunnen als *fons mercurialis;* aus: Rosarium philosophorum, 1550

Buch, Symbol der Weisheit, des Wissens, auch Sinnbild der Totalität des Universums (als aus vielen einzelnen Blättern u. Schriftzeichen zusammengefügte Einheit). Verschiedentl. begegnet auch die Vorstellung von einem *Liber Mundi* (B. der Welt), das die Gesamtheit aller Gesetze aufgezeichnet enthält, deren sich die göttl. Intelligenz bei Schaffung der Welt bediente. – Der Islam unterscheidet gelegentl. noch zw. einem makrokosm. u. mikrokosm. Aspekt dieser B.symbolik: dem Liber Mundi steht das B. jeder einzelnen Individualität in ihrer Gesamtheit gegenüber. – Die Vorstellung v. einem B., in dem die Geschicke der Menschen aufgezeichnet sind, geht bereits auf den oriental. Glauben an göttl. Schicksalstafeln zurück. – In der Bibel begegnet die Wendung *B. des Lebens* zur Bez. der Gesamtheit aller Auserwählten. Das *B. mit den sieben Siegeln* der Offenbarung ist ein Symbol esoter. Geheimwissens. Das Essen eines B.es oder einer B.rolle bedeutet Aufnahme des göttl. Wortes in das Herz. – Ein geschlossenes B. deutet in der bildenden Kunst verschiedentl. auf noch nicht verwirklichte Möglichkeiten oder auf Geheimnisse, in der christl. Kunst auch auf die Jungfräulichkeit Marias, während ein aufgeschlagenes B. in Zshg. mit Maria auf die Erfüllung der atl. Verheißung deutet. – Als Attribut erscheint das B. u. a. bei Evangelisten, Aposteln u. Kirchenlehrern. – Die *Macht* des Wissens oder schriftl. formulierter Gesetze wird verschiedentl. durch Bücher oder Schrifttafeln haltende ↗Löwen symbolisiert.

Buch: Löwe mit Schrifttafel; Salzburg; 1. Drittel 13. Jh.

Buchsbaum, im Altertum dem Hades u. der Kybele heilig; noch heute Totenpflanze u. zugleich Symbol der Unsterblichkeit, da er stets grün bleibt. Als ledrige, harte Pflanze ist er auch ein Symbol der Ausdauer u.

Buch: Johannes der Evangelist, dargestellt mit B.; Dom zu Meißen

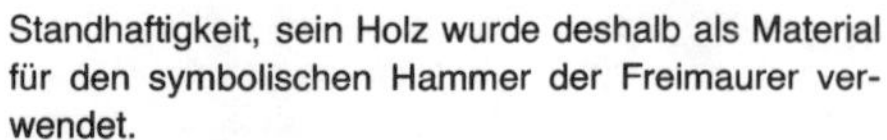

Standhaftigkeit, sein Holz wurde deshalb als Material für den symbolischen Hammer der Freimaurer verwendet.

Buchsbaum

Büchse ↗Dose.

Buchstaben, in den meisten Kulturen mit bes. symbolischen Bedeutungen belegt; so unterscheidet der Islam z. B. zw. luftigen, feurigen, erdhaften u. wässerigen B., die außerdem alle als Materialisationen des göttlichen Wortes jeweils Träger besonderer Bedeutungen sind, u. a. mit Bezug auf Vergangenheit, Gegenwart u. Zukunft. – Die Kabbala kennt ein ganzes System mystischer Spekulationen das vor allem mit der Form der einzelnen B. sowie mit bestimmten Zahlenwerten zusammenhängt. – Die sieben griech. Vokale (für E u. O je zwei B.) galten in der Antike als Symbole der sieben Himmelssphären u. der sieben in ihnen sich bewegenden Gestirne oder aber als Symbole des Geistes; die Konsonanten dagegen symbolisierten die Materie. Das *Alphabet* als Verbindung v. Vokalen u. Konsonanten, mithin v. „Geist“ u. „Materie“ u. als Gesamtheit aller sprachlichen Zeichen wurde als Symbol der Ganzheit u. Vollendung, auch des gesamten Kosmos, empfunden; es wurde daher auch apotropäisch verwendet. In diesem Sinne ist wohl auch seine gelegentliche Verwendung im frühen Christentum bis ins MA zu verstehen, so zeichnete man es z. B. bisweilen auf Gräber. ↗Alpha, ↗Alpha u. Omega, ↗Omega, ↗Taw.

Büffel ↗Ochse.

Butter: Krishna-Kind mit Butterkugel spielend; Kleinplastik aus Bronze.

Burg, als befestigter, oft auf einer Höhe liegender oder v. Wald umgebener Wohnort Symbol des Schutzes, der Sicherheit. In der Bibel u. im christl. Symboldenken Sinnbild der Zuflucht in Gott oder des Glaubens, der gg. die Dämonen schützt. Gelegentl. wird auch die Hölle als finstere, manchmal unterird., B. mit zahlreichen Verliesen u. Räumen dargestellt.

Butter, gilt vor allem in Indien als Träger kosm. Energien; sie wurde daher auch rituell geopfert (z. B. in Feuer gegossen). ↗Milch, ↗Peitsche.

Caduceus ↗Kerykeion.

Centaur ↗Zentaur.

Chamäleon *s,* gilt wegen des Vermögens, seine Farbe zu wechseln, als Symbol der Unbeständigkeit u. Falschheit. In Afrika sonnenhaftes, göttl. Tier.

Chaos, u. a. in der Antike u. im biblischen Schöpfungsbericht (Tohu wa bohu) Sinnbild für den Zustand der Welt vor Entstehung alles Seienden. – Nach altägyptischen Vorstellungen existierte das Ch. in Gestalt des Urozeans Nun vor Schaffung der Welt u. umgibt diese seither als ständige Kraft- u. Erneuerungsquelle. Bei den Alchimisten eine der Bezeichnungen für die „prima materia". – In der Psychoanalyse häufig Symbol der totalen Passivität. ↗Abgrund.

Cherub *m* (Mz. Cherubim), halb tier-, halb menschenähnl. Wesen der höheren geistigen Hierarchien, häufig in der bildl. Symbolsprache des Vorderen Orients. Im AT sind die Cherubim Jahwe begleitende Geistwesen. In der christl. Kunst meist dargestellt mit vielen Flügeln u. bedeckt mit Augen: Sinnbild für Allgegenwart u. Allwissen der höheren geistigen Welten; häufig als ↗Tetramorph oder mit einem Kopf u. 4 oder 6 Flügeln; Attribut: ↗Rad oder Räder.

Chamäleon

Chaos: Ch. der Elemente, aus: Roberto Fludd, Utriusque Cosmi Historia; Oppenheim, 1916

Chimäre *w,* feuerspeiendes Ungeheuer der griechischen Mythologie, häufig dargestellt mit Löwenkopf, Ziegenkörper u. Drachen- oder Schlangenschwanz; jeder der drei Teile kann auch in einen eigenen Kopf enden. Mischwesen, das zu verschiedenen symbolischen Deutungen Anlaß gab, die jedoch alle mit dem Bereich des Dunklen, Unkontrollierten, Triebhaften zusammenhängen. Getötet wurde die Ch. von Bellerophon, der auf dem Flügelroß ↗Pegasus ritt (Parallele zu Georg, dem Drachentöter). – Im heutigen Sprachgebrauch häufig Sinnbild für ein vages Phantasiegebilde.

Chimäre: etrusk. Bronze; 5. Jh. v. Chr.

Chrisam *s,* in der kathol. Kirche verwendetes Salböl, das in seiner Mischung aus Olivenöl u. Spezereien die Einheit der göttl.-menschlichen Doppelnatur Christi symbolisiert.

Christbaum, der ↗Weihnachtsbaum.

Christusmonogramm, in verschiedenen Formen aus den griechischen Anfangsbuchstaben des Namens Christus: X (Chi) u. P (Rho) oder – früher – aus den Anfangsbuchstaben von Jesus Christus (J u. X) gebildetes Zeichen, das symbolisch für Christus oder auch das Christentum generell verwendet wird (bereits seit Konstantin dem Gr.). Häufig wurden die beiden Buchstaben v. einem ↗Kreis umschlossen, so daß der Eindruck eines Rades (↗Rad) entstand, sie wurden so zugleich zum kosm. u. zum Sonnensymbol. Oft wurden noch die Buchstaben A u. Ω (↗Alpha u. Omega) hinzugefügt oder auch Sonne u. Mond, die auf die Kreuzigung (bei der sich die Sonne verdunkelte u. der Mond erschien) verweisen. ↗Anastasiskreuz.

Christusmonogramm: zwei verschiedene Formen; nach Katakombenmosaiken

Chrysantheme, in China u. Japan Symbol für Glück u. langes Leben. Wegen der strahlenförmigen Anordnung ihrer Blütenblätter auch Sonnen-Symbol. Emblem des japanischen Kaiserhauses.

Colanuß ↗Kolanuß.

Coyote *m,* in Nordamerika lebender Präriewolf, gilt in einigen indianischen Kulturen als Ursache alles Bösen, namentlich des Winters u. des Todes.

Crocus ↗Krokus.

Crux gammata ↗Swastika.

Dachs, in Japan Symbol der List im positiven Sinne; der dickbäuchige D. gilt auch als Symbol der Selbstzufriedenheit. – In der christl. Kunst Reittier des personifizierten Geizes.

Daumen, der Finger, der der Hand durch seine Opponierbarkeit erst die volle Greiffähigkeit gibt, oft als männl. u. schöpfer. gedeutet u. daher auch als Phallus-Symbol verstanden. ↗Finger.

Davidstern, das ↗Hexagramm.

Delphin: Meerfahrt des Dionysos; von einer griech. Schale, um 350 v. Chr.

Deesis *w,* Darstellung des als Weltenrichter thronenden Christus zw. Maria u. Johannes d. T., die für die Seelen Fürbitte leisten; häufig symbolisch abgekürzte Darstellung für das Weltgericht.

Deformation. Körperl. D. weist häufig auf besondere u. geheimnisvolle (gute oder schlechte) Fähigkeiten. ↗Einäugigkeit, ↗Einbeinigkeit, ↗Hinken.

Delphin. Als auffallend intelligentes, menschenfreundliches u. bewegliches Tier gab der D. für viele mit dem ↗Meer verbundene Völker Anlaß zu mythischen Deutungen. Der kretisch-mykenischen Kultur wie den Griechen u. Römern galt er als gottähnlich. In Griechenland war er vor allem dem Lichtgott Apollo, aber auch Dionysos (dem Schützer der Seefahrt), Aphrodite (die aus dem Meer geboren wurde) u. Poseidon (als dem Gott der Meere) heilig. Außerdem galt der D. als Seelenführer, der die Seelen Verstorbener auf seinem Rücken sicher ins Reich der Toten führt. Unter diesem Aspekt wurde er auch als Symbol von der frühchristl. Kunst übernommen u. auf Christus, den Retter, bezogen.

Delphin: Anker u. D.; Katakomben, 2. Jh.

Delphin: verschiedene Delphindarstellungen auf antiken Münzen

Diamant, symbolisch zumeist als vollkommene Steigerung des ↗Kristalls empfunden, daher Sinnbild der absoluten Reinheit, Geistigkeit u. Unwandelbarkeit. In Indien gelegentl. auch Symbol der Unsterblichkeit; der ↗Thron Buddhas besteht aus D. – Plato beschreibt die Achse der Welt als diamanten. – Der Volksglaube in Europa schrieb dem D. verschiedene zauberische Eigenschaften zu: er sollte Krankheiten heilen, Gifte unwirksam machen, wilde Tiere, Hexen u. Gespenster vertreiben, unsichtbar machen, Gunst bei Frauen

Dodekaeder

verleihen. – In der Renaissance galt er vor allem als Symbol des Mutes u. der Charakterstärke.

Distel, wie viele stachlige Pflanzen ein Symbol für Mühsal u. Schmerzen; in der christl. Kunst für die Leiden der Märtyrer u. Christi, damit zugleich auch Erlösungs-Symbol (wie der ↗Ginster). – Die die Feinde abweisenden Stacheln können auch ein Symbol für Schutz sein. – In China galt die D. als Symbol eines langen Lebens, möglicherweise weil sie, auch wenn sie abgeschnitten u. getrocknet ist, ihre Form [behält.

Distel: 1 Esels-D., **2** Krause-D.

Distelfink ↗Stieglitz.

Dodekaẹder *m,* von zwölf ebenen Vielecken begrenzter Körper, symbolisch bedeutsam bes. der *Pentagondodekaeder,* der von zwölf regelmäßigen Fünfecken begrenzt wird; er partizipiert an der Symbolik der Zahl ↗Zwölf u. der Zahl ↗Fünf. Gilt als vollkommenster der fünf regelmäßigen oder platon. Körper u. ist daher ein Totalitäts-Symbol. Plato nahm an, daß der Kosmos die Gestalt eines D. habe.

Donner, wie der ↗Blitz in vielen Kulturen verstanden als Ausdruck u. Symbol göttl. Macht, damit zugleich Attribut der obersten Gottheiten. – Für die Germanen entstand der D. durch den geschleuderten Hammer des Donar. – In der Bibel ist er die Stimme, vor allem die Zornesstimme Gottes. – Die Kelten deuteten den D. als Ausdruck einer kosm. Störung, die den Zorn der Elemente hervorrief; daneben sah man in ihm auch eine Strafe der Götter. – In Sibirien u. Nordamerika findet man die Vorstellung v. einem myth. Vogel, der den D. mit seinem Flügelschlag erzeugt; er begegnet u. a. als Wildgans oder Ente, als eiserner Vogel, als ↗Adler. – Für die Chinesen entstand der D. durch die Bewegungen eines himml. ↗Drachen. – Verschiedentl., z. B. in einigen indian. Kulturen, begegnet ein einbeiniger Donnergott (↗Einbeinigkeit). Häufig haben die D.götter ↗Schmiede als Gehilfen, die ihnen ↗Blitze, ↗Hammer, Keulen usw. schmieden.

Dorn: Schmerzensmann mit Dornenkrone; Ausschnitt aus dem Titelblatt der großen Passion v. A. Dürer, 1511

Doppelaxt ↗Axt.

Dorn, *Stachel,* Symbol für Mühsal, Hindernisse u. Leiden. – Der D. der Agave war bei einigen Indianerstämmen ein Instrument der Selbstkasteiung: die Priester ritzten sich damit die Haut, um das austretende Blut den Göttern zu opfern. – In der christl. bildenden Kunst ist ein um einen Totenschädel gewundener D.zweig Symbol ewiger Verdammnis. – Die *D.enkrone Christi* ist zugleich Symbol der Schmerzen wie der Verspottung. Die Kranz-Tonsur der Mönche wurde u. a. auch als symbolischer Bezug darauf. – Der *Dornbusch* in der Erzählung v. Isaaks Opferung galt gelegentl. als vorausweisendes Symbol auf Kreuz u. D.enkrone Christi. ↗Dornbusch, brennender.

Dornbusch, brennender: Moses am brennenden Dornbusch; nach einem Glasgemälde aus der Stiftskirche zu Wimpfen im Tal, 1. Hälfte 14. Jh.

Dornbusch, brennender. Gott erschien Mose in

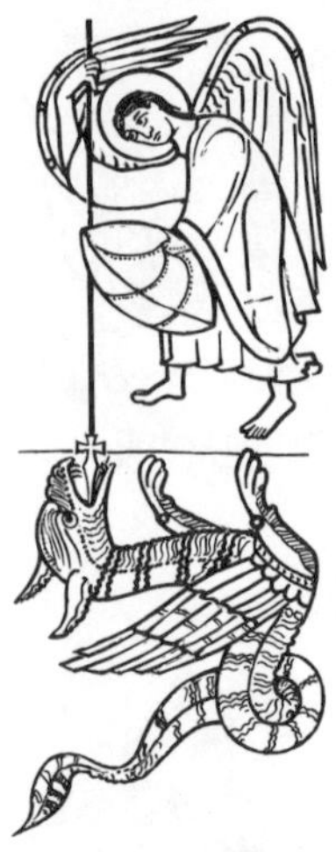

Drache: Michael im Kampf mit dem D.; nach einer Buchmalerei in der Bamberger Apokalypse, um 1000

Drache: D. von einer Drachenweste; China; 17. Jh.

Drache: das apokalypt. Weib mit dem siebenköpfigen D.n; nach einer Buchmalerei des Konrad v. Scheyern

einem Dornbusch, der brannte, jedoch nicht verbrannte: Symbol für die nicht zerstörer. Gewalt des geistigen ↗Feuers; in der christl. Kunst u. Literatur auch Symbol Marias, die Mutter wurde, aber Jungfrau blieb, d. h. „brannte", jedoch „unverletzt" blieb.

Dornenkrone ↗Dorn.

Dose, *Büchse, Kästchen,* verschiedentl. Symbol des Schutzes, des weibl. Schoßes oder Symbol für ein verborgenes Geheimnis. Verschlossene D.n u. Kästchen (häufig drei), die Gutes u. Schlechtes enthalten, tauchen zuweilen bei Entscheidungssituationen in Märchen auf als Symbole für Wahrheiten, die nicht vor aller Augen offen liegen.

Drache, in den myth. Vorstellungen vieler Völker lebendes Mischwesen aus ↗Schlange, Echse, Vogel, ↗Löwe usw., häufig mit mehreren Köpfen. In vielen Religionen verkörpert er (vielfach der Schlange nahestehend) gottfeindl. Urmächte, die überwunden werden müssen. In Zshg. damit haben sich mehrere D.ntötermythen herausgebildet (Indra, Zeus, Apollo, Siegfried, Georg). – Im AT verkörpert der D. (dem ↗Leviathan nahestehend) das Weiterwirken des vorweltl. Chaos, das die Schöpfung bedroht u. das besiegt werden muß. In der Apokalypse verfolgt der D. als Prinzip des Satans die mit der Sonne bekleidete Frau, die das (Christus-) Kind gebiert; er wird v. dem Erzengel Michael gestürzt. – In Sagen u. Märchen erscheint der D. häufig als Bewacher eines ↗Schatzes oder einer geraubten ↗Königstochter u. verkörpert somit die Schwierigkeiten, die vor Erreichen eines hohen Zieles überwunden werden müssen. – C. G. Jung sieht in den Drachenkämpfermythen den Ausdruck eines Kampfes zw. dem Ich u. regressiven Kräften des Unbewußten. – Im Hinduismus u. Taoismus gilt der D. als machtvolle geistige Wesenheit, die den Trank der Unsterblichkeit hervorbringen kann. In China u. Japan wird er als glückbringend u. als dämonenabwehrend verehrt. Er verleiht Fruchtbarkeit, weil er mit den Kräften des Wassers u. insofern mit dem Prinzip Yin (↗Yin u. Yang) in engem Zshg. steht; zugleich repräsentiert er aber vor allem die männl. aktiven Kräfte des Himmels u. damit das Prinzip Yang; als Demiurg bringt er die Wasser des Uranfanges oder das Weltenei aus sich hervor; sein Gegenspieler ist der ↗Tiger. Ein beliebtes Dekorationsmotiv ist der um die Wunschperle (↗Perle) spielende D. oder ein D.npaar. Als die gegensätzl. Prinzipien vermittelnde, machtvolle Wesenheit wurde der D. auch zum kaiserl. Symbol. – Der D. ist das 5. Zeichen des chines. ↗Tierkreises; es entspricht dem ↗Löwen.

Drei, als Synthese aus der ↗Eins u. der ↗Zwei bei vielen Völkern als bes. ausgezeichnete Zahl, als Symbol des alles umfassenden Prinzips, als Sinnbild der Vermittlung, im Ggs. zur „Erd"-Zahl ↗Vier als Zahl des Himmels verstanden. Die universelle Symbol-Bedeutung der 3 geht wohl außerdem zurück auf die elementar erfahrbare Dreiheit der produktiven Erfüllung v. Mann u. Frau im Kind. Die 3 bildet auch die Grundlage zahlreicher Systeme u. Ordnungsgedanken; so kennt z. B. das Christentum die 3 Tugenden Glaube, Liebe, Hoffnung, die Alchimie die 3 Grundprinzipien ↗Schwefel, ↗Salz u. Quecksilber (↗Mercurius) usw. Göttl. Dreiheiten sind in vielen Religionen bekannt, so z. B. in Ägypten (Isis, Osiris, Horus), im Hinduismus (Brahma, Vishnu, Shiva) usw.; häufig stehen solche göttl. Dreigestirne auch in Zshg. mit ↗Himmel, ↗Erde u. mit der diese verbindenden ↗Luft. Das Christentum kennt demgegenüber den *dreieinigen* Gott, der anschaul. oft als Einheit dreier Personen vorgestellt wird *(Dreifaltigkeit, Trinität)*. – Als Zahl der Erfüllung eines in sich geschlossenen Ganzen begegnet die 3 häufig in Märchen als Anzahl zu bestehender Prüfungen, zu lösender Rätsel usw. – In der Philosophie spielt die Dreiheit oder der Dreischritt eine wichtige Rolle, z. B. als Prinzip der Vermittlung zw. Denken u. Sein oder – wie bei Hegel – als Prinzip des dialekt. Fortschritts (These, Antithese, Synthese). ↗Dreieck, ↗Dreizack.

Drei: nach einer Darstellung der Trinität; Aus: Hrabanus Maurus, De origine rerum

Drei: die Dreiheit als Einheit, die Vierheit auf der Zweiheit beruhend; aus: Valentinus, Duodecim claves, 1678

Drei: Trinitätsdarstellung als Einheit dreier Personen; Holzschnitt; Paris, 1524

Dreiblatt ↗Blatt.

Dreieck, partizipiert weitgehend an der symbolischen Bedeutung der Zahl ↗Drei. Im Altertum wurde es verschiedentl. als Licht-Symbol verstanden. Mit der Spitze nach oben ist es bei vielen Völkern ein Symbol des Feuers u. der männl. Zeugungskraft, mit der Spitze nach unten ein Symbol des Wassers u. des weibl. Geschlechts. – Das gleichseitige D. wird oft als Zeichen für Gott oder für Harmonie verwendet. Im Christentum ist es Trinitäts-Symbol (vor allem seit dem 17. Jh. häufig in Verbindung mit Hand, Haupt, Auge oder dem hebr. Namen Gottes, Jahwe). – Im Volksbrauchtum, bei Magiern u. Zauberern ist das D. ein altes apotropäisches Zeichen. – Bei den Freimau-

Drei: Fenster mit drei vereinigten Hasen; Dom zu Paderborn

Dreieck: das Auge im Dreieck als Gottessymbol; Altarbekrönung

rern spielt das D. eine wichtige Rolle, u. a. als Symbol für Stärke, Schönheit u. Weisheit Gottes, für den Grundstein des Freimaurer-Tempels, für die Reiche der Minerale, Pflanzen u. Tiere, für die drei Stufen der geistl. Entwicklung des Menschen (Separatio, Fermentatio u. Putrefactio), für richtiges Reden, Denken u. Handeln, für Geburt, Reife u. Tod usw.

Dreizack, Stange mit drei Zinken, in der Fischerei als Fanggerät verwendet. Attribut v. Meeresgottheiten, bes. Poseidons; wurde auch als Symbol für die Zähne v. Meeresungeheuern, für die Strahlen der Sonne oder für den Blitz verstanden. – In Indien ist der D. ein Attribut des Gottes Shiva u. symbolisiert die dreifache Zeit (Vergangenheit, Gegenwart u. Zukunft) oder die drei Grundstufen bzw. -qualitäten der empir. Welt (Werden, Sein, Vergehen).

Dreizack: D. als Attribut Neptuns

Dreizehn, gilt seit dem Altertum häufig als Zahl mit bösem Vorzeichen, vor allem weil sie im Duodezimalsystem auf die glückbringende ↗Zwölf folgt; sie war daher bei den Babyloniern die Zahl der Zerstörung des Vollkommenen u. die Zahl der Unterwelt. – Die Kabbala kennt 13 böse Geister. – Das 13. Kapitel der ↗Apokalypse handelt v. Antichristen u. dem Tier. – In bestimmten Zusammenhängen war die 13 allerdings, etwa in der Antike, ein Symbol für Kraft u. Erhabenheit, so wurde z. B. Zeus bisweilen beschrieben als dreizehnter im Kreise v. zwölf Hauptgöttern. – Auch im AT begegnet die 13 verschiedentl. als Heils-Zahl. – In einigen indian. Kulturen ist die 13 eine heilige Zahl.

Drittes Auge ↗Auge.

Drudenfuß, das ↗Pentagramm.

Ebenholz, partizipiert wegen seiner Farbe an der Symbolbedeutung des ↗Schwarzes. Der ↗Thron des Unterweltgottes Pluto bestand der Sage nach aus E.

Eber ↗Schwein.

Ecclẹsia ↗Kirche.

Ẹchidna *w,* Monstrum der griech. Mythologie; ein Frauenkörper, dessen Unterleib in eine ↗Schlange übergeht; v. ihr stammen verschiedene andere Monstren ab; so ↗Zerberus, die ↗Chimäre, Skylla u. ↗Sphinx; verschiedentl. interpretiert als Symbol der psycho-phys., geistig-triebhaften Doppelnatur des Menschen. C. G. Jung deutete sie als Symbol der tabuisierten Inzestwünsche: die Mutter als schöne junge Frau, deren Unterleib Assoziationen v. Schrecklichem evoziert.

Echo, nach indian. Vorstellung Attribut des als chthonische Gottheit gedeuteten ↗Jaguars, insofern mit Bergen, wilden Tieren u. Trommelzeichen in Verbindung gebracht. – In der griech. Mythologie eine

Nymphe. – Allg. bei mehreren Völkern Symbol der Regression, der Passivität; häufig auch Sinnbild des Doppeldeutigen, des Schattens; gelegentl. mit dem Golem in Zshg. gebracht.

Edelsteine, als harte, haltbare, glänzende, polier- bzw. schleifbare seltene Mineralien, oft Symbole „irdischer Sterne", Sinnbilder des himml. Lichtes auf Erden oder der Wahrheit (daneben zahlreiche, je spezifische Bedeutungen: ↗Amethyst, ↗Diamant, ↗Jade, ↗Jaspis, ↗Kristall, ↗Saphir, ↗Smaragd, ↗Türkis). Mit Bezug auf diesen Symbolgehalt wurden beispielsweise Königskronen, der Brustschild der Hohenpriester des AT, vor allem aber auch Vorstellungen utop. Gebäude u. Städte wie Märchen- u. Himmelsschlösser oder das himmlische Jerusalem (↗Jerusalem, himmlisches) mit zahlreichen E.n ausgestattet.

Efeu, wie die meisten immergrünen Pflanzen Sinnbild der Unsterblichkeit. Die unverändert grüne Farbe u. der rankende, gleichsam sich „anschmiegende" Charakter dieser Pflanze ließen sie auch zu einem Symbol der Freundschaft u. Treue werden, weshalb sie beispielsweise im antiken Griechenland Brautpaaren bei der Hochzeit überreicht wurde. – Wegen des Bedürfnisses, sich anzulehnen, galt der E. verschiedentl. auch als weibl. Symbol. – Daneben war die kräftig grüne Pflanze in der Antike ein Symbol vegetativer Kräfte u. der Sinnlichkeit, weshalb sie im Dionysos- bzw. Bacchus-Kult eine bedeutende Rolle spielte, so waren z. B. Mänaden bzw. Bacchanten, Satyrn u. Silene mit E. bekränzt u. die ↗Thyrsosstäbe mit Efeu geschmückt.

Efeu

Ehe ↗Hochzeit.

Ehrenpreis, *Veronica,* in den meisten Arten blau blühender Rachenblüter; der lat. Name geht möglicherweise auf das griech. Wort Berenike (Siegbringerin) zurück; man bildete daraus später das Wortspiel „vera unica medicina" u. bezog die Pflanze symbolisch auf Christus als die „wahre, einzige Medizin". – Da der E. angebl. den Blitz anzog, vermied man es, ihn ins Haus zu bringen.

Ei, als Keim des Lebens verbreitetes Fruchtbarkeits-Symbol. – In den myth. Vorstellungen sehr vieler Kulturen findet sich das *Weltenei,* das – als Sinnbild der Totalität aller schöpfer. Kräfte – am Uranfang da war, häufig auf den Urgewässern schwamm u. die gesamte Welt, die Elemente oder zunächst oft nur Himmel u. Erde aus sich entließ. – Auch myth. Menschengestalten, z. B. chin. Helden, wurden verschiedentl. als aus Eiern hervorbrechend vorgestellt. – Wegen seiner einfachen Form, wegen seiner oft weißen Farbe sowie wegen der Fülle der in ihm vorhandenen Möglichkeiten begegnet das E. auch

Ei: Das Weltenei, spiralig umwunden v. einer Schlange, die hier die Zeit symbolisiert; Darstellung in: J. Bryant, Analysis of Ancient Mythology, 1774

Ei: Merkur im philosophischen Ei; aus: Mutus liber, 1702.

mehrfach als Vollkommenheits-Symbol. – In der Alchimie spielte das *philosophische Ei* eine wichtige Rolle als Sinnbild der materia prima, aus der durch das *philosophische Feuer* der ↗ *Stein der Weisen* ausgebrütet wird. – Im einzelnen wurde der gelbe Dotter oft als Symbol des ↗Goldes, das Eiweiß als Symbol des ↗Silbers gedeutet. – Im Christentum gilt das E. als Auferstehungs-Symbol, weil Christus aus dem Grab hervorbrach wie das reife Küken aus dem E.; das *Osterei,* das bereits bei heidn. Frühlingsfesten eine Rolle als Fruchtbarkeits-Symbol gespielt hatte, erhielt so eine spezif. christl. Deutung.

Eibe, als immergrüner Baum u. wegen der Tatsache, daß sie sehr alt wird, Unsterblichkeits-Symbol. Da ihre Nadeln u. Samen giftig sind, galt sie auch als todbringend u. daher verschiedentl. zugleich als Todes- u. Auferstehungs-Symbol. – Im MA sah man in ihr auch ein Mittel gg. Verzauberung.

Eiche

Eiche, bei vielen indogermanischen Völkern heiliger Baum. In Griechenland (bes. Dodona) war sie dem Zeus, bei den Römern dem Jupiter u. in Germanien dem Donar geweiht, vor allem wohl wegen ihrer majestätischen Gestalt u. wegen der Eigenschaft, ↗Blitze anzuziehen. Wegen ihres harten, dauerhaften Holzes ist sie seit der Antike ein Sinnbild für Kraft, Männlichkeit u. Beharrlichkeit; da ihr Holz in Antike u. MA als unverweslich galt, war sie auch ein Symbol der Unsterblichkeit. – Im 18. Jh. wurde die E. in Dtl. zum Symbol des Heldentums, seit Beginn des 19. Jh. gilt das Eichenlaub als Siegeslorbeer.

Eiche: Eichenlaub als Dekor an militär. Orden

Eichhörnchen, in der german. Mythologie dem Feuer- u. dem Donnergott heilig, lebte in der Weltesche Yggdrasil (↗Baum). – Für das Symboldenken des christl. MA wegen seiner blitzschnellen Gewandtheit u. wegen seiner feuerroten Farbe Symbol des Teufels.

Eidechse, steht wegen ihrer Neigung zur ↗Sonne in enger Beziehung zur Licht- u. Sonnensymbolik. Sie erscheint häufig als Sinnbild der Seele, die das ↗Licht (der Erkenntnis, Gottes, des jenseitigen Lebens) sucht u. begegnet in diesem Zshg. z. B. oft auf antiken Grabmälern u. Aschenurnen sowie auch in der christl. Kunst. Auch die Darstellungen Apollos als E.ntöter (Sauroktonos) gehen auf diese Bedeutung zurück: sie symbolisiert die Sehnsucht, durch die Hand des Lichtgottes zu sterben u. durch den Tod in das Licht des Jenseits zu gelangen. – Das MA stellte eine Verbindung zur Christus-Sehnsucht in Anknüpfung an folgende angebliche (z. B. im ↗Physiologus berichtete) Fähigkeit der E. her: im Alter erblindet, erlangt sie ihr Augenlicht dadurch wieder, daß sie durch eine nach Osten gelegene Mauerritze schlüpft u. unverwandt in die aufgehende Sonne blickt: ebenso solle der Mensch, dessen inneres Auge sich zu verfinstern droht, auf Christus als die Sonne der Gerechtigkeit hinblicken. – Die jährl. Häutung der E. ließ sie außerdem zu einem Symbol der Wiedererneuerung u. Auferstehung werden. – Negative symbolische Bedeutung hat die E. gelegentl. in heißen Ländern, wo ihr gehäuftes Auftreten mit Hitze- u. Dürreperioden zusammenhängt.

Einäugigkeit: Blendung des einäugigen Polyphem; altgriech. Vasenbild, 6. Jh. v. Chr.

Einäugigkeit, wie die ↗Blindheit, das ↗Hinken oder der Buckel meist Zeichen einer gewissen Beschränkung, aber auch Ausdruck für Fähigkeiten besonderer Art, häufig für außergewöhnl., primitive Kraft (Polyphem, Zyklopen), jedoch auch für göttl. Wissen (Odin).

Einbeinigkeit, steht in den mytholog. Vorstellungen vieler Völker in Zshg. mit Wesenheiten (Gottheiten, Hexen, Zauberern, Tieren), die für den ↗Regen u. den ↗Donner verantwortl. sind. In China z. B. galt das Erscheinen eines einbeinigen Vogels als regenkündendes Vorzeichen; Tänze, auf nur einem Bein ausgeführt, sollten Regen bringen.

Eingeweide, besaßen im Volksglauben verschiedener Kulturen bes. zukunftsbezogene Bedeutungen. Verbreitet war vor allem die Mantik v. E.n der Opfertiere. ↗Leber.

Einhorn, bei vielen Völkern bekanntes, im christl. Abendland vor allem durch den ↗Physiologus volkstüml. gewordenes, häufig weißes Fabeltier in Ziegen-, Esel-, Rhinozeros-, Stier- oder (wie später vor allem) Pferdegestalt mit *einem* Horn. Dieses eine Horn kann zwar als phallisches Symbol gedeutet werden (vgl. den ↗Onager), da es jedoch der Stirn, dem „Sitz" des Geistes entspringt, ist es zugleich ein Symbol der Sublimation sexueller Kräfte u. konnte daher auch zum Sinnbild jungfräulicher Reinheit werden. – Das gerade u. spitz zulaufende (manchmal auch spiralig gewundene) Horn ist außerdem auch ein Symbol des Sonnenstrahls (↗Sonne). – Im Zoroastrismus galt das E. als Sinnbild der reinen Macht, durch die Ahriman besiegt wird. – In China sah man in ihm ein Symbol herrscherl. Tugenden. – Das Christentum kennt das E. als Symbol der Stärke u. Reinheit. Der Sage zufolge kann es nur durch eine reine Jungfrau gefangen u. gezähmt werden, in deren Schoß es sich flüchtet, wenn es gejagt wird. Verschiedentl. begegnen daher in der christlichen Kunst Mariendarstellungen mit dem Einhorn im Schoß, die auf die unbefleckte Empfängnis Marias *(Maria Immaculata)* hindeuten. – *E.pulver* (vom Horn) sollte angebl. Wunden heilen, auch dem Herz wurde Heilkraft zugeschrieben; mit Bezug darauf erscheint das E. verschiedentlich als Wahrzeichen von Apotheken.

Einhorn: Jungfrau mit Einhorn; aus: Defensorium Virginitatis

Eins, Symbol des noch undifferenzierten Uranfangs u. zugleich Sinnbild der Totalität, in die alle Dinge u. Wesen wiederum zurückstreben, als Einheit also zugleich Symbol Gottes; außerdem jedoch auch Symbol der Individualität. Als anschaul. Zeichen wurde die 1 auch verschiedentl. sinnbildl. auf den aufrecht stehenden Menschen bezogen. Die 1 wird in früheren Spekulationen häufig nicht als Zahl im engeren Sinne verstanden (↗Zwei).

Einundzwanzig, als Dreifaches (↗Drei) der ↗Sieben in der Bibel heilige Zahl, Symbol der göttl. Weisheit.

Eisen, weitverbreitetes Sinnbild für Kraft, Dauer, Unbeugsamkeit. Verschiedentl. auch, so z. B. in China, dem ↗Kupfer oder der Bronze als das unedlere dem edleren Metall gegenübergestellt. E. u. Kupfer partizipieren gelegentl. an der Opposition der Symbole ↗Wasser – ↗Feuer; Nord–Süd; ↗Schwarz– ↗Rot; Yin–Yang (↗Yin u. Yang). Das E. wird aber nicht in allen Kulturkreisen u. nicht in jeder Hinsicht als minderwertig angesehen, so gilt vor allem das v. Himmel gefallene Meteoreisen häufig als himml. u. göttl. – E. u. eiserne Geräte gelten einerseits oft als Schutz gg. böse Geister, andererseits aber auch als deren Instrument. Mit ähnl. Vorstellungen hängt auch die Tatsache zusammen, daß eiserne Werkzeuge im AT beim Bau des Salomonischen Tempels u. von Altären untersagt waren: man fürchtete, das E. könne die im Altarstein anwesenden numinosen Kräfte vertreiben. Aus entspr. Gründen wurde der Gebrauch eiserner Instrumente beim Schlachten v. Opfertieren in verschiedenen Kulturen vermieden. – In der Alchimie entspricht dem E. *Mars,* der als männl., als Gestirn des Krieges u. Streites, als heiß u. trocken, als Blitz u. Gewitter, Wildheit u. Unbarmherzigkeit bewirkend beschrieben wird. ↗Metalle.

Eisernes Zeitalter ↗Zeitalter.

Eisvogel, fliegt häufig in Paaren, daher vor allem in China Symbol des ehelichen Glücks. – In der christl. Symbolsprache Sinnbild der Auferstehung, da der E. nach ma. Auffassung alljährlich sein gesamtes Federkleid erneuert.

Elefant, in Asien Reittier der Herrscher, Symbol der Macht, der Weisheit, des Friedens u. des Glücks. Reittier des ind. Gottes Indra; Ganesha, der populäre Sohn des Gottes Shiva, Beseitiger aller Hindernisse, wird mit einem E.enkopf dargestellt. In Indien u. Tibet begegnet der E. häufig als Träger des gesamten Universums; er erscheint daher in der Architektur oft als Karyatide. – Im *weißen E.en* verbinden sich die symbolische Bedeutung des E.en mit der symbolischen Bedeutung der Farbe ↗Weiß. Nach buddhist. Vorstellung ging der Bodhisattwa als weißer E. vor seiner Wiedergeburt als Buddha in den Schoß seiner Mutter, der Fürstin Maya, ein; der weiße E. wurde daher zum populären Symbol des Buddhismus. – Auch in Afrika wird der E. als Sinnbild der Kraft, des

Elefant: der ind. Gott Ganesha; Skulptur, 12. Jh.

Glücks u. des langen Lebens verehrt; verschiedentl. begegnet man z. B. einem E.enkult, der auf eine Entschuldigung der Jäger gegenüber einem erlegten E.en hinausläuft. – Dem MA galt der E. als besonders keusch, da sich der männl. E. nach Aristoteles angebl. während der zweijährigen Tragzeit seines Weibchens enthaltsam verhält; er wurde daher auch mit der Tugend der Besonnenheit u. des Maßes (Temperantia) in Verbindung gebracht.

Elemente *Mz,* die Welt strukturierende Grundprinzipien; ihnen wurden häufig verschiedene Grundphänomene aus anderen Seinsbereichen zugeordnet. – Die chin. Lehre v. den E.n entstand bereits im zweiten vorchristl. Jahrtausend; sie umfaßt: Wasser, Feuer, Holz, Metall u. Erde; dem Wasser entsprach die Zahl 1, die Tiefe, der Winter u. der Norden; entspr. wurden einander zugeordnet: Feuer, 2, Höhe, Sommer, Süden; Holz, 3, Frühling, Osten; Metall, 4, Herbst, Westen; die Erde, der die Zahl 5 entspricht, ist das vermittelnde Element. – Die meisten anderen Kulturen unterscheiden, wie die Griechen (zuerst Empedokles), 4 Elemente: ↗Feuer, ↗Wasser, ↗Luft u. ↗Erde. Der seit Aristoteles verschiedentl. als „fünftes Element" aufgefaßte *Äther* entspricht als die hell strahlende Himmelsluft über der erdnahen Luftschicht zugleich dem Feuer u. der Luft. – Die *Temperamentenlehre* brachte die 4 Elemente mit den 4 Temperamenten in

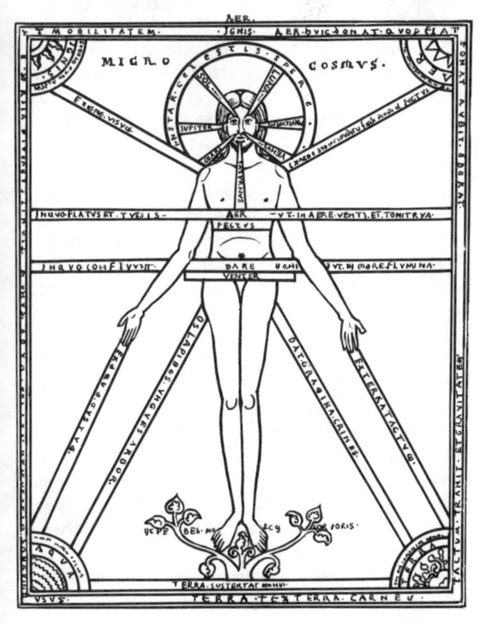

Elemente: der Mensch als Mikrokosmos unter dem Einfluß der Planeten u. der vier Elemente; nach einer Federzeichnung aus dem Glossarium Salomonis, Prüfening, um 1160

Verbindung: das Wasser mit dem Phlegmatiker, die Erde mit dem Melancholiker, das Feuer mit dem Choleriker, die Luft mit dem Sanguiniker. Auch die 4 Menschenalter, Körpersäfte u. Organe, die 4 Tages- u. (wie bereits in China) die 4 Jahreszeiten wurden verschiedentl. mit den 4 E.n in Zshg. gebracht. – C. G Jung bezieht sich gelegentl. auf die alte Unterscheidung v. männl. aktiven Prinzipien: Feuer, Luft – u. weibl. passiven: Wasser, Erde. – Die Freimaurer brachten die 4 E. symbolisch in Verbindung zu geistigen Entwicklungsstufen: der Mensch wird aus der Erde geboren u. wird stufenweise gereinigt im Durchgang durch Luft, Wasser u. Feuer. – Die Renaissance personifizierte die E. gerne durch antike Götter: die Erde durch Kybele; das Wasser durch Neptun, die Luft durch Juno u. das Feuer durch Vulkan. – Die Alchimisten kannten neben den 4 E.n der griech. Naturphilosophen noch die sogen. „philosophischen" E. ↗Salz, ↗Schwefel u. Quecksilber (↗Mercurius).

Elemente: der Mensch im Schnittpunkt der vier Elemente; nach einem Holzschnitt v. H. Weiditz in: Historia Naturalis v. C. Plinius Secundus, Frankfurt, 1582

Elf, im christl. Symboldenken gelegentl. Zahl der Sünde, da sie die ↗Zehn, die Zahl des Dekalogs, überschreitet.

Elfenbein, wegen seiner weißen Farbe u. unveränderl. Glätte Symbol für Reinheit u. Beständigkeit. ↗Elfenbeinturm.

Elfenbeinturm, Symbol der hochmütigen, weltfernen oder ästhetisierenden Absonderung v. der Welt. – Im Christentum wird – in ganz anderem Sinne – Maria gelegentl. mit einem E. verglichen; er symbolisiert hier den Turm Davids, d. h. Maria als reines ↗Gefäß, das den Sproß aus Davids Geschlecht trug. ↗Elfenbein, ↗Turm.

Elixier ↗Trank.

Elster, bedeutet in der ma. Kunst häufig das Böse, Verfolgung oder frühen Tod.

Embryo, Symbol aller noch schlummernden Möglichkeiten, insofern der Symbolik des Eies (↗Ei) nahestehend. – Der *goldene E.* des Weda symbolisiert das Prinzip des Lebens, das v. den Urwassern getragen wird (deutliche Parallele zur geläufigen Vorstellung des Welteneies).

Engelwurz

Engelwurz, *Angelica,* Doldenblüter der nördl. Hemisphäre; eine der ältesten Symbol-Pflanzen innerhalb des Christentums. In der Kunst Symbol der Dreifaltigkeit u. des Hl. Geistes, weil der Stengel zw. zwei sich gegenseitig umschließenden Häuten hervorwächst. Sie galt als Hauptheilmittel gg. die Pest; der Legende nach brachte ein Engel einem Mönch die Heilpflanze.

Ente. In Ägypten waren E.n beliebte Opfertiere. – Im Fernen Osten gelten E.npaare, die meistens zusammen schwimmen, als Symbol des ehelichen Glücks (↗Eisvogel).

Ente: Ausschnitt nach einem Wandbild im Grab des ägypt. Schreibers Harmhab

Entschleierung ↗Schleier.

Erdbeere, im MA nur in ihrer kleinfrüchtigen Form bekannt; wegen ihrer dreiteiligen Blätter Symbol der Dreieinigkeit, wegen ihres, bei allen Vorzügen, niederen Wuchses Sinnbild edler Demut u. Bescheidenheit. Die blutrote, nach unten geneigte Frucht wurde gelegentl. auch als Symbol für das vergossene Blut Christi oder der Märtyrer gedeutet, die fünfblättrige Blüte als Sinnbild der fünf Wunden Christi. – Die reife Frucht konnte auch auf die Reife einer jungen Frau zu Ehe u. Mutterschaft deuten; sie begegnet außerdem gelegentl. als Sinnbild der Weltlust.

Erde, im Ggs. zum ↗Himmel meist als weibl., passiv, dunkel gedeutet; erscheint in der Mythologie oft als weibl. Gottheit. Weltentstehungsmythen sehen den Anfang der Welt verschiedentl. als Zeugungsakt, bei dem die E. v. Himmel befruchtet wird; sie wird daher auch symbolisch mit der ↗Gebärmutter verglichen. – Die E. ist jedoch nicht nur der Schoß, aus dem alles Leben hervorgeht, sondern auch das Grab, in das es zurückkehrt, ihr symbolischer Bedeutungsgehalt entspricht daher häufig der ambivalenten Gestalt der „Großen Mutter", die zugleich als lebenspendend u. als bedrohl. erlebt wird. Auf eine Verbindung des Todes- u. des Gebäraspektes der E. spielen gelegentl. auch die bei Initiationsriten (↗Initiation) zeitweilig übl. rituellen Bestattungen mit anschließender „Auferstehung" an. – In der Alchimie wird die E. oft durch das Zeichen 🜃 versinnbildlicht. – In der Astrologie wird sie verknüpft mit den Tierkreiszeichen (↗Tierkreis) Stier, Jungfrau u. Steinbock.

Erde: E. als prima materia, den Sohn der Philosophen nährend; aus: Mylius, Philosophia reformata, 1622

Erinyen [Mz.], *Erinnyen,* in der griech. Mythologie Rächerinnen, vor allem von Bluttaten (in Rom den *Furien* gleichgesetzt); in der Kunst als häßl. dargestellt, mit Flügeln, Schlangen in Haaren u. Händen sowie mit Fackeln u. Geißeln. – Häufig als Symbol-Figuren des quälenden schlechten Gewissens gedeutet. ↗Eumeniden.

Erleuchtung ↗Licht.

Ernte, Symbol der Erfüllung; in der christl. Kunst häufig symbolisch für das Jüngste Gericht.

Esche, spielt eine bedeutende Rolle in der nord. Mythologie, z. B. ist der immergrüne, unwandelbare Weltenbaum Yggdrasil eine E. (↗Weltachse). – Den

Esche

Esel: tiermenschl. Mischwesen mit Eselskopf, Symbol der Rohheit u. Beschränktheit; aus: U. Aldrovandi, Monstrorum historiae, 1642

Esel: Einzug Christi in Jerusalem auf einer Eselin reitend; nach Meister Bertram

Etimasie: Baptisterium der Orthodoxen, Ravenna, 5. Jh.

Griechen galt die E., vor allem ihr Holz, als Symbol kraftvoller Festigkeit; gelegentl. schrieb man ihr auch die Fähigkeit zu, ↗Schlangen in die Flucht schlagen zu können.

Esel, ein Tier mit äußerst gegensätzl. Bedeutungen: in Ägypten galt der rote E. als eine gefährl. Wesenheit, der die Seele nach dem Tode begegnet. – In Indien erscheint der E. als Reittier unheilbringender Gottheiten. – Die Antike sah ihn einerseits als dummes, störrisches Tier, andererseits wurde er in Delphi als Opfer dargebracht; Dionysos u. seine Anhänger reiten auf E.n, die Römer brachten den E. mit dem Fruchtbarkeitsgott Priapus in Verbindung. – In der Bibel erscheint der E. einerseits manchmal als Sinnbild der Unkeuschheit, andererseits wird er aber in verschiedenen positiven Zusammenhängen erwähnt: so repräsentiert z. B. Bileams sprechende Eselin die Kreatur, die gelegentl. mehr vom Willen Gottes verstehen kann als der Mensch. E. u. Ochse an der Krippe beziehen sich möglicherweise auf die Erfüllung der Weissagung des Propheten Jesaja: „Der Ochse kennt seinen Herrn u. der E. die Krippe seines Herrn“; verschiedentl. findet man auch die Deutung des E.s als Sinnbildes der Heiden, des Ochsen als Sinnbildes des jüd. Volkes. Das Reittier beim Einzug Christi in Jerusalem ist einer Eselin Füllen, was zumeist als Symbol für Sanftheit u. Demut gedeutet wird (andererseits konnten aber Eselsfüllen u. vor allem weiße E. zu jener Zeit auch als ein Zeichen für Vornehmheit gelten). – Bes. in der roman. Kunst erscheinen E. häufig als Sinnbilder der Unzucht, Faulheit u. Dummheit. Messelesende E. beziehen sich oft auf das berühmte E.sfest des MA. ↗Onager.

Eselsfeige ↗Sykomore.

Eßkastanie ↗Kastanie.

Etimasie *w,* symbolisches Motiv der Thronbereitung für Christi Wiederkehr: unter dem Kreuz der leere Thron mit Lamm, Taube, Buch des Lebens oder Buchrolle, Leidenswerkzeugen, Krone, Purpurmantel u. a.; in der orthodoxen Kirche über dem ↗Altar angebracht.

Eule, *Käuzchen,* als Nachtvogel, der das Licht der Sonne nicht ertragen kann, häufig als Symbol dem ↗Adler gegenübergestellt. – In Ägypten u. Indien war die E. Totenvogel; vom Altertum bis heute gilt sie selber u. ihr Ruf als unheiml. u. als unglück- u. todbringendes Vorzeichen. – In China spielte sie eine wichtige Rolle als schreckerregendes Tier, das mit dem Blitz (der die Nacht erhellt), mit der Trommel (die die Stille der Nacht durchdringt) u. allg. mit dem bis zur Zerstörung gesteigerten Überwiegen des Prinzips Yang (↗Yin und Yang) in Verbindung steht. – Da sie in der Dunkelheit sieht, u. als ernst u. nachdenkl. galt, ist sie aber auch ein Symbol der die Dunkelheit des Nichtwissens durchdringenden Weisheit u. wurde so zum Attribut der griech. Göttin der Wissenschaften, Athena. – Die Bibel zählt sie zu den unreinen Tieren. – In der christl. Symbol-Sprache erscheint sie negativ als Sinnbild der geistigen Finsternis, aber auch positiv als Symbol religiöser Erkenntnis oder auch Christi, als des Lichtes, das die Finsternis erhellt.

Eule: E. auf einer alten Athener Münze

Eumeniden [Mz], in der griech. Mythologie verzeihende Gottheiten, die oft als sinnbildl. Verkörperungen der göttl. Gnade gedeutet wurden. Sie sind mit den ↗Erinyen identisch; umstritten ist, ob es sich bei dieser Zuordnung freundlicher Eigenschaften an die rächenden Göttinnen um einen Euphemismus oder um die Tatsache handelt, daß die Erinyen, wie andere chthon. Gottheiten, zugleich schreckl. u. wohltätig waren.

Eva ↗Adam und Eva, ↗Schlange.

Evangelistensymbole, den Darstellungen der Evangelisten in der christl. Kunst beigeordnete Attribute, die auch stellvertretend für die Evangelisten erscheinen können. Der Engel oder ↗Mensch wird dem Matthäus, der ↗Löwe dem Markus, der ↗Stier dem Lukas u. der ↗Adler dem Johannes beigegeben; diese Zuordnung geht zurück auf eine in der Offenbarung des Johannes beschriebene Vision (↗Tetramorph). Die E. wurden urspr. meist in Zshg. mit Christus gedeutet: Christus wurde durch seine Geburt Mensch, er starb wie ein Opferstier, er erhob sich aus dem Grab wie ein Löwe u. stieg bei der Himmelfahrt auf in den Himmel wie ein Adler. Später wurde eine andere Deutung übl., die den (oft geflügelten) Menschen bei Matthäus auf den Stammbaum Jesu u. auf seine Geburt (mit deren Bericht das Matthäus-Evangelium beginnt) bezog; der Löwe des Markus wurde als Hinweis auf den Anfang des Markus-Evangeliums verstanden, der v. der Predigt des Johannes in der Wüste berichtet; der Stier (als Opfertier) des Lukas galt als Zeichen für den Beginn des Lukas-Evangeliums, das mit dem Opfer des Zacharias einsetzt, u. den Adler des Johannes verstand man als Symbol für den spirituellen Höhenflug des Johannes-Evangeliums.

Evangelistensymbole: nach einer Miniatur (Ausschnitt); Pontifical v. Chartres, Anf. 13. Jh.

Exkremente [Mz.], galten vor allem bei Naturvölkern oft als wertvolle u. mit verschiedenen Kräften ausgestattete Substanz; verschiedentl. wurden sie symbolisch mit dem ↗Gold in Verbindung gebracht. – Bei einigen afrikan. Stämmen herrschte die Vorstellung, herumliegende Kothaufen seien v. Seelen bewohnt, die v. dort aus in den Körper der Frauen übergehen. – Die Hochschätzung der E. führte bei einigen Völkern zu rituellem *Kotessen,* durch das man sich vor allem die Kräfte des ausscheidenden Menschen oder Tieres einzuverleiben glaubte; mit diesen Vorstellungen hängt auch die bevorzugte Rolle zusammen, die E. bei der Heilmittelbereitung früher oft spielten. Weiterhin hängt mit der hohen Bewertung der E. auch die v. der Freudschen Psychoanalyse aufgedeckte frühkindl. Vorstellungswelt der analen Phase zusammen.

Fächer, in Babylonien, Indien, China, Persien, bei Griechen u. Römern u. in anderen Kulturen gebräuchlich; bes. als *Wedel* aus Palmblättern, Straußen- oder Pfauenfedern Symbol der Herrscherwürde. – Im Hinduismus gilt der F. u. a. als Symbol des rituellen Opfers, da man mit ihm das Opferfeuer anfacht. – Vor allem in China u. Japan brachte man die Bewegungen des F.s auch in Verbindung mit der Abwehr böser Geister.

Fackel, als gleichsam konzentrierte, auf eine Einzelerscheinung reduzierte Form des Elements ↗Feuer symbolisch weitgehend gleichbedeutend mit diesem. Als Symbol der Reinigung u. Erleuchtung bei Initiationsriten gebräuchl. In der Antike ist die in der Hand eines Jünglings oder Genius nach unten gesenkte F. ein anschaul. Symbol des Todes als des Auslöschens v. Leben. – Bei ma. symbolischen Darstellungen der Todsünden symbolisiert die F. gelegentl. den Zorn. – Im Volksbrauchtum spielte die F. vor allem im Winter u. Frühling eine Rolle als Fruchtbarkeits-Symbol.

Fackel: Horus-Auge, eine F. haltend; nach einem Wandbild in einem ägypt. Grab

Faden, allg. Symbol der Verbindung, z. B. sprechen die Upanischaden v. einem F., der die diesseitige mit der jenseitigen Welt u. alle Wesen untereinander verbindet. Auch die Zeit u. das Leben werden vielfach mit einem F. verglichen (↗Moiren). *Der F. der Ariadne* ist im griech. Mythos ein Garnknäuel, das Ariadne, Tochter des Königs Minos, dem Theseus gab u. durch das dieser wieder aus dem ↗Labyrinth herausfand: sprichwörtl. Symbol für ein erkenntnisleitendes Prinzip.

Fahne, Symbol der Herrschaft sowie der National- oder Gruppenzugehörigkeit; im Krieg Symbol der militär. Ehre u. Treue, das notfalls unter Aufopferung des eigenen Lebens zu verteidigen war. Die *wehende F.* wird zudem oft empfunden als sinnbildl. Ausdruck des Aufbruchs, der zukunftsweisenden Kraft zur Veränderung. – In der Symbolik der christl. Kunst trägt Christus oder das Lamm die F. zum Zeichen der Auferstehung u. des Sieges über die Mächte der Finsternis.

Falke: Horus in Falkengestalt; ägypt. Wandbild in einem Grab

Falke, allg. sonnenhaftes, männl., himml. Symbol; in Ägypten wegen seiner Kraft, Schönheit u. seines hohen Flugs göttl. Symboltier; u. a. heiliges Tier des Sonnengottes Re; der Gott Horus nimmt in der Regel die Gestalt eines F.n oder eines Menschen mit F.nkopf an, aber auch andere Gottheiten erscheinen in F.ngestalt. – Der mit einer Haube verhüllte F. symbolisiert, vor allem in der Renaissance, die Hoffnung auf das die Dunkelheit erhellende Licht, etwa in Verbindung mit der Devise: Post tenebras spero lucem.

Farben, seit jeher Träger vielfältiger Symbol-Bedeutungen, die ihrerseits häufig durch die Grundunterscheidungen warm–kalt, hell–dunkel geprägt sind. ↗Blau, ↗Braun, ↗Gelb, ↗Grau, ↗Grün, ↗Rot, ↗Schwarz, ↗Weiß, ↗Violett.

Fasan, in den mytholog. Vorstellungen vor allem Chinas durch seinen Gesang u. seinen Tanz Symbol kosm. Harmonie; Ruf u. Geräusch des Flügelschlagens wurden mit dem ↗Donner, daher mit dem Gewitter, dem ↗Regen u. dem Frühling in Verbindung gebracht. Der F. galt als dem Prinzip Yang (↗Yin und ↗Yang) verbunden. Im Wechsel der Jahreszeiten verwandelt sich der F. in die dem Prinzip Yin verbundene ↗Schlange u. umgekehrt. – Der *Goldfasan* stand für Antike u. MA dem Vogel ↗Phönix nahe.

Federn, bei vielen Naturvölkern u. a. wohl wegen ihres blattähnl. Aussehens Symbol der Vegetation, wegen ihrer wie mit Strahlen besetzten Form u. wegen ihres engen Bezugs zum Vogel (↗Vögel) zugleich dem himml. Bereich u. der Sonne symbolisch nahestehend. Der Feder-Kopfschmuck (zumeist aus F. des Prärieadlers) einiger Indianerstämme ist ein Macht-Symbol mit engem symbolischem Bezug zur Sonne. – Bei vielen Völkern dienten F. außerdem als Attribute sozialer Stellung (z. B. der Federbusch als Helmzier der ma. Ritter).

Fehdehandschuh ↗Handschuh.

Feige als Gebärde ↗Finger.

Feigenbaum: symbolische Darstellung v. Buddhas Erleuchtung; Relief aus der Stupa v. Bharhut (Bodhibaum-Tempel)

Feigenbaum, bei vielen Völkern als heiliger ↗Baum verehrt; neben dem ↗Olivenbaum u. dem ↗Weinstock häufig Symbol für Fruchtbarkeit u. Überfluß. In der Antike hatte er erotische Symbolbedeutung u. war dem Dionysos heilig. – Er begegnet bes. in Indien häufig als Symbol in religiösem Zshg., beispielsweise gilt ein vom Himmel herabwachsender F. als Sinnbild der Welt. Der *Bodhibaum* ist der F., unter dem Buddha die Erleuchtung (= bodhi) empfing, er gilt als Symbol der Erkenntnis. – Die Verfluchung eines unfruchtbaren F.s durch Jesus im NT wird gedeutet als Verurteilung des jüd. Volkes; ein vertrockneter F. symbolisiert daher in der christl. Kunst die Synagoge.

Felsbilder, *Höhlenbilder,* an Felswänden, vor allem in Höhlen, angebrachte bildl. Darstellungen v. Menschen, Tieren, Gegenständen u. kult. Zeichen. Die europ. F. stammen alle aus der Urgeschichte u. reichen bis in die Altsteinzeit zurück, F. v. Naturvölkern begegnen auch noch aus neuerer Zeit. Lange wurden

Felsbild: Höhlenbild mit Jagdszenen aus der Höhle Los Caballos (Castellon, Spanien)

Felsen: Sisyphos mit dem Felsen; nach einem griech. Vasenbild.

sie als Ausdruck mag. Praktiken, vor allem v. Jagdzauber, verstanden, heute sieht man in ihnen oft sinnbildl. Darstellungen religiösen Erlebens oder gelegentl. auch symbolartig vereinfachte Bildkombinationen, die möglicherweise auf eine Bilderschrift vorausdeuten.

Felsen, Symbol der Festigkeit u. Unveränderlichkeit. In der Bibel Symbol der Stärke u. Treue des schützenden Gottes. Der wasserspendende F. in der Wüste gilt als symbolisches Vorausbild für Christus als den Spender des Lebenswassers. Auch Petrus (Beiname des Simon, v. griech. petros = Felsen) wird, als Grundstein der Kirche, mit einem F. verglichen. – In der chin. Landschaftsmalerei erscheint der F. als das Feste, dem Prinzip Yang (↗Yin und Yang) Entsprechende, häufig als Gegenpol zum unbeständigen, permanent bewegten *Wasserfall,* der das Prinzip Yin verkörpert. – Der F., den nach dem griech. Mythos *Sisyphos* in der Unterwelt ständig auf einen Berg wälzen mußte, v. dem er im letzten Augenblick immer wieder herunterrollte, ist ein Symbol für vergebl. Mühen aber auch allg. für die nie endgültig befriedigten Wünsche des menschl. Lebens.

Fenchel, wurde gelegentl. wegen seiner angebl. augenstärkenden Kraft als Symbol für geistige Klarsicht verstanden. Da er angebl. bei Schlangen, die ihn fressen, die Häutung hervorruft, galt er auch als Sinnbild period. Erneuerung u. Verjüngung. Das MA sah im F. außerdem eine apotropäische Pflanze. Wegen seines Duftes u. kostbaren Öles wird er manchmal auch als Marienpflanze erwähnt.

Fenster, symbolisiert gelegentl. die Empfänglichkeit u. Offenheit für v. außen kommende Einflüsse. – Die farbigen *Glas-F.* got. Kirchen symbolisieren häufig die farbige Fülle des himml. Jerusalem. – In der darstellenden Kunst des MA bedeutet das F., das nicht selbst leuchtet, sondern das Sonnenlicht durchscheinen läßt, manchmal die Gottesmutter Maria, die rein u. demütig den Gottessohn trug.

Fensterrose ↗Rose.

Festessen, als *rituelles* F. in vielen Kulturen Symbol der Teilhabe an einer Gemeinschaft u. damit vielfach zugleich auch der Partizipation an einer spirituell ausgezeichneten Situation.

Festung, allg. Symbol des Schutzes, der Geborgenheit, oft auch Sinnbild der Zurückgezogenheit v. der Welt, der inneren Zwiesprache mit Gott oder sich selbst. ↗Burg.

Festessen: Abendmahlsszene; nach einem Evangeliar im Corpus Christi College, Cambridge

Fetische [Mz.], vor allem in Westafrika gebräuchl. Gegenstände wie Holz- oder Lehmfiguren, aber auch Teile v. Tieren usw., die als mag. helfende u. schützende Kraftquellen verehrt wurden; verschiedentl. Gegenstand ritueller Handlungen, so wurden sie

z. B. mit Nägeln beschlagen, die sinnbildl. Krankheiten auf den jeweiligen F. übertragen sollten.

Fette, galten in verschiedenen Kulturen als Zeichen v. Wohlstand (daher auch als wertvolles Opfer an die Götter) oder als begabt mit den bes. Kräften der jeweiligen Tiere, aus denen sie gewonnen wurden. ↗Öle, ↗Butter.

Feuer, gilt bei vielen Völkern als heilig, reinigend, erneuernd; seine Zerstörungskraft wird oft als Mittel zur Neugeburt auf einer höheren Stufe gedeutet (↗Verbrennung, ↗Phönix). Verschiedentl. werden eigens F.gottheiten verehrt, so Agni in Indien oder Hestia in Griechenland; in China kannte man mehrere F.götter. – In der Bibel begegnen verschiedene Bilder, in denen Gott oder Göttliches durch das F. symbolisiert wird: die Apokalypse erwähnt u. a. *F.räder* (↗Rad), Tiere, die F. speien usw.; im AT erscheint Gott z. B. als *F.säule* (↗Säule) oder in einem brennenden ↗Dornbusch. Häufig steht das F. in Verbindung mit der ↗Sonne, dem ↗Licht, dem ↗Blitz, der Farbe ↗Rot, dem ↗Blut, dem Herzen (↗Herz). Im Ggs. zum ↗Wasser, dem verschiedentl. der Ursprung aus der Erde zugeschrieben wird, gilt das F. oft als vom ↗Himmel kommend. Die Mythen mehrerer Völker sprechen v. einem *F.raub,* der häufig als Frevel gedeutet wird. Die griech. Naturphilosophie sah im F. entweder den Ursprung alles Seins oder eines der ↗Elemente. – Zugleich steht das F. aber auch häufig in engem Zshg. mit dem symbolischen Bedeutungskomplex der Destruktion, des Krieges, des Bösen, Teuflischen, der Hölle oder des göttlichen Zornes. Der Brand Sodoms u. Gomorrhas wurde im MA oft als Vorausbild des *Höllen-F.s* verstanden. –

Feuer: Vermählung v. Wasser u. Feuer, die jeweils, zum Zeichen ihrer Wirkkraft, vier Hände haben; nach einer ind. Darstellung

Finger: Feigenamulett

Die Erzeugung des F.s durch Reibung brachte man in vielen Kulturen in Verbindung mit der Sexualität; mehrfach wird bereits die *Entstehung* des F.s auf einen sexuellen Akt myth. Wesenheiten oder Tiere zurückgeführt. – Die apotropäische Wirkung des F.s spielt bei zahlreichen Völkern eine Rolle, so durfte z. B. das böse Geister vertreibende *Herd-F.* der Germanen nie ausgehen. – In der Alchimie wird das F. oft durch das Zeichen △ versinnbildlicht. – Die Astrologie verknüpft das F. mit den Tierkreiszeichen (↗Tierkreis) Widder, Löwe u. Schütze.

Feuerrad ↗Feuer, ↗Rad.

Feuersäule ↗Feuer, ↗Säule.

Feuerstein, bei mehreren Naturvölkern Symbol des Blitzes (↗Blitz).

Feuerwasser ↗Alkohol.

Finger, spielen bei verschiedenen afrikan. Stämmen eine sehr komplexe, mit vielfältigen Lebensbezügen u. Körperempfindungen zusammenhängende symbolische Rolle. – In der astrolog. Tradition wird der ↗Daumen der Venus, der Zeigefinger Jupiter, der Mittelfinger Saturn, der Ringfinger der Sonne u. der kleine F. Merkur zugeordnet. – Der *Ringfinger* hieß volkstümlich auch Herzfinger, weil man des Glaubens war, er sei durch eine besondere Ader oder einen Nerv direkt mit dem Herzen verbunden; hiermit hängt auch die Liebes- u. Treuesymbolik des Ringfingers bes. der linken Hand (Herzseite) zusammen. – *Finger-* u. *Handgebärden* waren zu allen Zeiten Hilfsmittel seel. u. geistigen Ausdrucks. Bes. reich sind sie in der ind. Kunst u. im ind. Tanz ausgeprägt. – In der Antike galt das Vorstrecken des Mittelfingers als Beschimpfung, das Verschränken der F. als Abwehrgeste. Die *Feige* (das Durchstrecken des Daumens zw. Mittel- u. Zeigefinger bei geschlossener Hand) gilt in den Mittelmeerländern von alters her als Abwehrmittel gg. den bösen Blick, als grobe Beschimpfung wie auch als Sexual-Symbol. – In der abendländ. Kunst bedeutet ein auf den Mund gelegter F. Schweigen. Das Christkind mit dem F. auf dem Mund oder der Zunge verweist dagegen auf den Logos als gesprochenes Wort. ↗Hand.

Fingerhandschuh ↗Handschuh.

Finsternis ↗Licht.

Fische: Tierkreiszeichen

Fisch, steht symbolisch dem ↗Wasser, seinem Lebenselement, nahe; bei vielen Völkern ist er zugleich ein Symbol der Fruchtbarkeit u. ein Symbol des Todes. Als Lebens- u. Fruchtbarkeits-Symbol ist er ein weitverbreiteter ↗Talisman. – In Ägypten galten die meisten F.arten in je bestimmten Gegenden oder zu bestimmten Zeiten als heilig, oft aber zugleich als bedrohl. u. unheiml. – Der F. ist eines der ältesten Geheim-Symbole für Christus, zunächst wohl vor allem mit Bezug auf die Wassertaufe, später wurde auch die griech. Bz. für F. (ichthys) als Akrostichon der Wörter Jesous Christos Theou (H)Yios Soter (Jesus Christus, Sohn Gottes, Heiland) gedeutet. Auch die getauften Christen verstanden sich als F.e, die im Wasser der Taufe neu geboren werden. Als Verkörperung Christi kann der F. außerdem Sinnbild der geistigen Nahrung u., vor allem in Darstellungen mit dem ↗Brot, ein Symbol für die Eucharistie sein. – Die F.e sind das 12. u. letzte Zeichen des ↗Tierkreises; ihr Element ist das ↗Wasser.

Fischer ↗Netz.

Fischotter, lunares Symbol-Tier. In einigen indianischen Kulturen u. in Afrika spielt sein Fell bei Initiationsbräuchen eine Rolle. – In Europa begegnet er gelegentl. als Seelenführer.

Flamingo, steht in den Upanischaden mit der Symbolik des ↗Lichts in Zshg.

Flamme, symbolisch weitgehend ident. mit dem ↗Feuer, als dessen zeichenhaft komprimierte Form sie häufig erscheint, z. B. als Feuer des Heiligen Geistes bei Darstellungen des Pfingstwunders oder der Taufe Christi. Die „Feurigkeit" der Rede oder des Blickes, sowohl im Sinne der außerordentl. Kraft wie dem der zerstörenden Gewalt, wird gelegentl. durch F.n veranschaulicht, die an Stelle der Zunge erscheinen oder aus dem Auge hervorkommen. Auch Laster wie Gier, Neid oder Wollust werden, vor allem literarisch, verschiedentl. durch F.n symbolisiert.

Flammenschwert ↗Schwert.

Flammeum ↗Rot.

Flechtwerk, in der ornamentalen früh-ma. Kunst wahrscheinl. häufig Symbol für Wachstumsbewegungen.

Fledermaus, Symbol-Tier mit sehr verschiedenen Bedeutungen. Im Fernen Osten gilt sie als Glücks-Symbol wegen der Homophonie zwischen den Wörtern für F. u. für Glück (Fu). Da sie in Höhlen (↗Höhle), den vermeintlichen Eingängen ins Jenseits lebt, galt sie selber als unsterblich u. wurde auch zu einem Symbol der Unsterblichkeit. – Die erst nachts erwachende F. steht, wie der Vampir, außerdem in Zusammenhang mit sexueller Symbolik; Dämonen u. Geister, die nächtlich angeblich den Frauen beiwohnen, stellte man sich in Europa gelegentlich als Fledermäuse vor. – Ihre sichere Orientierung in der Dunkelheit machte die F., z. B. bei schwarzafrikan. Völkern, zum Symbol der Intelligenz; als Nachttier gilt sie in anderem Zusammenhang jedoch als Feind des Lichts (↗Licht). Als Tier, das mit dem Kopf nach unten schläft, kann sie aber auch als Feind der natürlichen Ordnung erscheinen. – Die Bibel zählt die F. zu den unreinen Tieren. – Im MA galt sie als bösartiges Tier,

Fisch: zwei F.e mit Anker; Grabstele der Licinia

Flechtwerk v. einem romanischen Kapitell.

Fledermaus: der hl. Antonius, v. Teufeln mit Fledermausflügeln versucht u. in die Lüfte gehoben; nach M. Schongauer (Ausschnitt)

Fliege: Beelzebub; nach: Collin de Plancy, Dictionnaire infernal, 1845

das z. B. schlafenden Kindern das Blut aussaugt; der Teufel wurde häufig mit F.-Flügeln dargestellt. – Als Nachttier ist die F. auch ein Emblem der Melancholie. – F.-Flügel weisen verschiedentl. auf den Tod. – Da die F. im Schutze der Dämmerung fliegt, ist sie, vor allem in der dt. bildenden Kunst, auch ein Sinnbild des Neides, der sich nicht offen zeigt. – In der Alchimie spielte die F. als Zwitterwesen zw. Vogel u. Säugetier eine Rolle als Symbol für ambivalente Phänomene, zum Beispiel für den Hermaphroditen (↗Hermaphrodit).

Fliege, galt im Fernen Osten als Symbol der immateriellen, rastlos schweifenden Seele. – Zumeist wurde sie jedoch mit Krankheit, Tod u. Teufel in Verbindung gebracht; verbreitet war die Vorstellung, daß Krankheitsdämonen den Menschen in Fliegengestalt bedrohen. Der in der Bibel erwähnte oberste Teufel *Beelzebub* (v. hebr. Ba'al-Zebub = Herr der Fliegen), der oft als F. dargestellt wird, ist eine Pervertierung der urspr. kanaanäischen Gottheit Baalzebul; er spielt im Volksglauben vor allem bei Zaubersprüchen eine Rolle. – In der pers. Mythologie schleicht sich das Widersacherprinzip Ahriman als F. in die Welt.

Fluß: die vier Paradiesflüsse; nach einer elsäss. Miniatur, 12. Jh.

Flöte, als Attribut häufig in Zshg. mit dem Leben der Hirten. – Der Ton der F. wird verschiedentl. als Stimme v. Engeln, myth. oder verzauberten Wesen gedeutet. – Der Klang der Rohrflöten, die bei den Tänzen der Derwische gespielt werden, symbolisiert den Ruf der v. Gott getrennten Seele, die wieder in himml. Bereiche zurückkehren will.

Flügel, ↗Vögel.

Fluß, wegen seiner Bedeutung für die Fruchtbarkeit häufig als Gottheit, z. B. bei Griechen u. Römern als jeweils lokaler männlicher Gott, verehrt. – Allg. in enger symbolischer Verbindung mit dem ↗Wasser. Wegen des Fließens Symbol für Zeit u. Vergänglichkeit, aber auch für ständige Erneuerung. – Der Zusammenfluß aller Flüsse ins Meer gilt als Symbol der Vereinigung v. Individalität u. Absolutem, z. B. in Buddhismus u. Hinduismus als Symbol des Aufgehens im Nirwana. – Der v. den Bergen herabkommende F. wurde beispielsweise im Judentum als Symbol himml. Gnade gedeutet. Die Vorstellung v. vier *Paradiesflüssen* begegnet im Judentum u. Christentum, aber auch in Indien; in der christl. Kunst entspringen sie häufig einem Hügel, auf dem Christus oder das Gotteslamm stehen u. symbolisieren die vier Evangelien.

Fluten, symbolisieren den gewaltigen, oft verschlingenden oder gleichmütig alles unter sich begrabenden Aspekt des ↗Wassers, insofern auch Symbol für gefährliche Leidenschaften. Das Sichstürzen in die F. symbolisiert oft auch den mutigen Aufbruch ins

Ungewisse; in der Bibel Sinnbild für Untergang u. Tod. ↗Wellen.

Fortitudo *w,* Personifikation der *Tapferkeit,* einer der vier Kardinaltugenden; häufig dargestellt mit den Attributen ↗Keule, ↗Schwert, Schild, Siegesfahne, ↗Löwe.

Fortuna *w,* röm. Schicksals-, später nur Glücks-Göttin; mit der griech. *Tyche* identifiziert; begegnet häufig in der bildenden Kunst der Renaissance; als Personifikation des zufälligen u. schwankenden Glücks oft auf einem ↗Rad oder einer Kugel stehend dargestellt; ein häufiges Attribut ist auch das Füllhorn (↗Horn).

Fortuna: F. von V. Solis d. Ä.

Fratze ↗Bes, ↗Gorgoneion, ↗Neidköpfe.

Frauenmantel, *Sinau,* im Volksmund häufig „Unserer lieben Frauen Nachtmantel“ genannt wegen der Form der Blätter; Marienpflanze.

Frauenschuh, eine wegen ihrer Blütenform so genannte Orchideengattung; wurde gelegentl. auch als „Kriemhilds Helm“ bezeichnet; wird in vielen Legenden mit der Jungfrau Maria in Zshg. gebracht.

Frauenschuh

Freimaurerei, ein in der Aufklärung entstandener geheimer Männerbund, der keine eigene Religion vertritt, aber in seiner eindringl. Bau-, Werk- u. Lichtsymbolik kultähnl. Formen entwickelte u. den „Weltbund des Lichts“ erstrebt zur Ausübung der „Königl. Kunst“, d. h. der sachgerechten „Steinmetzarbeit“ am eigenen Ich u. der Aufbauarbeit am „Menschheitsstempel“. Die sehr vielgestaltige Symbolik wurde weitgehend im Rückgriff auf alte Handwerksbräuche der Steinmetze entwickelt.

Fremdling, Symbol für den heimatlosen, vorläufigen Zustand des Menschen auf der Erde in allen Religionen, die eine jenseitige Welt als die wahre Heimat des Menschen sehen. ↗Pilger.

Freimaurerei: Zeichen der Johannisloge zur Beständigkeit

Friedenspfeife, Rauchpfeife der nordamerikan. Indianer, die bei Friedensschlüssen, Verträgen u. zum Zeichen der Freundschaft reihum geraucht wird; sie wird meistens als eine Art Urbild eines menschl. Wesens empfunden, dessen Kraft u. Unsterblichkeit sie symbolisiert; verschiedentl. gilt sie – vor allem mit Bezug auf ihren ↗*Rauch* – als Sinnbild der Verbindung des Menschen mit der Natur sowie mit dem Himmel.

Frisur ↗Haar.

Frosch, wird meist in engem Zshg. mit dem ↗Wasser, vor allem dem ↗Regen gedeutet; gilt häufig als mondhaftes Tier u. ist in China an das Prinzip Yin (↗Yin und Yang) gebunden. Analog zu dem Wechsel ↗Fasan – ↗Schlange bestand in China auch die Vorstellung v. jahreszeitl. wechselndem Vorherrschen des F.s oder der ↗Wachtel. – In Japan galt der F. als glückverheißend. – In Indien kannte man die Vorstellung v. einem großen F., der die Welt stützt; zugleich sah man in ihm ein Symbol des dunklen, materieverhafteten Lebens oder – im positiven Sinne – der fruchtbaren Mutter Erde. – Der Bibel gilt der F. als unreines Tier. – In Ägypten kannte man eine froschköpfige Göttin, die bei Geburten half u. langes Leben u. Unsterblichkeit verlieh; vor allem war der F. aber ein Auferstehungs-Symbol, was wahrscheinl. sowohl mit dem Gestaltwechsel in seiner Entwicklung wie mit der Annahme zusammenhängt, der F. entstehe alljährl. im Frühling aus dem Nilschlamm. – Den Kirchenvätern galt der F. als Symbol des Teufels oder (wegen des ständigen Lärms) des Häretikers. Der ma. Volksglaube sah im F. ein Hexentier u. verwendete *F.knöchelchen* für Liebeszauber.

Fuchs: Äsop lauscht den Worten des F.es; von einer Schale im Vatikan; um 450 v. Chr.

Frucht, Symbol der Reife, der abgeschlossenen Entwicklung. Mehrere u. verschiedene Früchte symbolisieren häufig Fülle, Fruchtbarkeit u. Wohlstand. – Die verbotene F. des Paradieses – in der Bibel nicht genau beschrieben – ist je nach der Landschaft der jeweiligen Kunstdarstellungen ein ↗Apfel, Trauben, Kirschen usw.; sie symbolisiert die Verlockung zur Sünde.

Fuchs, spielte im jap. u. chin. Mythos eine bedeutende Rolle als zauberkundiges, weises, dämonisches, teils gutes, teils böses Tier, das über zahlreiche, vor allem menschl. Metamorphosen seiner Gestalt verfügt. – In einigen indian. Kulturen ist der F. ein Symbol der Geilheit. – In Europa gilt er häufig als Sinnbild der Schlauheit u. Hinterlist. In der ma.Kunst erscheint er als Symbol des Teufels, der Lüge, Ungerechtigkeit, Maßlosigkeit. Habsucht u. Wollust.

Füllhorn ↗Horn.

Fünf, als additive Vereinigung der ersten geraden u. der ersten ungeraden Zahl (↗Zwei u. ↗Drei, sofern man die ↗Eins nicht als eigentl. Zahl gelten läßt) sowie als graph. leicht darstellbarer Mittelpunkt der als ↗Quadrat gedachten Vierheit (↗Vier) häufig als bes. ausgezeichnete Zahl verstanden. Den Pythagoreern galt sie, als Vereinigung v. Zwei u. Drei, als Symbol der Hochzeit u. der Synthese. Sie ist die Zahl der 5 Finger an einer Hand (u. kann diese bedeuten), die Zahl der 5 Sinne, der 5 Wunden Christi, der 5 Säulen der Frömmigkeit im Islam usw. Eine besondere Rolle spielte die 5 in China als Symbol des Mittelpunkts (↗Mitte); die Chinesen kannten außerdem 5 Farben, 5 Gerüche, 5 Töne, 5 Planeten, 5 Metalle usw.; die 5 ist zudem die Zahl der harmon. Verbindung v. ↗Yin und Yang. – Im Hinduismus ist die 5 u. a. die Zahl des Lebensprinzips; den Gott Shiva stellte man sich zeitweilig mit 5 Gesichtern vor (das fünfte, nach oben weisende, wurde mit der ↗Weltachse identifiziert u. in der Regel nicht dargestellt); außerdem verehrte man ihn gelegentl. auch in Gestalt v. 5 Linga-Darstellungen (↗Linga). – Die Alchimisten suchten mit der *Quintessenz* (das fünfte Wesen, d. h. das zu den vier Elementen hinzukommende fünfte Element) den lebenerzeugenden u. -bewahrenden Spiritus; möglicherweise hängt die verschiedentl. anzutreffende Fünfzahl in der Ornamentik der christl. Kirchen des MA u. a. mit derartigen Überlegungen zusammen. ↗Pentagramm.

Fünfzig, in der Bibel Zahl der Freude u. des Festes. Der 50. Tag nach Ostern (urspr. nach Beginn der Ernte) war bei den Hebräern ein fröhliches Erntefest. Jedes 50. Jahr wurden die Sklaven befreit, die Schulden erlassen, ausgiebig v. der Arbeit ausgeruht usw. Das erste Pfingstfest, die Ausgießung des Hl. Geistes, geschah 50 Tage nach Christi Auferstehung.

Furien ↗Erinyen.

Fuß, der mit der ↗Erde am engsten verbundene Körperteil bei Tier u. Mensch; steht als Organ der Frotbewegung, des „Ausschreitens" in symbolisch relevanter Verbindung mit dem Willen; so verstand man z. B. in Volksbrauch u. Recht *den F. auf etwas stellen* als Zeichen der Besitznahme. Bes. in der Antike war es üblich, auf den besiegten Feind den F. zu stellen zum Zeichen der totalen Unterwerfung. – Schon bei den Römern galt das Aufstehen oder Betreten mit dem rechten F. als glückbringend, mit dem linken F. dagegen als unglückverheißend. – Entblößte Füße sind häufig ein Zeichen der Demut (z. B. bei Betreten einer Moschee oder eines Heiligtums); bei Mönchsorden sind sie Ausdruck der bewußten Armut. – Dämon. Wesen werden häufig mit Tierfüßen dargestellt, so der Teufel mit einem Bocks- oder Pferde-F., ↗Zwerge oder weibl. Dämonen mit Gänse- oder Entenfüßen. – Der *F.kuß* (gegenüber Höhergestellten) war – vor allem mit Bezug auf die „Niedrigkeit" des F.es – Symbol tiefster Unterwerfung. – Die *F.waschung* – im Orient ein Akt der Gastfreundschaft – ist, wenn sie durch einen Höhergestellten ausgeführt wird, ein Symbol der Demut u. Liebe; als Gründonnerstagsbrauch ist sie in der kath. Kirche übl. als symbolischer Nachvollzug der F.waschung Jesu an den Jüngern. – In psychoanalyt. Sicht wird dem F. oft eine phallische Bedeutung beigemessen.

Fußwaschung ↗Hand- u. Fußwaschung.

G

Gabelkreuz ↗Kreuz.

Gagat *m, Jett,* eine polierfähige, sehr dichte ↗Kohle, als ↗Amulett weitverbreitetes Mittel gg. schädl. Einflüsse, z. B. gg. den bösen Blick, Gifte, Krankheiten, Unwetter. – Im MA u. in der Neuzeit wegen seiner tiefschwarzen (↗Schwarz) Farbe Trauer-Symbol u. daher häufig für Trauerschmuck verwendet.

Galgenmännlein ↗Alraune.

Gans, spielt in der ägypt. Mythologie eine wichtige Rolle als *Urgans,* die das Weltenei entweder legt oder – nach anderen Versionen – aus ihm hervorgeht. Wildgänse galten in Ägypten, wie in China, außerdem als Mittler zw. ↗Himmel u. ↗Erde. – In Griechenland war die G. der Aphrodite heilig, in Rom war sie der Juno geweiht; sie galt als Symbol der Liebe, der Fruchtbarkeit, der ehel. Treue, aber auch der Wachsamkeit; so sollen auch die Gänse auf dem Kapitol dieses bei der Zerstörung Roms 387 v. Chr. durch ihre Wachsamkeit gerettet haben. – In Rußland, Zentralasien u. Sibirien ist „G." eine gebräuchl. Bz. für die geliebte Frau. – Für die Kelten stand die G. dem ↗Schwan symbolisch nahe u. galt wie dieser als Botin aus der geistigen Welt.

Gans: die ägypt. Urgans; Darstellung v. einem Papyrus

Gänseblümchen, *Maßliebchen, Bellis,* Korbblüter der gemäßigten Zone. Urspr. der german. Muttergöttin Frija geweiht, in der ma. Kunst häufiges Marienattribut; es symbolisiert das ewige Leben u. Erlösung, aber auch, wie die ↗Margarite, Tränen u. Blutstropfen.

Gänseblümchen

Gänsefingerkraut, soll dem, der die Wurzel der Pflanze bei sich trägt, Zuneigung, Beredtsamkeit, Klugheit u. Verstand verleihen. Galt als Symbol der Mutterliebe u. damit Marias, weil die Blätter sich bei Regen so über der Blüte zusammenlegen, daß sie ein schützendes Dach bilden.

Garbe, Symbol der Ernte u. Fülle. Bei Ernteriten wurden häufig der ersten oder letzten gebundenen G. bes. Kräfte zugeschrieben, die sich negativ auswirken, sofern nicht gewisse Regeln eingehalten werden, z. B. die G. verschenkt oder auf das Land des Nachbarn geworfen wird. – Als Zusammenfügung vieler Einzelelemente entspricht die G. symbolisch dem ↗Strauß.

Garten, Symbol des ird. u. himml. Paradieses, Symbol der kosm. Ordnung. – In der Bibel ist im Ggs. zur hl. *Stadt* (↗Jerusalem, himmlisches), die die Endzeit symbolisiert, der G. ein Bild des sündenfreien Urzustandes des Menschen. Das Hohe Lied vergleicht den G. mit der Geliebten. – Im G. der *Hesperiden* der griech. Mythologie wuchs der Baum mit den goldenen Äpfeln, der zumeist als Sinnbild des Lebensbaums gedeutet wird. – In seiner Abgeschlossenheit, als Refugium gegenüber der Welt, steht der G. symbolisch der Oase u. der ↗Insel nahe. – Der ummauerte G., der nur durch eine schmale Pforte betreten werden kann, symbolisiert auch die Schwierigkeiten u. Hindernisse, die vor Erreichen einer höheren seelischen Entwicklungsstufe überwunden werden müssen. – In ähnlichem Sinne symbolisiert der umfriedete G. auch vom männlichen Standpunkt aus die intimen Bereiche des weiblichen Körpers.

Garten: Brunnen in ummauertem Garten, Symbol der Beständigkeit u. Wahrheit auch unter schwierigen Umständen; aus Boschius, Symbolographia, 1702

Gärung, bei vielen, z. B. afrikan. u. indian., Völkern Sinnbild des die Materie durchdringenden Geistes u. überschäumender Imaginationskraft. Vergorenen Getränken schrieb man deshalb u. wegen ihrer Wirkung die Kraft zu, esoter. Wissen vermitteln zu können; sie wurden daher häufig bei rituellen Handlungen verwendet. – Da der Vorgang der G. dem des Verfaulens nahesteht, können vergorene Nahrungsmittel gelegentl. auch in Zshg. mit der Symbolik der ↗Exkremente stehen. – In der Alchimie versinnbildlicht die G. die „Reifung" u. Verwandlung organ. Substanz u. wurde daher auch in Verbindung mit dem Übergang vom Zustand des Todes in den des Lebens gesehen. – ↗Sauerteig.

Gazelle, Symbol der Schnelligkeit; z. B. in Indien mit der Luft u. dem Wind in Verbindung gebracht. – In der semit. Welt, namentl. wegen ihrer Augen, Inbegriff der Schönheit. – Da man ihr einen besonderen Scharfblick nachsagte, galt sie im Christentum gelegentl. als Symbol der durchdringenden geistigen Erkenntnis. – In der bildenden Kunst begegnet die G. häufig als Opfer, das v. wilden, reißenden Tieren verfolgt oder getötet wird: Symbol der Vernichtung des Edlen, Wehrlosen durch wilde Brutalität; psychoanalyt. Deutungen sehen in diesen Darstellungen auch ein Sinnbild selbstzerstörerischer, dem Unterbewußtsein entstammender Tendenzen.

Gebärmutter, *Schoß,* Symbol für Fruchtbarkeit, aber auch für bergenden Schutz sowie schließl. allg. für geheimnisvolle, verborgene Kräfte. Die *alchimist. Öfen,* in denen sich phys., myst. u. moral. bedeutsame Verwandlungen vollzogen, wurden häufig mit der G. verglichen. ↗Initiation, ↗Yoni.

Gebetsschnur, in vielen Religionen übliche, mit Perlen oder Knoten versehene Schnur oder Kette, deren einzelne Elemente verschiedene geistige Tat-

Gefäß: die Jungfrau als Gefäß des göttl. Kindes; venezianischer Rosario della gloriosa vergine Maria, 1524

sachen, Attribute, Gebetsformen oder Namen v. Heiligen, Erleuchteten u. Göttern usw. symbolisieren. – Die im Buddhismus gebräuchl. G. hat 108 Perlen u. entspricht den verschiedenen Entwicklungsstufen der Welt. – Der Islam kennt eine G. mit 99 Perlen, die die 99 Namen Allahs symbolisieren. – Der *Rosenkranz* der kath. Kirche ist die sinnl. Veranschaulichung einer Aneinanderreihung v. Gebeten; es werden fünfmal je 10 „Gegrüßet seist du, Maria" (umrahmt v. einem „Vaterunser" u. einem „Ehre sei dem Vater") unter Abzählung der Perlen gebetet u. dabei bestimmte Ereignisse aus dem Leben Jesu betrachtet.

Gefäß, Sinnbild des Empfangens u. Aufnehmens, damit häufig Symbol für den weibl. Schoß; das Christentum vergleicht Maria, die den Hl. Geist in sich aufnahm, gerne mit einem G. – Das G., besonders das aus *Lehm,* ist außerdem ein Symbol für den Leib, der als G. der Seele gedeutet wird. – Das NT vergleicht den gläubigen Menschen mit einem G. der Gnade. – Manchen Völkern galt das Umgießen einer Flüssigkeit v. einem G. in ein anderes als Symbol der Reinkarnation der Seele. ↗Becher, ↗Schale.

Geier: G. als Schützer der ägypt. Könige

Geier, in mehreren indian. Kulturen Symbol-Tier, das mit der reinigenden u. Lebenskraft verleihenden Gewalt des ↗Feuers u. der ↗Sonne zusammenhängt; bei den Mayas auch Todes-Symbol. – Da er Aas frißt u. damit in Lebenskraft verwandelt, gilt der G. in Afrika verschiedentl. als Wesen, das das Geheimnis der wahren Verwandlung wertloser Materie zu ↗Gold kennt. – In Ägypten war der G. ein Schützer der Pharaonen; die ägypt. Königinnen tragen häufig die schützende *Geierhaube,* eine Kopftracht in Form eines G.s, dessen Flügel seitl. den Kopf bedecken, während der G.kopf über die Stirn vorspringt. – Die Antike sah im G. einen durch seinen Flug schicksalskündenden Vogel; er war dem Apollo geweiht. – Da nach alter Naturauffassung die Eier des G.weibchens v. Ostwind befruchtet werden, ist er in der christl. Symbolik ein Sinnbild der Jungfräulichkeit Marias.

Gelb, sehr helle, der Symbolbedeutung des ↗Golds,

des ↗Lichts u. der ↗Sonne nahestehende Farbe; wie das Gold verschiedentl. Symbol der Ewigkeit u. der Verklärung. – Als Farbe des Herbstes begegnet das G. auch gelegentl. als Farbe der Reife. – In China wurde es dem ↗Schwarz gegenübergestellt, zugleich aber, als dessen Komplement, eng mit ihm verbunden entsprechend den vielfältigen Beziehungen der beiden Prinzipien Yang (Gelb) u. Yin (Schwarz); ↗Yin u. Yang. So entsteht etwa das Gelb aus dem Schwarz wie die Erde aus den Urgewässern. Da G. das Zentrum des Universums bezeichnet, ist es auch die Farbe des Kaisers. – Verschiedentl. wird auch eine deutl. Scheidung zw. verschiedenen Nuancen des G. getroffen, z. B. goldgelb = gut, licht; schwefelgelb = böse, teuflisch. Im Islam bezeichnet das Goldgelb Weisheit u. guten Rat, das blasse G. Verrat u. Täuschung. – Im MA überwiegen negative Deutungen: G. als Farbe des Neides (wie auch im alten Ägypten) oder als Schandfarbe der Kleidung v. Juden, Ketzern u. Dirnen. Positiv begegnet es auf ma. Tafelbildern vor allem als Ersatz für Gold.

Geld: Geldscheißer von Goslar

Geld, bereits als solches Symbol für wirtschaftl. Güter im weitesten Sinne. – Als gleichsam abstrakte Form aller ird. Güter wird das G. unter moral. Gesichtspunkt, wie das ↗Gold, auch als Sinnbild des Weltverhaftetseins oder auch des Geizes gedeutet. – Als geprägte *Münze* (wie das ↗Siegel) im Christentum gelegentl. Symbol der gläubigen Seele, die das Bild Gottes in sich trägt (wie die Münze etwa das des Kaisers). – Unter psychoanalyt. Aspekt steht das G. in engem Zshg. mit den ↗Exkrementen.

Gewand ↗Kleidung.

Gewandsaum, *Saum,* bes. im Nahen Osten symbolisch bedeutsam; das Küssen oder Berühren des G.s galt als Geste der Ehrerbietung oder Unterwerfung. – Das Abschneiden des G.s war dagegen bei einigen Völkern eine entehrende Strafe oder zumindest der symbolische Ausdruck der Verfügungsgewalt über eine Person (gelegentl. in Verbindung mit dem symbolisch sinnverwandten Abschneiden der ↗Haare).

Gewebe ↗Weben.

Gewitter ↗Unwetter.

Gewölbe ↗Kuppel.

Ginseng *m,* gilt in China, wie die ↗Alraune u. a. wegen der menschenähnl. Gestalt ihrer Wurzel, als mit besonderen, vor allem lebensverlängernden, Kräften begabt. Da man ihr auch eine Stärkung der Manneskraft zuschrieb, brachte man sie mit dem Prinzip Yang (↗Yin und Yang) in Verbindung.

Ginster, strauchartiger Schmetterlingsblüter mit gelben oder weißen Blüten. Der stacheltragende G. ist ein Sinnbild für die Sünde des Menschen, derentwegen

Ginster: Stechginster

dieser seinen Acker voller Dornen u. Disteln bestellen muß; außerdem ist er ein Symbol für das stellvertretende Leiden Christi (verschiedentl. unter den Marterwerkzeugen dargestellt), damit zugleich aber auch ein Erlösungs-Symbol (wie die ↗Distel).

Glas, wegen seiner Transparenz wie der ↗Kristall Symbol des ↗Lichts. Auf ma. Bildern ist G., das alle Dinge durchscheinen läßt, ohne selbst Schaden zu nehmen, auch ein Symbol der Unbefleckten Empfängnis.

Glasfenster ↗Fenster.

Glocke, häufig Symbol der Verbindung zw. Himmel u. Erde; ruft zum Gebet; erinnert an den Gehorsam gegenüber göttlichen Gesetzen. Der Klang der G. symbolisiert häufig (z. B. in China) die kosm. Harmonien. Im Islam wie im Christentum gilt der Glockenklang als Widerhall der göttlichen Allmacht, als „Stimme Gottes", deren Vernehmen die Seele über die Grenzen des Irdischen hinausführt. – Weit verbreitet ist die Vorstellung von der Unheil abwehrenden Funktion der G.

Glorie, Gloriole ↗Heiligenschein.

Glucke ↗Henne.

Glücksrad: Darstellung nach Petrarca, Von der Artzney beyder Glück, 1532

Glücksrad, spezielle Form des Radsymbols (↗Rad), betont den Aspekt des Flüchtigen, des ständigen Wechsels. Die Antike kannte die Darstellung eines nackten Jünglings auf zwei geflügelten Rädern, der nicht nur das flüchtige Glück, sondern auch den günstigen Augenblick, den Kairos, symbolisiert. Auch die Glücks- u. Schicksalsgöttin Tyche bzw. ↗Fortuna steht auf einem Rad. – In der Kunst des MA begegnet häufig das G. im engeren Sinne: ein, oft v. Fortuna angetriebenes, Rad, an das sich Menschen oder allegor. Figuren anklammern; es symbolisiert den Wechsel des Glücks, die stetige Veränderung alles Seienden, gelegentl. auch das Jüngste Gericht.

Gold, gilt seit je als edelstes der Metalle; es ist dehnbar, polierfähig, glänzend, weitgehend hitze- u. säurebeständig u. daher ein Sinnbild der Unveränderlichkeit, der Ewigkeit, der Vollkommenheit. U. a. wegen seiner Farbe wurde es fast überall mit der ↗Sonne oder dem ↗Feuer identifiziert. Deshalb ist es auch häufig ein Symbol der – vor allem esoter. – Erkenntnis. In der Symbolik des Christentums ist das G. weiterhin ein Symbol für die höchste der Tugenden, die Liebe. – Der *Goldgrund* auf Tafelbildern des MA ist stets ein Symbol des himml. Lichtes. – Verbreitet ist die Vorstellung vom G. als dem intimsten u. heiligsten Geheimnis der Erde. – Die G.macherei der Alchimisten, die mit der Suche nach dem ↗Stein der Weisen zusammenhing, muß urspr. in enger Beziehung zum Streben nach Läuterung der Seele (die durch das G. symbolisiert wird) gesehen werden. – Negativ bewertet wird das G. verschiedentl. unter moral. Gesichtspunkt als Inbegriff aller ird. Güter (synonym für ↗Geld) u. damit als Symbol für Weltverhaftetsein oder für Geiz. ↗Exkremente.

Goldenes Kalb, ein der Sage nach v. Aaron am Sinai hergestelltes Kalb-(oder Stier-)Idol, das v. den Israeliten umtanzt wurde, während Mose die Gesetzestafeln empfing; Symbol für die ständige Versuchung des Volkes Israel, dem Baal-Kult zu verfallen. – Der *Tanz um das G. K.* ist heute ein Symbol für das übertriebene Streben nach materiellen Gütern.

Goldenes Kalb: Tanz um das G. K.; Relief am Regensburger Dom; 14. Jh.

Goldenes Vlies, in der griech. Mythologie das v. einem ↗Drachen bewachte u. v. Jason u. den übrigen Argonauten nach Überwindung zahlreicher Schwierigkeiten geraubte goldene Widderfell. C. G. Jung sieht im G. V. ein Symbol für Ziele, die – entgegen dem Urteil des bloßen Denkens – in der Individualentwicklung dennoch erreicht werden.

Goldenes Zeitalter ↗Zeitalter.

Goldfasan ↗Fasan.

Gordischer Knoten ↗Knoten.

Gorgoneion *s,* Kopf der Gorgo (↗Gorgonen) von fratzenhaft schreckl. Aussehen mit maulartigem Mund, der die Zähne bleckt u. aus dem die Zunge heraushängt, oft auch bärtig; als Sinnbild schreckenerregender göttl. Kräfte u. zugleich als apotropäisches Zeichen an Tempeln angebracht; auch die ↗Aigis trug in der Mitte ein G.

Gorgonen: Gorgo vom Westgiebel des Artemistempels in Korfu

Gorgonen [Mz.], gräßl. Ungeheuer der griech. Mythologie: drei Schwestern, Euryale, Sthenno u. Medusa, bei deren Anblick jeder zu Stein erstarren muß; mit ↗Schlangen in den Haaren oder am Gürtel, häufig geflügelt dargestellt. Oft gedeutet als symbolische Verkörperung der schreckl. Aspekte des Numinosen. Der Singular, *Gorgo,* bezeichnet in der Regel die sterbl. der drei Schwestern, Medusa, der Perseus das Haupt abschlug. Sie wird in späterer Zeit auch oft als jugendl. u. schön dargestellt. ↗Gorgoneion.

Grab, als *Hügelgrab* möglicherweise symbolische Anspielung auf heilige Berge (↗Berg); zahlreiche Grabmäler (auch Urnen, sog. *Hausurnen*) beziehen sich in ihrer Form symbolisch (oder wie bei den Pyramiden ganz realist. verstanden) auf die Vorstellung v. einer Wohnstätte (Haus, Tempel usw.) für den Verstorbenen. – Psychoanalyt. wird das G. als Ort des Todes, aber auch als Stätte der Ruhe, des Behütetseins u. der erhofften Wiedergeburt verschiedentl. mit dem liebevollen u. zugleich schreckl. Doppelaspekt der Großen Mutter in Verbindung gebracht.

Grab: verschiedene Typen v. Hausurnen

Grabstein ↗Stein.

Gral *m,* in der ma. Dichtung heiliger Gegenstand; in Frankreich meist Gefäß, das eine Hostie aufbewahrt, Abendmahlsschale oder Schale, in der Joseph v.

Granatapfel: Farbholzschnitt, Zehnbambushalle

Arimathia das Blut Christi auffing; in der dt. Fassung des Parzival v. Wolfram v. Eschenbach ist der G. ein ↗Stein mit wunderbaren Kräften, der Nahrung spendet u. ewige Jugend verleiht. Sinnbild höchsten himml. u. ird. Glückes, auch des himml. Jerusalem (↗Jerusalem, himmlisches). Nur dem reinen Menschen erreichbar, insofern auch Symbol der höchsten Stufe spiritueller Entwicklung nach Bestehen geistiger Abenteuer.

Granatapfel, wie andere Früchte mit zahlreichen Kernen (↗Kürbis, ↗Orange, ↗Tomate, ↗Zedrat-Zitronenbaum) Fruchtbarkeits-Symbol, weshalb er beispielsweise in Griechenland Demeter, Aphrodite u. Hera geweiht war. Im alten Rom trugen jungverheiratete Frauen, mit Bezug auf diese Symbol-Bedeutung, Kränze aus Zweigen des G.baumes. In Indien galt der Saft des G.s als Heilmittel gg. Unfruchtbarkeit. – Das Öffnen des G.s wird gelegentl. auch in symbolischer Beziehung zur Defloration gesehen. – Wegen der leuchtendroten Farbe seines Fruchtfleisches war der G. auch ein Symbol für die Liebe, für Blut u. damit zugleich für Leben u. Tod. – Bei den Phönikern stand der G. in enger Beziehung zur ↗Sonne u. bedeutete Leben, Macht u. Wiedererneuerung. – Im Judentum war der G. ein Symbol für die Gesetzestreue gegenüber der Thora. – Im MA wurden Duft u. Vielzahl der Kerne des G.s als Symbol der Schönheit u. der zahlreichen Tugenden Mariens gedeutet. Die kugelige Form, die Vielzahl der Kerne u. der Wohlgeruch galten aber auch als Sinnbild der Vollkommenheit, der unendl. Zahl der Eigenschaften u. der Güte Gottes. Die Vielzahl der Kerne, in einem Gehäuse vereinigt, konnte außerdem auch als Symbol der Kirche aufgefaßt werden. Den roten Saft des G.s brachte man mit dem Blut der Märtyrer in Verbindung. Der G., dessen Schale hart u. ungenießbar ist, der jedoch im Innern süßen Saft birgt, wurde schließl. auch zeitweilig als Symbol des vollkommenen Christen, insbesondere des Priesters, gedeutet.

Gras ↗Heu.

Grau, besteht zu gleichen Anteilen aus ↗Schwarz u. ↗Weiß, daher Farbe der Vermittlung, der ausgleichenden Gerechtigkeit; auch Farbe v. Zwischenreichen, z. B. im Volksglauben Farbe umgehender Toter u. Geister. Im Christentum Farbe der Auferstehung der Toten, Farbe des Mantels, den Christus als Weltenrichter trägt.

Greif: Kupferstich v. M. Schongauer

Greif *m*, Fabeltier des Altertums mit Adlerkopf (↗Adler), Löwenleib (↗Löwe) u. Flügeln; sonnenhaftes Symboltier. – Bei den Griechen dem Apollo u. der Artemis heilig, symbolisiert Kraft u. (wegen seines durchdringenden Blickes) Wachsamkeit. – Da er als Adler dem Himmel, als Löwe der Erde angehört, war er im MA Symbol der göttl.-menschl. Doppelnatur

Christi; als sonnenhaftes Tier auch Symbol der Auferstehung.

Grille, bei den Chinesen Symbol für Tod u. Auferstehung, da sie ihre Eier in die Erde legt u. nach einer Larvenphase v. dort als fertiges Tier an die Oberfläche kommt. – In China wie auch z. B. in den mittelmeer. Kulturen gilt die gerne im Haus u. am ↗Herd lebende G. (*Heimchen*) außerdem als Glücksbringer.

Grün, Farbe des Pflanzenreichs, vor allem des sprossenden Frühlings, Farbe des Wassers, des Lebens, der Frische, Farbe der Vermittlung zw. dem ↗Rot des Höllenfeuers u. dem ↗Blau des Himmels. Häufig ist G. der Gegenspieler, gelegentl. aber (als Farbe des Lebens) auch der Stellvertreter des Rots. Als Farbe der alljährl. Erneuerung in der Natur ist G. außerdem Farbe der Hoffnung, des langen Lebens u. der Unsterblichkeit. – In China steht das G. weiterhin in symbolischem Zshg. mit Blitz u. Donner, mit dem ↗Holz u. mit dem Prinzip Yin (↗Yin und Yang). – Im Islam ist G. die Farbe des materiellen u. spirituellen Heils, die Farbe der Weisheit u. der Propheten. – Die mytholog. Vorstellungen vieler Völker kennen enge Beziehungen u. Verwandlungen zw. Rot u. G. In Afrika z. B. gilt das G., das das Weibl. repräsentiert, verschiedentl. als aus dem männl. Rot hervorgegangen. Die Alchimisten sahen Verwandlungsprozesse häufig als Interaktionen zw. Bereichen, die durch das männl. Rot u. das weibl. G. symbolisiert wurden. Bei Alchimisten u. Okkultisten spielt das *grüne Licht* eine Rolle; es begegnet in der Natur sowohl bei der Verbrennung verschiedener chem. Substanzen wie auch z. B. als äußerst selten zu beobachtende Lichterscheinung bei auf- oder untergehender Sonne *(grüner Strahl)* u. ist ein Symbol der Erleuchtung sowie zugleich ein Sinnbild des Todes u. des Lebens. Die Alchimisten sahen auch das sog. geheime Feuer, den lebendigen Geist, unter dem Bild eines grünen, durchscheinenden u. schmelzbaren ↗Kristalls. G. in Zusammensetzungen wie *Grüner Löwe, Grüner Drache* usw. bezeichnet in der Alchimie meist Lösungsmittel, die selbst ↗Gold zu lösen imstande sind. – Die christl. Künstler des MA malten das Kreuz Christi verschiedentl. grün zum Zeichen der durch Christus erwirkten Erneuerung u. als Ausdruck der Hoffnung auf eine Rückkehr der Menschheit ins Paradies. G. kann in der ma. Kunst allerdings auch negative Bedeutung haben als Farbe des Giftes u. eines bedrohlichen Glanzes (z. B. grüne Augen dämon. Wesenheiten).

Grünspecht ↗Specht.

Gula (Völlerei), weibl. Personifikation einer der 7 Todsünden, reitet auf einem Schwein oder einem Fuchs mit einer Gans im Maul; Symbole u. a.: Wolf, Bär, Schwein, Rabe.

Gundermann

Gundermann, kriechender Lippenblüter mit zumeist blauvioletten Blüten. Im MA verbreitete Heilpflanze; mit Bezug darauf gelegentl. auch Marien-Symbol. Ein Kranz aus in der Walpurgisnacht gepflückten G.pflanzen sollte angebl. die Fähigkeit verleihen, am nächsten Tage Hexen zu erkennen.

Gurkenkraut ↗Boretsch.

Gürtel, infolge seiner Kreisgestalt u. seiner befestigenden Funktion Symbol der Kraft, der Macht, der Weihe, der Treue (Bindung an eine Person, Gruppe oder Aufgabe), des Schutzes u. der Keuschheit. Jemanden seines G.s berauben bedeutet demgegenüber, ihm seine Bindungen u. seine Kraft, gelegentl. auch seine Würde nehmen. – In Indien ist das Anlegen des G.s durch den Guru ein wesentlicher Teil der spirituellen Einweihung. – In der Bibel wird der G. auch als Symbol der Bereitschaft (gegürtete Lenden u. beschuhte Füße) erwähnt. – Bei Indern, Griechen u. Römern bestand der Hochzeitsbrauch des *G.lösens* durch den Bräutigam. – Der *G. der Venus* galt als unwiderstehl. zauberwirksam. Zugleich hat der G. im erot. Bereich aber auch eine trennende u. verbergende Funktion: Der erste G., v. dem die Bibel spricht, ist der G. aus Feigenblättern, mit dem Adam u. Eva ihre Scham bedeckten. Die Engel galten als gegürtet zum Zeichen ihrer Kraft u. der Beherrschung der Geschlechtskraft; denselben Sinn haben die G. der Eremiten, Mönche u. Priester bei der Messe. Dirnen durften im MA weder Schleier noch G. tragen. – Den G.n verschiedener Heiliger wurde eine geburtserleichternde Kraft zugeschrieben.

Guter Hirte ↗Hirte.

Haar, in vielen Kulturen als realer Träger v. oder Symbol für Kraft angesehen (z. B. die H.e des Samson im AT). Aus dieser Hochschätzung des H.es erklärt sich auch der Sinn des H.opfers (z. B. bei den Griechen bei Aufnahme in die Bürgerschaft, bei Hochzeits- u. Begräbniszeremonien; im Christentum seit dem MA gegenüber bestimmten Heiligen) als Zeichen der Hingabe u. Verbundenheit oder der Buße. Die Tonsur der Mönche u. Kleriker muß wohl u. a. auch in diesem Zshg. gesehen werden. – Bei den Germanen u. im MA besaß das H.abschneiden rechtl. Symbolwert u. galt als Entehrung des Verbrechers. – In verschiedenen, vor allem mag. orientierten Kulturen, können abgeschnittene H.e die Person des Trägers selbst bedeuten u. werden entsprechend bei bestimmten Praktiken verwendet. – Symbol. Wert kann auch die *Haartracht* haben: wilde, verwirrte, gelegentl. v. Schlangen durchzogene H.e deuten auf schreckl. Gottheiten, Furien usw. (z. B. im Hinduismus u. in der griech. Mythologie). Verschiedene Frisuren galten auch als Zeichen für Berufe, Kasten u. Klassen, Alter oder Geschlecht. Im alten Ägypten z. B. trugen die Kinder eine lange gelockte Strähne auf der rechten Seite. – Lange, offene Haare galten verschiedentl., vor allem bei Männern, als Zeichen für Freiheit oder adlige Herkunft, bei Frauen im MA als Zeichen der Jungfrauen (aber auch der Huren). Langes, unbeschnittenes Haar kann aber auch ein Zeichen bewußter Zivilisationsfeindlichkeit sein wie das der Yogis, der Eremiten oder auch moderner Subkulturen. Verschiedentl. unterließ man das Schneiden der Haare auch während des Krieges, einer Reise oder als Ausdruck der Trauer (die Griechen der archaischen Epoche schnitten sich dagegen, zum Zeichen der Trauer, die H.e ab). – Auch die *Haarfarbe* besaß gelegentl. symbolischen Wert: so brachte man die blonde Farbe häufig mit dem Licht in Verbindung, während ↗Rot seit dem hohen MA als Zeichen des Bösen galt.

Haar: Horus als Kind mit einseitiger Haarlocke

Haartracht ↗Haar.

Habicht, als weitverbreiteter Raubvogel in der Kunst des christl. MA Todes-Symbol.

Hahn, als morgendl. Künder der ↗Sonne, wegen seines schillernden Gefieders u. seines feuerroten Kammes bei vielen Völkern (z. B. bei Syrern, Ägyptern u. Griechen) Sonnen- u. Feuersymbol. – In Japan glaubte man, erst der H.enschrei rufe jeden Morgen die Sonnengöttin aus ihrer Höhle hervor. – Wegen seiner engen Beziehung zum anbrechenden Tag ist er ein Symbol der Überwindung der Finsternis durch das ↗Licht sowie ein Sinnbild der Wachsamkeit. Der Volksglaube maß dem ersten H.enschrei oft apotropäische Wirkung gg. die Dämonen der Nacht bei. Der selbst dem Feuer nahestehende, zugleich aber wachsame H. sollte außerdem gg. das Feuer, das als *roter H.* zugleich sein Gegenspieler ist, helfen. – Sein starker Fortpflanzungstrieb ließ den H. weiterhin zu einem Fruchtbarkeits-Symbol werden, so ist das H.enopfer z. B. verschiedentl. Bestandteil v. Ernteriten. – Wegen seiner Streitlust ist der H. vor allem im Fernen Osten, aber auch z. B. in der Kunst der Antike, ein Symbol des Kampfes, der Kühnheit u. des Mutes. – Bei Germanen u. Griechen spielte er außerdem eine gewisse Rolle als Seelenführer. – Im Christentum ist der H. als Künder des Tages ein Auferstehungs-Symbol u. ein Symbol für die Wiederkunft Christi am Jüngsten Tag. Der häufig auf Kirchturmspitzen angebrachte, wegen seiner hohen Position als erster v. den Sonnenstrahlen berührte *Wetterhahn* symbolisiert den Sieg des Lichtes Christi über die Macht der Finsternis u. ist außerdem ein mahnendes Sinnbild, das zum Gebet am frühen Morgen aufruft. – Im heutigen

Hahn: Wetterhahn vom Hahnenturm des Freiburger Münsters.

Halbmond: Maria in der Mondsichel; nach Dürer

Halbmond: Flagge von Algerien

Hammer: Thors H. Mjöllnir als Amulett; Silber, 10. Jh.

Europa gilt der H. meistens als Symbol des Stolzes oder „stolzierenden“, übersteigert männl. Verhaltens.

Hahnenfuß, weitverbreitete, artenreiche Gattung; einige bes. heilkräftige Arten, begegnen auf ma. Bildern als Marienattribute.

Hain ↗Wald.

Hakenkreuz ↗Kreuz, ↗Swastika.

Halbmond, *Sichelmond,* häufige Form, in der der ↗Mond als symbolisches Zeichen dargestellt wird. – Attribut weiblicher, vor allem jungfräulicher, Gottheiten (z. B. Artemis). Möglicherweise mit Bezug auf seine zunehmende Phase steht er auch dem Bedeutungs-Zshg. „Schwangerschaft“ u. „Gebären“ nahe. Die Beziehung, die die christl. Kunst zw. dem Mond u. der Jungfrau Maria herstellte (häufig als Immaculata auf der Mondsichel dargestellt) hängt z. T. wohl auch mit diesen beiden Bedeutungskomplexen zusammen, auch wenn der vordergründige Bezug das mit der ↗Sonne bekleidete apokalyptische Weib ist, das den Mond zu seinen Füßen hat. – Im Islam ist der H. ein Zeichen, das zugleich Öffnung u. Konzentration symbolisiert u. auf die Überwindung des Todes durch das (ewige) Leben verweist. Der einen Stern umschließende H. ist seit den Kreuzzügen zum allg. Emblem der islam. Welt geworden (in den Ländern des Vorderen Orients entspricht der Rote Halbmond dem Roten Kreuz der westl. Welt).

Hammer, Werkzeug u. urspr. Waffe, daher Symbol für Macht u. Stärke. Wurde häufig mit dem Donner in Verbindung gebracht, daher in der german. Mythologie Attribut des Donnergottes Thor. In der Antike war er das Werkzeug des Hephaistos, des Gottes des Feuers u. der Schmiedekunst. – In einigen Kulturen kennt man rituell geschmiedete Hämmer, denen mag. Schutzkraft gg. das Böse zugeschrieben wurde. – In Nordeuropa finden sich zahlreiche H.darstellungen, z. B. auf Grabsteinen; möglicherweise handelt es sich dabei um Zeichen, die die Ruhe des Verstorbenen gg. böse Einflüsse wahren sollen. Gelegentl. begegnen auch Hämmer als verschleierte Kreuzsymbole. – Im Freimaurertum ist der H. ein Symbol für an der Vernunft orientierte Willenskräfte. – Im Rechtsleben besitzt der H. symbolisch-verbindl. Bedeutung bei Auktionen u. anderen Geschäften. Nach dem Tod des Papstes wird dreimal mit einem goldenen H. an die Wände des Sterbezimmers geschlagen um den eingetretenen Tod rechtskräftig zum Ausdruck zu bringen.

Hand, Symbol für Aktivität u. Macht. Sich in der H. eines Gottes oder Herrschers zu befinden heißt, ihm ausgeliefert zu sein, aber auch, unter seinem Schutze zu stehen. – Das Ergreifen bzw. Darreichen der Hand bzw. Hände ist ein Zeichen freundl. Offenheit, der Hingabe oder der Verzeihung; es ist daher auch seit alters ein wesentliches Symbol des geschlossenen Ehebundes u. hat vielfach rechtssymbol. Bedeutung. – Im Buddhismus bedeutet eine geschlossene H. das Verschweigen esoter. Geheimnisse; die geöffnete H. des Buddha deutet folgl. darauf hin, daß er kein Geheimnis zurückbehalten hat. Darüber hinaus kennen Buddhismus u. Hinduismus eine Vielzahl verschiedener mit den Händen ausgeführte *Gesten,* deren symbolische Bedeutung feststeht u. die in der bildenden Kunst u. im kult. Tanz eine bedeutende Rolle spielen; sie können z. B. ausdrücken: Bedrohung, Hingabe, Meditation, Bewunderung u. Gebet, Argumentation, Furchtlosigkeit usw. Hand- u. Fingersprachen (↗Finger) spielen in den meisten Kulturen eine Rolle als Kommunikations- u. Ausdrucksmittel, so gilt es z. T. in Afrika als ein Zeichen der Unterwerfung u. Ehrfurcht, die linke Hand mit geschlossenen Fingern in die rechte zu legen; eine ähnl. Bedeutung hatte es im alten Rom, wenn man die H. im Ärmel verbarg. Bedeckte oder verhüllte Hände waren in der Antike allg. üblich, wenn man sich hohen Würdenträgern näherte oder v. ihnen Geschenke empfing. Diese Geste begegnet später auch gelegentl. in der christl. Kunst wieder als Ausdruck religiöser Ehrfurcht; bei liturg. Handlungen in der christl. Kirche ist sie üblich, wenn heilige Gegenstände v. Nichtpriestern getragen werden. – Sehr weit verbreitet ist die Unterscheidung der symbolischen Bedeutung v. rechter u. linker H. (↗Rechts und links). Sie spielt z. B. beim *Segensgestus* durch H.auflegen eine Rolle, der in der Regel mit der rechten H. ausgeführt u. häufig als eine reale Übertragung v. Kräften verstanden wurde. – In der christl. Kunst wird das Eingreifen Gottes oft durch eine aus den Wolken herabfahrende H. symbolisiert; allg. wurde die H. Gottes verschiedentl. als Symbol des inkarnierten Logos gedeutet. Gebetsgebärde ist seit dem MA das Falten der Hände. – Als rechtsverbindl. gilt noch heute das Heben der rechten H. beim Schwur. ↗Handschuh.

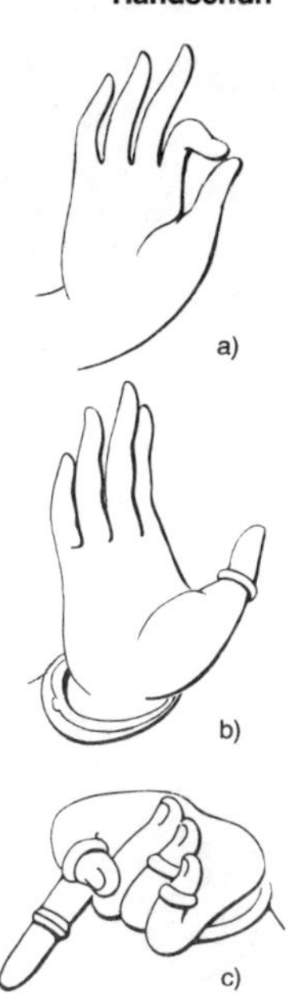

Hand: Beispiele für Handgesten in Indien **a)** cinmūdrā oder wakhyanamudra, bedeutet: Meditation oder Lehre **b)** abhaya, bedeutet: Gewährung von Schutz **c)** sūcī oder tarjanī, bedeutet: Drohung

Handschuh, vor allem im ma. Rittertum bedeutsam als Rechts- u. Herrschafts-Symbol. Ein zugeworfener H. galt als Zeichen einer angesagten Fehde *(Fehde-H.);* er war das Sinnbild eines mit der Hand ausgeführten Schlages, der selber als unritterl. verboten war. Ritter u. später Kavaliere trugen den H. der verehrten Dame am Helm bzw. Hut. – Das Tragen v. *Finger-H.en* war lange Zeit ein Vorrecht des Adels u. damit ein Standes-Symbol. – In der Freimaurerei sind H.e ein Bestandteil der rituellen Kleidung; sie sind meistens ↗weiß u. sind sowohl ein Symbol der zu verrichtenden Arbeit wie ein Sinnbild der Reinheit. Auch in der kathol. Kirche symbolisiert der Gebrauch v. H.en Reinheit u. Würde.

Hand- und Fußwaschung: Fußwaschung Jesu; nach einer Darstellung im Evangelistar des Speyrer Doms

Hand- u. Fußwaschung. In fast allen Religionen wäscht man sich zum Zeichen ritueller Reinigung vor heiligen Handlungen, bes. die *Hände.* – Pilatus wusch sich die Hände, um damit symbolisch den Verzicht auf Verantwortung auszudrücken. – Die *Fußwaschung* galt im Orient als Liebesdienst an Fremden u. Gästen; die F. Christi an seinen Jüngern war Erweis u. Sinnbild seiner dienenden Liebe; seit dem 7. Jh. nachvollzogen in der kath. Liturgie des Gründonnerstags. ↗Bad, ↗Taufe.

Harfe ↗Leier.

Harz, wegen seiner Unverderblichkeit u. weil es häufig v. immergrünen Bäumen gewonnen wird, Symbol der Unsterblichkeit. ↗Myrrhe, ↗Weihrauch.

Hase, oft mit dem *Kaninchen* gleichgesetzt, mondhaftes Symboltier, weil er tags schläft u. nachts wacht u. weil er sehr fruchtbar ist (↗Mond). In den Märchen u. Sagen vieler Völker ist der Mond daher entweder selbst ein H. oder aber die hellen u. dunklen Flächen auf ihm werden bildhaft als H.en gedeutet. Wegen seiner Fruchtbarkeit (evtl. auch, weil er sich gerne in Erdfurchen duckt) steht der H. auch in enger Beziehung zur als Mutter verstandenen Erde u. ist daher weiterhin ein Symbol für die ständige Erneuerung des Lebens. – Die scherzhafte Vorstellung vom eierlegenden *Osterhasen* potenziert diese Fruchtbarkeitssymbolik durch Verbindung mit einem weiteren Fruchtbarkeits-Symbol (↗Ei). Da man die reiche Nachkommenschaft des H.n auch auf dessen große Sinnlichkeit zurückführte, begegnet er gelegentl. als Tier mit

Hase: die Mondsichel als Schale mit Lebenswasser, in dem ein Kaninchen sitzt; mexikan. Darstellung; Codex Borgia 55

Heiligenattribute (Auswahl)

Adler
Johannes Evangelist
Anker
Nikolaus
Beil
Bonifatius Joseph
Bienenkorb
Ambrosius, Bernhard v. Clairvaux
Brot
Elisabeth v. Thüringen Nikolaus
Buch
Apostel, Evangelisten, Kirchenlehrer, Theresia v. Ávila
Drache
Georg, Margareta, Michael
Engel
Matthäus Evangelist
Herz
Augustinus, Brigitta, Franz v. Sales, Theresia v. Ávila
Hirsch
(Kreuz im Geweih) Eustachius, Hubertus
Jesuskind
Antonius v. Padua, Christophorus
Kardinalshut
Kirchenväter
Kelch
Barbara, Johannes Evangelist, Norbert, Thomas v. Aquin
Kreuz
Johannes der Täufer, Andreas, Brigitta, Helena
Lamm
Agnes, Johannes der Täufer
Lanze
Georg, Apostel Thomas
Löwe
Hieronymus, Markus
Mantel (zerteilend)
Martin v. Tours
Mitra
Bischöfe u. Äbte
Orgel
Cäcilia
Palme
Martyrer
Pfeil
Sebastian, Ursula
Rad
Katharina v. Alexandrien
Rost
Laurentius
Schiff
Adelheid Nikolaus, Ursula
Schlange
Johannes Evangelist
Schwert
Martyrer
Stier
Lukas
Taube
Gregor der Große
Turm
Barbara
Zange
Agathe

sexuellem Symbol-Bezug. – Wegen seiner Furchtsamkeit gilt er verschiedentl. als Symbol für Angst u. Feigheit; seine angebliche Fähigkeit, mit offenen Augen schlafen zu können, ließ ihn zu einem Symbol der Wachsamkeit werden; wegen seiner Schnelligkeit erscheint er auch als Sinnbild der rasch dahineilenden Lebenszeit. – In der Bibel wird der H. als unreines Tier erwähnt.

Haselstrauch, spielt im Volksglauben u. Zauberwesen verschiedentlich eine Rolle, möglicherweise u. a. wegen seiner Biegsamkeit, wegen der Tatsache, daß er nicht vom Blitz getroffen wird, sowie wegen der frühzeitigen Blüte. Er galt als beschützend gg. böse Geister u. gg. Schlangen. Die Haselgerte war ein beliebtes Instrument bei Gold- u. Wassersuchern, da sie angeblich über Gold- oder Wasseradern ausschlägt. In späterer Zeit wurde sie auch zum Hexen verwendet.

Hauch ↗Wind.

Haus, als geordneter, umfriedeter Bezirk wie die ↗Stadt oder der *Tempel* Sinnbild des Kosmos bzw. der kosm. Ordnung. – Gräber wurden verschiedentl. wie Häuser gestaltet mit Bezug auf ihre Deutung als letzte Wohnstatt des Menschen (z. B. die Pyramiden der Ägypter). – Gleich dem *Tempel* ist das H. verschiedentl. Symbol des menschl. Körpers, häufig (so z. B. im Buddhismus) in Verbindung mit der Vorstellung, daß der Leib der Seele nur Herberge für kurze Zeit bietet. Gelegentl. (etwa in der psychoanalyt. Traumdeutung) wird der Symbolbezug Leib-Haus noch detaillierter ausgemalt, so daß die Fassade des H.es der äußeren Erscheinung entspricht, das Dach dem Kopf oder Geist oder Bewußtsein, der Keller den Instinkten, Trieben, dem Unbewußten, die Küche psych. Verwandlungen.

Hausurne ↗Grab.

Hauswurz, *Sempervivum,* gelbblühende Staude mit fleischigen Blättern. Galt dem Volksglauben nach als Schutz gg. Blitz u. Unwetter. Als ausgesprochen ausdauernde Pflanze war sie auch ein Symbol für das ewige Leben (vgl. den lat. Namen).

Heiligenattribute, Gegenstände oder Symbole, die einen bestimmten Heiligen namentl. kennzeichnen (individuelle H.) oder einer bestimmten Kategorie v. Heiligen zuordnen (allgemeine H., z. B. Schriftrolle oder Buch für Apostel oder Kirchenlehrer, Palmzweig für Märtyrer). Die individuellen H. knüpfen an Leben, Martyrium oder Legende des Heiligen an.

Heiligenschein, *Glorie, Gloriole,* nach antikem Vorbild (↗Nimbus) in der christl. Malerei (gelegentl. auch Plastik) Sinnbild der Göttlichkeit, Hoheit oder Herrscherwürde in Form einer runden, meist goldenen Fläche oder eines Strahlenkranzes um das Haupt v.

Heiligenschein: verschiedene Varianten: Strahlenkranz oder Scheibe mit Kreuz für Christus; Viereck für lebende Personen; Dreieck für Gott Vater

Helm: griech. Helm

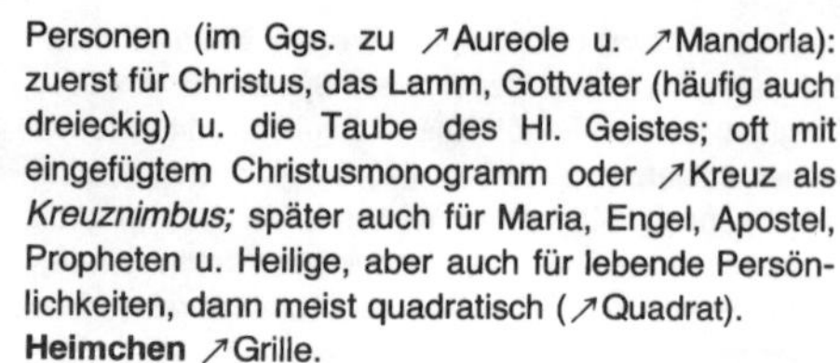
Personen (im Ggs. zu ↗Aureole u. ↗Mandorla): zuerst für Christus, das Lamm, Gottvater (häufig auch dreieckig) u. die Taube des Hl. Geistes; oft mit eingefügtem Christusmonogramm oder ↗Kreuz als *Kreuznimbus;* später auch für Maria, Engel, Apostel, Propheten u. Heilige, aber auch für lebende Persönlichkeiten, dann meist quadratisch (↗Quadrat).

Heimchen ↗Grille.

Held, nach psychoanalyt. Deutung der Traum- u. Märchensymbolik oft Verkörperung siegreicher Ich-Kräfte.

Helm, Symbol der Stärke, der Unverwundbarkeit, gelegentl. auch der Unsichtbarkeit.

Henkelkreuz ↗Ankh.

Henne, *Glucke,* Symbol der fürsorgl., beschützenden Mütterlichkeit, gelegentl. auch im Sinne der übertreibenden Karikatur. ↗Huhn.

Herakles am Scheideweg ↗Scheideweg.

Herd, *Herdfeuer,* Symbol des Hauses, der menschl. Gemeinschaft, Wärme u. Geborgenheit, der Familie, der Frau. Spielte in den religiösen Vorstellungen vieler Völker eine wichtige Rolle, so wurden schon in prähistor. Zeit Verstorbene neben dem H. begraben; diente häufig als Stätte kult. Brauchtums.

Herdfeuer ↗Herd, ↗Feuer.

Herkules am Scheideweg ↗Scheideweg.

Hermaphrodit auf der Mondsichel; aus: Mylius, Philosophia reformata, 1622.

Hermaphrodit *m, Zwitter,* Symbol für die Koexistenz oder die Vermittlung v. Gegensätzen sowie für den vollkommenen Menschen. Die Gottheit wurde in vielen Religionen als zweigeschlechtl. Wesen vorgestellt. Plato berichtet in seinem „Symposion" den Mythos vom urspr. zweigeschlechtl. Menschen. – Die „Materia prima" u. der ↗Stein der Weisen der Alchimie, der durch Wiederverbindung des männl. u. weibl. Prinzips (nach vorheriger Trennung) erzeugt werden sollte, erscheinen in Abbildungen häufig als Hermaphrodit. ↗Mercurius, ↗Rebis.

Hermelin *s,* großes weißes *Wiesel;* wegen seiner Farbe Symbol der Reinheit, Unschuld u. Unbestechlichkeit (in diesem Sinne häufig als Pelzwerk an den Roben v. Herrschern). – In der christl. Kunst Symbol Christi als des Überwinders des Teufels, da es ↗Schlangen jagt u. tötet.

Heroisches Zeitalter ↗Zeitalter.

Herz: Herz Jesu; Meister E. S.; Kupferstich, 1467

Herz, als lebenswichtiges Zentralorgan des Menschen mit der symbol. Bedeutung der ↗Mitte zusammenhängend. – In Indien gilt es als Ort des Kontaktes mit Brahman, der Personifikation des Absoluten. – Im alten Griechenland repräsentierte es zunächst Denken, Fühlen u. Wollen des Menschen, später verlagerte sich die Bedeutung stärker in Richtung des Geistigen. – Im Juden- u. Christentum gilt das H. vor allem als Sitz der gemüthaften Kräfte, bes. der Liebe, aber auch der Intuition u. der Weisheit. – Der Islam sieht im H. den Ort der Kontemplation u. Spiritualität, es gilt als eingehüllt in verschiedene Schichten, deren Farben in der Erregung sichtbar werden. – Eine wesentliche Rolle spielte das H. in der ägyptischen Religion als Zentrum der Lebens-, Willens- u. Geisteskraft; es wurde in der präparierten Mumie zusammen mit einem ↗Skarabäus zurückgelassen, da seine Wägung beim Totengericht das jenseitige Schicksal des Menschen bestimmte. – Die christliche Kunst hat vor allem seit der Mystik des hohen MA eine – an die Liebessymbolik angelehnte – weitverbreitete H.-symbolik (flammende, durchbohrte usw. H.en Christi, Marias, der Heiligen) entwickelt. – Heute gilt das H. allg. als Symbol für Liebe u. Freundschaft.

Herz: populäres Liebessymbol

Heu, als getrocknetes, d. h. gleichsam „totes" *Gras* in der Bibel Symbol für die Vergänglichkeit der Welt u. des Menschenlebens.

Heuschrecke, vor allem die *Wanderheuschrecke,* die in großen Schwärmen ganze Landstriche mit Kahlfraß verwüstet, Symbol der Gefräßigkeit u. Zerstörung. Im AT ist die *H.nplage,* die über Ägypten kommt, eine Heimsuchung Gottes. Die *H.nvision* der Apokalypse wird entweder als Sinnbild der Häretiker oder als Vision dämon. Mächte gedeutet. – In China wurde die zeitweilig auftretende rasche Vermehrung der H. einerseits als Ausdruck einer Störung der kosm. Ordnung, in früheren Zeiten aber auch als Symbol für reiche Nachkommenschaft u. damit für Glück u. Wohlstand gesehen.

Heuschrecke: die apokalypt. Heuschreckenvision (Ausschnitt); nach einer Darstellung in der Apokalypse v. Saint-Sever, Satan et les sauterelles, 11. Jh.

Hexagramm *s, Salomonssiegel, Davidstern,* sechszackiger Stern, gebildet durch zwei übereinanderliegende oder zwei verschlungene Dreiecke; begegnet vor allem im Judentum, Christentum u. im Islam, liegt im Prinzip aber auch dem ind. ↗Yantra zugrunde. Das H. ist häufig im weitesten Sinne ein Symbol der Durchdringung v. sichtbarer u. unsichtbarer Welt; im Hinduismus Symbol der Verbindung v. ↗Yoni u. ↗Linga; in der Alchimie auch Symbol der Vereinigung aller Gegensätze, da zusammengesetzt aus den Grundformen der Zeichen für die Elemente ↗Feuer △ bzw. ↗Luft 🜁 u. ↗Wasser ▽ bzw. ↗Erde 🜃. Außerdem kann man in der Alchimie noch zahlreiche Spekulationen finden, die v. einer Entsprechung der einzelnen Linien oder Punkte des H.s mit Planeten, Metallen, Qualitäten usw. ausgehen. – Der Davidstern ist ein Glaubens-Symbol des Judentums u. nationales Emblem des Staates Israel. – C. G. Jung sieht im H. die Vereinigung der Bereiche des Persönlichen u. des Unpersönlichen oder auch des Männl. u. des Weibl. versinnbildlicht.

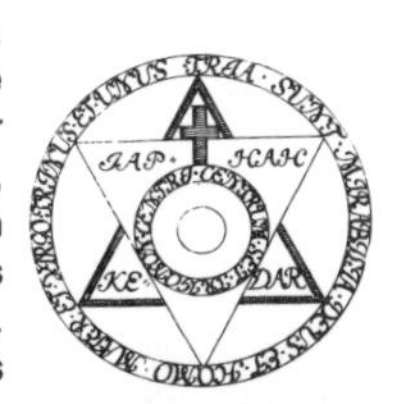

Hexagramm: Symbol der Vereingung v. Feuer u. Wasser; aus: Eleazar, Uraltes chymisches Werk, 1760

Hexenkraut ↗Baldrian.

Himmel. Der H., früher häufig als über der Erdscheibe

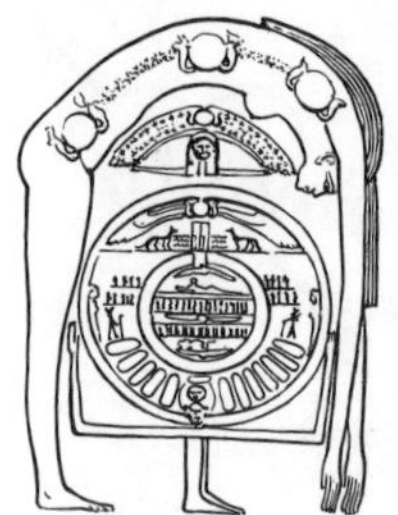

Himmel: die ägypt. Himmelsgöttin Nut, an deren Leib die Sonne auf- u. absteigt, beugt sich über die als Scheibe dargestellte Erde; Relief v. einem Sarkophag, 30. Dyn.

gewölbte Halbkugel gesehen, spielt in den mythologischen u. religiösen Vorstellungen fast aller Völker eine große Rolle als Ort, von dem aus Götter u. göttliche Wesenheiten als wirkend gedacht werden u. zu dem sich die Seele nach dem Tod erhebt. Entscheidend für diese – ursprünglich nur real u. nicht symbolisch verstandene – Deutung waren wohl die Tatsache, daß der H. „oben" ist (↗Höhe) sowie die gesetzmäßig geordneten Bewegungen der Gestirne, der befruchtende, lebensnotwendige, v. H. kommende Regen, Furcht u. Ehrfurcht erweckende Naturerscheinungen, wie Gewitter, ↗Blitze, Kometen, Meteorite, ↗Regenbogen usw. –. Häufig begegnet die Vorstellung, H. u. Erde seien ursprünglich vereinigt gewesen. Unter diesem Aspekt repräsentiert der H. dann nur die eine Hälfte der gesamten Welt; mit dieser Vorstellung hängt auch die ebenfalls weitverbreitete Parallelisierung: Himmel = männlich, aktiv; Erde = weiblich, passiv zusammen; durch die Befruchtung der Erde durch den H. entstehen erst alle irdischen Wesen (in Ägypten allerdings herrschte die umgekehrte Auffassung: die mütterliche *Himmels*göttin Nut als Gemahlin des *Erd*gottes Geb). – Verbreitet sind auch die Vorstellungen von mehreren H.n oder H.ssphären übereinander, entsprechend den verschiedenen Hierarchien geistiger Wesenheiten oder den verschiedenen Läuterungsgraden der Seele.

Himmel: der H. befruchtet die Erde u. erzeugt den Menschen; nach: Thenaud, Traité de la cabale, 16. Jh.

Himmelsleiter ↗Leiter.
Himmelspforte ↗Türe.
Himmelsschlüssel ↗Schlüsselblume.
Himmelstür ↗Türe.
himmlisches Jerusalem ↗Jerusalem, himmlisches.
Hinken, Ausdruck der Schwachheit oder des Verletztseins; wie die ↗Blindheit kann auch das H. Symbol geistiger Unzulänglichkeit sein, zugleich jedoch, ebenso wie diese oder die ↗Einäugigkeit oder der Buckel, auf außergewöhnl. Fähigkeiten in bestimmten Bereichen verweisen (etwa bei Hexen, Zauberern, Feuergöttern, z. B. Hephaistos). In der griech. Mythologie ist das H. zugleich häufig eine

Strafe, die v. den Göttern wegen Ungehorsams verhängt wird (Hephaistos hinkt, weil er seiner Mutter Hera gegen seinen Vater Zeus beistand). – Nach dem Volksglauben hinkt der Teufel auf einem Fuß, weil er durch eigene Schuld aus dem Himmel gestürzt ist.

Hirsch. Bereits in altsteinzeitl. Höhlen finden sich Abbildungen von H.en u. als H.e verkleideten Menschen, die wohl kult. Zwecken dienten. – Der H. war ein weltweit verehrtes Tier; er wurde wegen seines sich alljährlich erneuernden, hohen Geweihs häufig mit dem Lebensbaum (↗Baum) verglichen, daher auch Symbol der Fruchtbarkeit, des (geistigen) Wachstums u. des Stirb u. Werde in vielen Kulturen u. Epochen. Das H.geweih erschien wegen seiner Gestalt u. wegen der blutroten Farbe des im Frühjahr abgescheuerten Bastes außerdem vielen Völkern als Symbol der Lichtstrahlen u. des Feuers u. der H. daher als sonnenhaftes Tier oder auch als Vermittler zw. ↗Himmel u. ↗Erde. – Dem Buddhismus gilt der (goldene) H. (neben der Gazelle) als Symbol der Weisheit u. Askese. – Der sonnenhafte Aspekt des H.es wurde in China gelegentl. auch in negativem Sinne gedeutet: der H. als Symbol der Trockenheit u. Dürre. – Neben der Hindin (↗Hirschkuh) galt auch der H. in der Antike als heiliges Tier der Artemis; der Kampf des H.es mit anderen Tieren symbolisierte den Kampf zwischen Licht u. Finsternis. Als Seelenführer erscheint der H. u. a. in der Antike u. bei den Kelten. Die Antike sah den H. auch als Feind u. Töter der ↗Schlangen, eine Vorstellung, die (über den ↗Physiologus vermittelt) auch noch in der christl. Kunst des MA begegnet; u. a. basiert auch hierauf die Identifikation des H.es mit Christus (der der Schlange, d. h. dem Teufel, den Kopf zertritt); die Legenden der Heiligen Eustachius u. Hubertus berichten von der Erscheinung eines H.es, der zwischen den Geweihstangen den Gekreuzigten trug. Häufig wird in der christl. Kunst der H. auch in Verbindung mit dem Wasser des Lebens dargestellt (mit Bezug auf den 42. Psalm). – Gelegentlich wird er zum Symbol der Melancholie, da er die Einsamkeit liebt. – Wegen seines sich auffällig äußernden Brunftverhaltens gilt er außerdem auch als Symbol der männl. sexuellen Leidenschaft.

Hirsch: der hl. Eustachius mit der Fahne, auf der der H. mit dem Gekreuzigten dargestellt ist; Ausschnitt nach dem Paumgartner-Altar v. A. Dürer

Hirschkuh, *Hindin,* Symbol des animal. oder des mütterl. Aspekts der Weiblichkeit; im Märchen werden Frauen oder Mädchen häufig in eine H. verwandelt. In der griech. Mythologie war die H. der Hera u. der Artemis heilig; der Wagen der Artemis wurde v. vier Hirschkühen oder Hirschen (↗Hirsch) mit goldenem Gehörn gezogen. – In der Mythologie der Türken u. Mongolen verkörpert die H. die weibl., d. h. ird. Seite der myth. Vereinigung v. Himmel u. Erde.

Hirschkuh: Artemis mit zwei Hirschkühen

Hirse, urspr. weitverbreitete Volksnahrung; galt in

Hirte: Christus als Guter Hirte; früh-christl. Darstellung, 3. Jh.

China als Symbol der fruchtbaren Erde u. der natürl. Ordnung.

Hirte. In vielen Kulturen hat der H. religiöse Symbol-Bedeutung im Sinne einer umsichtig fürsorgl. Vaterfigur. Gott u. Herrscher wurden verschiedentl. als H.n verstanden. – Die Insignien der ägypt. Herrscher entstammen der Welt der H.n. – Gott ist der H. des Volkes Israel; Jesus Christus ist der *Gute Hirte:* der am häufigsten dargestellte Christustyp der frühen Christenheit, der zurückgeht auf die in Mesopotamien u. Griechenland verbreitete Darstellung des H.n, der ein ↗Lamm (oder Kalb) auf der Schulter trägt.

Hochzeit, *Ehe,* in vielen Religionen Sinnbild für die Vereinigung göttl. (zumeist personifizierter) Kräfte untereinander oder des Menschen mit Gott oder Göttern oder der Seele mit dem Körper oder, bes. in der Alchimie, der Vereinigung v. Gegensätzen. Die Antike beispielsweise kannte u. a. das Götterpaar Jupiter (Zeus) u. Juno (Hera), aber auch zahlreiche Verbindungen des Göttervaters mit sterbl. Frauen. – Das AT spricht v. der Ehe zw. Jahwe u. dem Volk Israel; im NT finden sich verschiedentl. Hinweise auf die christl. Kirche als Braut Christi. Die Nonnen der kath. Kirche erhalten bei der Aufnahme ins Kloster Schleier, Kranz u. Ring als symbolischen Ausdruck der Vermählung mit Christus. – ↗Sakrale Prostitution.

Hochzeit: symbol. Darstellung der Vereinigung v. Gegensätzen in der Alchimie; Rosarium philosophorum, 1550

Höhe, als sinnbild.-anschaul. Vorstellung Bereich des Geistes, des Göttlichen; Ziel geistiger u. moral. Entwicklung.

Höhle. Schon in prähistor. Zeit dienten H.n kult. Handlungen (↗Felsbilder). Die Symbolbedeutung der H. hängt sowohl mit dem Bereich des Todes (der dunkle Raum) wie mit dem der Geburt (der mütterl. Schoß) zusammen, H.en wurden daher oft verehrt als Aufenthalts- oder Geburtsorte von Göttern, Helden, Geistern, Dämonen, Toten usw.; oft wurden sie als Eingang ins Totenreich angesehen. – Die Sumerer stellten sich das Reich der Toten in einer H. im Weltenberg (↗Berg) vor. – Die Ägypter glaubten, daß das lebenspendende Wasser des Nils aus einer H. entspringe. – Eine wichtige Rolle spielten H.en bei Initiationsriten (regressus ad uterum?) z. B. bei den Eleusinischen Mysterien oder auch bei den Orakel-Riten des Fruchtbarkeitsgottes Trophonius. – Das *Höhlengleichnis* des Plato ist eine symbol. Darstellung der menschl. Erkenntnis-Situation in der Welt der bloßen Abbilder u. des Scheins; Aufgabe des Menschen ist es, aus dieser „Höhle" heraus u. schließl. zur Schau der Ideenwelt zu gelangen. – In der Kunst der Ostkirche wird die Geburt Christi fast immer in einer H. dargestellt (die in Palästina üblicherweise als Stall diente); die Darstellung dieser H. als Erdspalte symbolisiert evtl. einen Mutterschoß, unter Bezug auf die Symbolik der Befruchtung der ↗Erde durch den [↗Himmel.

Höhlenbilder ↗Felsbilder.

Höllenfeuer ↗Feuer.

Holunder, Strauch oder Baum mit weißen, duftenden Blüten u. schwarzvioletten Früchten. Bereits in der Antike geschätzte Heilpflanze; als bes. wirksam galt das Berühren der Pflanze, bei dem eine Krankheit angebl. auf diese übergehen sollte. Außerdem wurde der H. als Abwehrmittel gg. Zauberer u. Hexen verwendet. Das Abhauen des H.s sowie das Verbrennen des Holzes galt als unglück- u. todbringend. – Da Judas sich angebl. an einem H.baum erhängte, wird der H. andererseits auch gelegentl. mit dem Teufel in Zshg. gebracht. – Da seine Blüten süß duften, die Blätter jedoch bitter schmecken, sah das christl. MA im H. ein Gleichnis für die Christen (Blüten) u. Juden (Blätter), die auf *eine* Wurzel u. *einen* Stamm zurückgehen.

Holz, als einer der ältesten u. wichtigsten Werkstoffe der Menschen uspr. oft mit der Materie allg. oder mit der *materia prima* gleichgesetzt. Es steht daher auch in engem symbol. Zshg. mit den Bedeutungskomplexen „Lebenskraft", „Mütterlichkeit", „Tragen u. Bergen". – In China entsprach das H. symbolisch als eines der fünf ↗Elemente dem Osten u. dem Frühling.

Honig, oft in Verbindung mit der ↗Milch Symbol der Süße, der Sanftheit oder der höchsten ird. oder himml. Güter u. damit des Zustandes vollkommener Glückseligkeit, z. B. des Nirvana; als gehaltvolle Nahrung auch Symbol der Lebenskraft u. der Unsterblichkeit. – In China stand der H. in enger symbolischer Beziehung zur Erde u. zum Mittelpunkt, daher gehörte zu den Gerichten, die man dem Kaiser servierte, stets etwas H. – Der H. galt im Altertum als „mystische" Nahrung, u. a. weil er v. einem unschuldigen Tier (↗Biene) aus unschuldigen Blüten gewonnen wird, u. zwar so, daß jene nur berührt u. nicht zerstört werden. Man

Höhe: die Vereinigung der Höhe u. der Tiefe; Ausschnitt aus einer Darstellung der Maria Prophetissa in: Maier, Symbola aureae mensae, 1617

Holunder

verstand ihn als Sinnbild der spirituellen Erkenntnis u. der Einweihung sowie der Ruhe u. des Friedens. – Vereinzelt begegnet bei Initiationsriten der Brauch, sich die Hände nicht nur mit ↗Wasser, sondern zunächst symbol. mit H. zu waschen, was auf die Bedeutung des H.s als Medizin u. innerlich reinigende Substanz zurückgeht. – Wegen seiner durch Licht u. Wärme bedingten Entstehung u. wegen seiner goldgelben Farbe wurde der H. auch zeitweilig mit der ↗Sonne in Zshg. gebracht. – Die psychoanalyt. Symbol-Deutung C. G. Jungs sieht im H. verschiedentl. ein Sinnbild des Selbst (Reifungsziel des Individuationsprozesses). ↗Biene, ↗Met.

Horn: der gehörnte Moses; vom Mosesbrunnen des C. Sluter, Kartause v. Champmol. Dijon

Horn, in Anlehnung an seine Bedeutung im Tierreich Symbol für Stärke u. Macht, auch im geistigen Sinne. Dionysos oder auch Alexander der Gr. wurden daher häufig mit Hörnern dargestellt, auch die Darstellungen des gehörnten Moses gehören (obgleich sie wohl auf einem Übersetzungsfehler, der Verwechslung von facies coronata u. cornuta, beruhen) in diesen Zusammenhang. – Gehörnte Tiere galten oft als Fruchtbarkeitssymbole. – Hörner wurden bei vielen Völkern als ↗Amulette gg. feindliche Mächte verwendet. – Der israelit. Opferaltar trug Hörner in den vier Himmelsrichtungen zum Zeichen der Allmacht Gottes. – Das H., das in seiner Gestalt an eine Mondsichel erinnert, steht auch in Zshg. mit lunarer Symbolik. – Wegen seiner Gestalt (u. auch wegen der erwähnten Fruchtbarkeitssymbolik) ist das H. auch ein phallisches Symbol. – Ins Negative verkehrt erscheint die Symbolbedeutung des H.s bei dem häufig gehörnt dargestellten Teufel. – C. G. Jung verwies auf die ambivalente symbol. Bedeutung der Hörner: wegen ihrer Form u. Kraft verkörpern sie das männliche, aktive Prinzip, wegen der lyraförmig-offenen Form ihrer Anordnung können sie aber zugleich das weibliche, empfangende Prinzip symbolisieren u. daher insgesamt auch als Symbol der seelischen Ausgeglichenheit u. Reife gelten. – Das *Füllhorn,* Attribut der Fortuna oder der Personifikation des Herbstes ist ein Sinnbild für die Überfülle des Glücks u. für reiche Ernte, es galt ursprüngl. als H. der ↗Ziege Amaltheia oder des Flußgottes Acheloos, das Herakles ihm im Kampf abgebrochen hatte.

Horn: gehörnter Teufel; Ausschnitt aus einer Darstellung in: Le grant kalendrier et compost des Bergiers, Troyes, 1496

Hufeisen, gilt in den Vorstellungen vieler Völker als unheilabwehrend u. glückbringend, möglicherweise in Zshg. mit den positiven Aspekten der Symbolik des Pferdes. ↗Pferd.

Huflattich, Korbblüter der mittl. u. nördl. Zonen. Der Name entstand aufgrund eines Schreibfehlers aus der Bz. „Hustlattich“, die auf den Anwendungsbereich als Arzneipflanze verweist. Wegen seiner Heilkraft u. der strahlenkranzartigen, lichtgelben Blüte Marienpflanze.

Hügelgrab ↗Grab.

Huhn, in Afrika, stellenweise auch in Südamerika (Makumba-Kult) sowie in der Karibik (Wodu-Kult) Seelenführer bei Initiationsriten u. kult. Tier bei ekstat., mag.-religiösen Feiern. Mit dem Glauben an eine Beziehung zw. dem – häufig schwarzen – H. u. den Toten hängen auch die *Hühneropfer* zusammen, die man brachte, um mit den Verstorbenen in Kontakt treten zu können. – Das H. ist das 10. Zeichen des chin. ↗Tierkreises, es entspricht dem ↗Steinbock. – ↗Hahn, ↗Henne.

Huflattich

Hülsenfrucht, Symbol der Leiblichkeit als Hülle der Seele u. des Geistes.

Hund, das wahrscheinlich älteste Haustier des Menschen, gab seit alter Zeit Anlaß zu komplexen, oft gegensätzl. symbol. Deutungen. In vielen Kulturen steht er in Zshg. mit dem Tod; er bewacht das Totenreich, ist Seelenführer oder Mittler zw. der Welt der Toten u. der der Lebenden (Anubis, ↗Zerberus); auch die Götter mehrdeutiger, nächtlich-dunkler Bereiche erscheinen gelegentlich in H.egestalt, z. B. Hekate, die griechische Göttin des ↗Scheideweges. – Die dem H. zuerkannte Weisheit ließ ihn in manchen Kulturen (z. B. in Afrika) zum Ahnvater der Zivilisation u. zum Überbringer des Feuers an die Menschen werden, auf der anderen Seite war es auch die am H. beobachtete starke Sexualkraft, die ihn in Zshg. mit der Symbolik der Ahnväter u. Erzeuger der Menschen brachte. – Die noch heute sprichwörtliche Treue des H.es machte ihn zu einem weitverbreiteten Sinnbild der Treue u. (z. B. in Japan) zum myth. Helfer u. Beschützer vor allem der Frauen u. Kinder. – Negativ erscheint der H. als Sinnbild der Unreinheit, des Lasters u. der Niedrigkeit (z. B. im AT u. im Islam, der ihm aber auch gute Eigenschaften zubilligt); die Wertung des H.es als erniedrigende Beschimpfung ist in fast allen Kulturen verbreitet. Das MA kannte die Ehrenstrafe des Tragenmüssens von H.en; als Verschärfung der Hinrichtung am Galgen galt gelegentl. das Mithängen von H.en. – In der ma. Kunst erscheint der H. ambivalent; er kann Symbol des Neides, des Zorns, der Anfechtung durch das Böse sein. Er kann aber auch Glauben u. Treue symbolisieren. Ein weißer H. bedeutet häufig Güte u. Frömmigkeit der Person, zu deren Füßen er dargestellt ist; er kann auch Symbol einer guten Ehe sein; ein häßlicher, zumeist dunkelfarbiger H. symbolisiert dagegen gelegentl. den Unglauben oder das Heidentum. – Der H. ist das 11. Zeichen des chin. ↗Tierkreises, er entspricht dem ↗Wassermann.

Hund: ein weißer H. zu Füßen des in Menschengestalt erscheinenden Raphael; Ausschnitt aus Tobias u. Raphael v. A. Pollaiuolo

Hundert, für das dem Dezimalsystem verpflichtete Denken Inbegriff einer abgeschlossenen Vielheit in einem größeren Ganzen. In der christl. Literatur begegnet 100 verschiedentl. als Sinnbild himml. Seligkeit; ähnl. Bedeutung hat die Zahl *Tausend.*

Hut, symbolisiert gelegentlich den Kopf oder die Gedanken; den H. wechseln, kann auch bedeuten: die Ansichten wechseln.

Hyäne, in Afrika Symbol-Tier mit ambivalenter Bedeutung: als gefräßiger, scheuer Aasfresser Sinnbild der Rohheit u. Feigheit; als Tier mit kräftigem Gebiß u. ausgeprägtem Geruchssinn Symbol für Kraft, Wissen u. Klugheit. – In der ma. Kunst Symbol des Geizes, vor allem als H.nkopf am apokalypt. ↗Drachen, der die Hauptlaster symbolisiert.

Hydra *w, Lernäische Schlange,* Schlangenungeheuer der griech. Mythologie mit zahlreichen, zumeist neun Köpfen, in den Sümpfen v. Lerna lebend; für einen abgeschlagenen Kopf wuchsen je zwei neue nach. Von Herakles bezwungen durch Ausbrennen der Halsstümpfe mit einem Holzscheit. Sinnbild für Schwierigkeiten u. Hindernisse, die sich im Verlauf der Bewältigung vervielfachen.

Hyperboreer [Mz.], im Altertum sagenhaftes Volk, das im äußersten N (jenseits des Nordwindes Boreas) leben sollte; ungeklärt ist, inwieweit ein histor. Volk Anlaß zu diesen Vorstellungen gab. Das Land der H. wurde im Mythos immer mehr zu einem Sinnbild des Lichts u. der Seligkeit, in das sich Apollo gelegentl. zurückzog. Später wurden auch Staats-Utopien dort lokalisiert.

Ibis *m,* heiliger Vogel der Ägypter, Symbol u. Inkarnation des Mondgottes Thoth, des Erfinders der Schrift u. Gottes der Weisheit (die gebogene Form seines Schnabels galt als Hinweis auf die Mondsichel, die Spitzigkeit u. Länge des Schnabels wurde wie beim ↗Reiher in Verbindung mit dem Ergründen v. Weisheit gebracht).

Igel, in Japan u. China als Symbol des Reichtums verehrt; galt in Mesopotamien, Zentralasien, gelegentl. auch in Afrika (möglicherweise wegen seiner Stacheln) als sonnenhaftes Tier, das mit dem Feuer u. daher mit der Zivilisation in Verbindung stand. – Im MA wurde er einerseits (nach Darstellung des ↗Physiologus) als Symbol des Teufels verstanden; daneben begegnet er auch als Sinnbild des Geizes u. der Freßlust u. – wegen seiner schnell aufgestellten Stacheln – als Symbol des Zorns. Auf der anderen Seite erscheint er aber auch positiv als Schlangenjäger (↗Schlange) u. damit als Bekämpfer des Bösen.

Ikarus, in der griech. Mythologie Sohn des Dädalus. Mit den v. seinem Vater gebauten, durch Wachs zusammengehaltenen Flügeln kam er trotz der väterl.

Ermahnungen der ↗Sonne zu nahe, so daß das Wachs schmolz u. er ins Meer stürzte. – Sinnbild für maßlose Ansprüche oder unvernünftiges Abenteurertum, die zum Untergang führen.

Ikebana ↗Blume.

Immergrün, im südl. u. mittl. Europa heimische, kriechende Staude mit ledrigen, immergrünen Blättern u. blauen Blüten. Wie alle immergrünen Pflanzen Symbol des ewigen Lebens u. der Treue; galt auch als Abwehrmittel gg. Hexen u. Zauberer.

Initiation *w,* bei vielen Naturvölkern der mit rituellen Bräuchen verbundene Eintritt in einen neuen Lebensabschnitt, vor allem der Übergang in die Rolle des geschlechtsreifen Erwachsenen; verbunden mit Prüfungen u. symbol. Handlungen (z. B. ↗Beschneidung). Zumeist spielt sich dabei ein als symbolisch u. zugleich als real wirksam verstandener Wandlungsprozeß ab, der allg. die Phasen der Abtötung der alten Rolle, der Abgeschiedenheit u. schließl. der Wiederkehr u. Wiedereingliederung des Verwandelten in die Gemeinschaft umfaßt. – Im engeren Sinne Bz. für Riten, die die Voraussetzung für die Aufnahme in Geheimbünde oder Mysterienkulte darstellen. Häufig spielt dabei das Durchleben eines symbolischen Todes (verschiedentl. sogar in eigens dafür bestimmten Gräbern u. Särgen) u. eine geistige Wiederauferstehung auf höherer Stufe eine bedeutende Rolle. Bestandteil verschiedener Riten waren auch Praktiken, die symbolisch als Rückkehr in die ↗Gebärmutter u. als erneute Geburt daraus verstanden wurden. Daneben war auch das Bestehen verschiedener anderer Prüfungen übl., die sinnbildl. mit der Entwicklung bes. moral. u. spiritueller Fähigkeiten zusammenhingen (↗Labyrinth).

Ibis: der ibisköpfige ägypt. Gott Thot beim Totengericht; Ausschnitt v. einem Totenpapyrus, Ptolemäerzeit

Immergrün

Insel, als abgeschlossener, schwer zugängl. Bereich oft Sinnbild des Besonderen oder Vollkommenen; erscheint verschiedentl. – z. B. in Träumen – als erst in der Zukunft zu erreichender Ort der Verwirklichung utop. Wünsche. – Häufig auch als sorgenfreier jenseitiger Aufenthaltsort vorgestellt: so die *I.n der Seligen* des griechischen Mythos, auf denen die Götterlieblinge nach ihrem phys. Tode weiterleben. – In negativem Sinne auch Symbol für Weltflucht, die die Auseinandersetzung mit dem Leben meidet.

Invidia (Neid), weibl. Personifikation einer der 7 Todsünden, reitet auf einem Hund mit einem Knochen im Maul oder einem Drachen; Symbole u. a. : Skorpion, Hund, Fledermaus.

Ira (Zorn), weibl. Personifikation einer der 7 Todsünden, reitet auf einem Bären oder Wildschwein; Symbole u. a. : Hund, Igel, Fackel.

Iris ↗Schwertlilie.

Isis-Knoten ↗Knoten.

Jade *m,* galt in China, wie das ↗Gold, als eng mit dem Prinzip Yang (↗Yin und Yang) verbunden u. war daher Symbol für Lebenskraft u. kosm. Kräfte. Man sah in ihm ein Sinnbild der Vollkommenheit u. ein Symbol der Vereinigung der 5 himml. Tugenden: Reinheit, Unwandelbarkeit, Klarheit, Wohlklang u. Güte sowie eine Verbindung moral. Qualitäten mit der Schönheit. J. wurde verwendet als Universalheilmittel, galt als Nahrung immaterieller Wesen u. als Mittel, das Unsterblichkeit oder langes Leben verlieh u. die Körper Verstorbener vor Verwesung schützte. – In Mittelamerika war der J. ein Symbol der Seele, des Geistes, des Herzens; wegen seiner grünen, transparenten Farbe wurde er auch in Zshg. mit der Vegetation, dem Wasser, dem Regen u. – wegen der gelegentl. Austauschbarkeit der symbol. Bedeutung von ↗Rot u. ↗Grün – mit dem ↗Blut gesehen.

Jaguar: J. u. Adler; Darstellung an der Pyramide des Quetzalcoatl in Tula

Jagd, als zielsicheres Verfolgen der Beute Symbol für das leidenschaftliche Suchen nach spirituellen Zielen, z. B. in der christlichen Mystik für die Christussuche der Seele. – Als Überwindung u. Vernichtung wilder Tiere auch Symbol für den Sieg über Rohheit, Unordnung u. Unwissenheit (z. B. in Vorderasien u. Ägypten).

Jaguar, bei den Indianern bes. Mittelamerikas chthon. Wesenheit, die mit den Kräften des Mondes u. den verborgenen Geheimnissen der Erde in Verbindung steht; aus diesem Grunde gelegentl. auch Seelenführer. Das Hereinbrechen der abendl. Dämmerung wird bildhaft vorgestellt als Verschlungenwerden der Sonne durch das Maul eines riesigen J.s. In spezif. Sinne besteht aber auch eine Beziehung des J.s zur Sonne während der nächtlichen Bewegung des Gestirns *(schwarze ↗Sonne).* Der J. gilt als Herr des Gebirges, der wilden Tiere, des Echos, der Trommelrufe, man nennt ihn „Herz der Berge". Häufig wird er symbolisch dem himmel- u. sonnenhaften ↗Adler gegenübergestellt. – Bei den Indianern Südamerikas findet sich der Mythos v. einem J. mit vier Augen: ein Symbol der tiefblickenden Weisheit chthon. Mächte?

Jahreszeiten: Allegorie des Herbstes v. Francesco Cossa

Jahreszeiten, in der Kunst häufig durch Personifikationen dargestellt, vor allem durch weibl. Figuren oder Genien mit Attributen, so Blumen, Lämmer, Zicklein für den Frühling, Getreideähren, Sichel oder ein feuerspeiender Drache für den Sommer, Weintrauben, ein Hase, Füllhorn, Früchte für den Herbst, Wildbret, Salamander, Wildente, Herdfeuer für den Winter. – In der Antike war der Frühling dem Götterboten Hermes, der Sommer dem Sonnengott Apollo, der Herbst dem Gott der Weinlese, Dionysos, der Winter dem Gott des Feuers, Hephaistos, geweiht. – In der christl. Kunst begegnen die J. verschiedentl. als Symbol der Lebensalter (z. B. Kindheit, Jugend, Reife, Tod), aber auch, da sie jedes Jahr wiederkehren, als Sinnbilder der Auferstehungshoffnung.

Janus, eine der ältesten röm. Gottheiten; als Gott der Türen wurde er doppelgesichtig vorgestellt: nach außen u. innen schauend, d. h. die Kommenden u. Gehenden überwachend. In diesem Sinne allg. Beschützer aller Anfänge u. Übergänge (etwa des beginnenden Jahres, dessen erster Monat nach ihm benannt ist). – Später wurder der *J.kopf* auch zu einem Symbol des Doppeldeutigen oder der bösen u. guten Seite ein u. derselben Sache.

Janus: J. auf einer röm. Kupfermünze

Jaspis *m,* ein v. Fremdbeimengungen durchsetzter Chalcedon. Wenn man ihn bricht, scheinen in seinem Innern zahlreiche neue Steine zu entstehen, daher verschiedentl. Symbol für Schwangerschaft u. Geburt (v. den Babyloniern über Griechen u. Römer bis ins MA tradierte Vorstellung). – Im MA war der J. bes. geschätzt, weil er in der Apokalypse als erster Grundstein des himmlischen Jerusalem (↗Jerusalem, himmlisches) bezeichnet wird (zumeist verstand man darunter allerdings den *Jaspopal,* der z. B. auch an der dt. Kaiserkrone unter der Bz. *„der Waise“* angebracht war). – Der Begriff J. hat einen häufigen Bedeutungswandel erlebt, so daß das jeweils ihm Zugeschriebene nicht immer eindeutig aufzuschlüsseln ist.

Jerusalem, himmlisches: nach einer Buchmalerei in der Bamberger Apokalypse, um 1020

Jaspopal ↗Jaspis.

Jerusalem, himmlisches, in der Offenbarung Johannis beschrieben als Stadt mit zwölf Toren auf quadrat. Grundriß, Sinnbild der erwarteten Endzeit, in der Gott unter seinem Volke wohnen wird. – Die Stadt ist auf zwölf Grundsteinen aufgebaut (↗Jaspis, ↗Saphir, Chalzedon, ↗Smaragd, Sardonix, Sardis, Chrysolith, Beryll, Topas, Chrysopras, Hyazinth, ↗Amethyst), auf denen die Namen der zwölf Apostel stehen; die zwölf Tore sind zwölf ↗Perlen.

Jungfrau: Tierkreiszeichen

Jett ↗Gagat.

Joch, häufig Symbol für Unterdrückung, für aufgezwungene schwere Lasten; auch im Sinne der unglückseligen Verbindung zweier Individuen oder Instanzen, z. B. *Ehejoch.* – In den Religionen Indiens dagegen symbolisiert das J. (das dt. Wort geht auf die indoeuropäische Wurzel „yug“ ebenso zurück wie das Wort „Yoga“) im positiven Sinne die Unterordnung unter geistige Prinzipien, die Körper u. Geist umfassende Selbstdisziplin.

Johannisblume ↗Arnika.

Jungbrunnen ↗Brunnen.

Jungfrau, *Jungfräulichkeit,* Symbol für Unschuld u. Symbol für die Fülle noch nicht verwirklichter Möglichkeiten. Die christl. Mystiker verglichen auch die gegenüber Gott aufnahmebereite Seele mit einer J. – Die J. ist außerdem das 6. Zeichen des ↗Tierkreises; ihr Element ist die ↗Erde.

Justitia: J. auf der Weltkugel (Ausschnitt); Holzschnitt, deutscher Meister des 16. Jh.

Jupiter (Planet) ↗Zinn.

Justitia *w,* Personifikation der *Gerechtigkeit,* einer der vier Kardinaltugenden, häufig dargestellt mit den Attributen ↗Waage, ↗Schwert, ↗Augenbinde, Gesetzbuch; mit Bezug auf die Vollstreckung des Gesetzes auch mit einem abgeschlagenen Haupt im Schoß. ↗□ S. 83.

Kahn, *Nachen, Barke, Boot,* häufig Symbol der Überfahrt v. Reich der Lebenden ins Reich der Toten oder umgekehrt; begegnet in den myth. Vorstellungen sehr vieler Völker. In der griech. Mythologie z. B. setzt der Fährmann Charon die Toten in einem K. über den Grenzfluß zur Unterwelt (Styx oder Acheron). – Nach ägypt. Vorstellung segelte der Sonnengott Rê während des Tages in einer Tagesbarke über den Himmel, nachts in einer Nachtbarke durch die Unterwelt. – Verbreitet ist der Vergleich der Mondsichel (↗Halbmond) mit einer Barke. – Wegen seiner Form, die ein Navigieren in zwei entgegengesetzten Richtungen erlaubt, war der K. auch eine sinnbildl. Verkörperung des altröm., doppelgesichtigen Gottes ↗Janus.

Kahn: ägypt. Totenbarke; nach einer Wandmalerei im Grab des Sen-nufer, Theben, 18. Dyn.

Kalb, als Schlachttier Opfer-Symbol; tritt als solches auch gelegentl. an die Stelle des Stiers als Attribut des Evangelisten Lukas (↗Evangelistensymbole). ↗Goldenes Kalb.

Kalmus *m,* in Asien u. Europa an Ufern wachsendes Aronstabgewächs; diente zur Gewinnung von Salböl u. v. Heilmitteln; begegnet im MA deshalb gelegentl. als Marienpflanze.

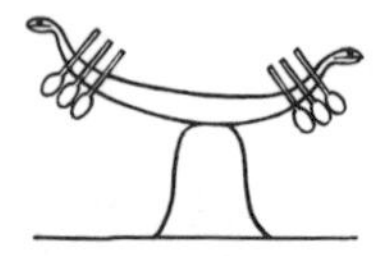

Kahn: ägypt. Darstellung der Sonnenbarke (mit Schlangenköpfen), in dem Rê tägl. über den Himmel fährt

Kamel, in Nordafrika Symbol der Nüchternheit, des Eigensinns u. des Hochmuts. – Im AT gelegentl. als unreines Tier erwähnt. – Im christl. Schrifttum u. der christl. Kunst als Lasttier Sinnbild der Demut u. des Gehorsams, andererseits jedoch auch Symbol des Zorns, der Trägheit u. der Beschränktheit.

Kamille, Korbblütergattung mit würzigem Duft; sie wird von alters her als wirksame Heilpflanze verwendet (im MA bes. bei Frauenleiden, daher ihr lat. Name „Matricaria") u. ist deshalb auch ein Marien-Symbol. Die unscheinbare, nutzbringende Pflanze gilt auch als Sinnbild für mit Kraft gepaarte Bescheidenheit, so daß, einer sprichwörtl. Rede zufolge, keine Jungfrau an ihr vorbeigehen dürfe, ohne einen Knicks zu tun.

Kamin, *Schornstein.* Die Kommunikation mit Geistern u. Dämonen geschieht in Märchen, nach abergläubischen Vorstellungen usw. oft durch den K., vor allem Hexen fahren durch ihn ein u. aus; auch die Geister Verstorbener verlassen das Haus durch den K. Ursache für diese Verbindung des K.s mit dem Geisterreich sind wohl vor allem seine höhlenähnliche

(↗Höhle), oben u. unten offene Form, das ↗Feuer, der schwarze Ruß (↗Schwarz) u. der aufsteigende ↗Rauch. – In anderem Zshg. partizipiert der K. auch an der Symbolbedeutung des Herdes (↗Herd).

Kammer ↗Zimmer.

Kampf. Bei verschiedenen Völkern kannte man rituelle Kämpfe, die z. B. den K. zw. Ordnung u. Chaos u. schließl. den Sieg jener über dieses symbolisierten. Im Frühling wurden an manchen Orten nach bestimmten Regeln Kämpfe zw. den Geschlechtern durchgeführt, die den Sieg der Fruchtbarkeit u. des Lebens über Tod u. Winterstarre symbolisieren u. zugleich magisch herbeiführen sollten.

Kamille

Kaninchen ↗Hase.

Kapuze, Kleidungsstück verschiedener Götter, Dämonen u. Zauberer; gehört zur Kleidung der Mönche; sie hat neben dem prakt. Aspekt den symbol. Ausdrucksgehalt der Konzentration v. geistiger Kraft oder des Sich-Verbergens. Die Bedeckung des Hauptes mit einem ↗Schleier oder einer Kapuze symbolisiert bei Initiationsriten verschiedentl. den Tod.

Kapuze: Einsiedler, Ausschnitt, nach einer Zeichnung des Urs Graf, 1512

Kardinaltugenden ↗Fortitudo (Tapferkeit), ↗Justitia (Gerechtigkeit), ↗Prudentia (Klugheit), ↗Temperantia (Mäßigkeit).

Karpfen, in Japan u. China vor allem wegen seiner Langlebigkeit Glücks-Symbol, außerdem gilt er dort als Reittier der Unsterblichen. Da er angebl. gg. den Strom schwimmt, verstand man ihn auch als Symbol des Mutes u. der Ausdauer.

Kastanie. Die Eßkastanie wurde in China mit dem Osten u. dem Herbst in Verbindung gebracht. Da ihre Frucht im Herbst gesammelt wurde u. im Winter als Nahrung diente, war sie ein Symbol weiser Voraussicht.

Katze, ambivalentes Symboltier. – In Japan gilt der Anblick einer K. als böses Omen. – In der Kabbala u. im Buddhismus steht die K. symbolisch der ↗Schlange nahe. – In Ägypten wurde die häusliche, wendige u. nützliche K. als heiliges Tier der Göttin Bastet, der Beschützerin des Hauses, der Mütter u. Kinder verehrt. – Im MA galten (vor allem schwarze) K.n als Hexentiere, bes. der schwarze Kater als Sinnbild des Teufels, der Aberglaube sieht daher in der schwarzen K. einen Unglücksbringer. – Die K. ist das 4. Zeichen des chin. ↗Tierkreises, sie entspricht dem ↗Krebs.

Katzenkraut ↗Baldrian.

Kaurischnecke ↗Schnecke.

Käuzchen ↗Eule.

Kegel, partizipiert an der Symbolik v. ↗Kreis u. ↗Dreieck. Stand vermutl. als Symbol in Zshg. mit Fruchtbarkeitsgöttinnen (Astarte bzw. Ischtar u. Aphrodite). – In anderem Zshg. erscheint die auf eine Spitze zustrebende Form des K.s gelegentl. als Urbild

Katze: die ägypt. Göttin Bastet, Bronzestatuette der Spätzeit

Kerykeion: Hermes mit K.

der geistigen Entwicklung: sie symbolisiert die Bewegung v. der zerstreuten Hingabe an die Vielfalt der Materie weg u. hin zu Konzentration, Identität u. Selbstfindung.

Kelch ↗Schale.

Keller, in der Symbol-Sprache der Mystik Sinnbild der verborgenen Schätze des Selbst u. der Selbsterkenntnis; in anderem Zshg. auch der dunklen Triebe.

Kentaur ↗Zentaur.

Kerykeion *s,* röm. *Caduceus m,* Heroldstab, urspr. Zauberstab, ein Stab, um dessen Oberteil sich zwei ↗Schlangen mit einander zugewandten Köpfen winden; Attribut vor allem des Hermes (Merkur); wurde verschieden gedeutet, gelegentl. als Symbol der Fruchtbarkeit: zwei Schlangen paaren sich über einem erigierten Phallus, muß aber wohl vor allem als Gleichgewichts-Symbol verstanden werden. In der Alchimie Symbol der Verbindung gegensätzl. Kräfte. ↗Äskulapstab.

Kessel: zwei Hexen bei mag. Verwandlungen in einem Hexenkessel; Holzschnitt aus: Tractatus von den bösen Weibern, die man nennet die Hexen, Ulm, um 1490

Kerze, Lichtsymbol, Symbol der individuellen Seele, Symbol für das Verhältnis von Geist u. Materie (die das Wachs verzehrende ↗Flamme); im Märchen hat der personifizierte Tod die Macht über brennende Kerzen, von denen jede ein Menschenleben repräsentiert. – Bereits die Römer verwendeten K.en während des Kultes. Im Christentum, vor allem in der kath. Liturgie, spielen K.en während des Gottesdienstes, bei Begräbnissen, bei besonderen Festen u. bei Prozessionen als Symbole des Lichtes u. des Glaubens eine große Rolle. ↗Fackel, ↗Lampe.

Kessel. Im K. werden – bes. im indoeurop. Raum – in Märchen, bei alchimistischen u. rituellen Praktiken usw. magische u. mystische Verwandlungen vollzogen, er ist daher ein Symbol des Wandels, der Erneuerung, der Einweihung, der Auferstehung. Als Gefäß mit brodelndem, kochendem Inhalt kann er auch Symbol der Fülle u. des Überflusses sein. In China ist er, wohl unter diesem Aspekt, häufig ein Symbol für Glück u. Wohlstand.

Kette: der Satan, in K.n gebunden; nach einer elsäss. Miniatur des 17. Jh.

Kette, allg. Symbol der Verbindung, des Verbundenseins; häufig Sinnbild der Beziehungen zw. Himmel u. Erde. Bei den Neuplatonikern symbolisiert die K. die ununterbrochene Emanation des Einen in die einzelnen Wesen u. Dinge; entsprechende Vorstellungen, die jeden Menschen durch eine goldene K. mit Gott verbunden sehen, finden sich auch im Christentum; auch das Gebet wird gelegentl. mit einer goldenen K. verglichen. – In der christl. Kunst erscheint der überwundene Teufel am Jüngsten Tag (gelegentl. in Gestalt eines ↗Affen) mit K.n gebunden. ↗Schnur.

Keule, Hieb- u. Wurfwaffe aus Metall oder meistens Holz. Häufig Symbol brutaler Gewalt. – In der Antike Attribut des Herakles. – Bei Tugend- u. Lasterdarstellungen des MA u. der Renaissance sowohl Attribut der Tapferkeit wie auch, in der Hand eines halbbekleideten Narren, Attribut der Torheit.

Kiefer, Nadelholzgattung der nördl. gemäßigten Zonen. Als immergrüner Baum u. wegen ihres unverderbl. Harzes in China u. Japan Symbol der Unsterblichkeit; in Japan außerdem als ein Baum, der Wind u. Wetter standhält, Symbol der Lebenskraft u. der Persönlichkeit, die die Schwierigkeiten des Lebens unbeschädigt bewältigt. Zwei K.n sind ein Symbol der Liebe u. der ehel. Treue. ↗Pinie.

Kind, Symbol der Unbefangenheit u. Unschuld; in diesem Sinne z. B. in den Evangelien erwähnt („so ihr nicht werdet wie die Kindlein . . ."); auch Symbol des Anfangs u. der Fülle der Möglichkeiten.

Kirche, als Personifikation (Ecclesia) häufig im Ggs. zur verblendeten Synagoge (↗Augenbinde) dargestellt mit sehenden Augen, Krone u. Triumphfahne. – Die K. ihrerseits wiederum weist sinnbild. voraus auf das himmlische Jerusalem, das Reich der Auserwählten (↗Jerusalem, himmlisches).

Keule: Nachtmeerfahrt des Herakles mit Keule im Sonnenbecher, Grund einer attischen Vase, 5. Jh. v. Chr.

Kirche: Ecclesia (links) u. Synagoge (rechts) vom Straßburger Münster

Kiefer

Kirschblüte, in Japan Symbol der Reinheit, der Schönheit, des Glückes; die vom Wind davongetragene K. ist ein Symbol des idealen Todes. – In Mitteleuropa gelten *Kirschzweige,* die in vorweihnachtl. Nächten, bes. vor Barbara (4. Dez.) und Lucia (13. Dez.) oder an Weihnachten, geschnitten wurden u. aufblühen, als Glücks-Symbol u. als Hinweis auf baldige Hochzeit.

Kirsche, in Japan Symbol der Selbstfindung u. des Selbstopfers, vor allem des Opfers v. Blut u. Leben der Samurai im Krieg (so wie man das rote Fleisch der K.

Kirschblüte

entfernt, um zum harten Kern zu gelangen). – Auf Darstellungen der christl. Kunst des MA kann die K. gelegentl., wie der ↗Apfel, die verbotene Frucht bedeuten.

Klee

Klee, weitverbreiteter Schmetterlingsblüter; wegen seines kräftigen Wuchses Sinnbild der Lebenskraft. – Bei den Kelten heilige Zauberpflanze. – Im MA wegen seiner Dreiblättrigkeit Dreifaltigkeits-Symbol. Als Heilpflanze gelegentl. auch auf Maria bezogen. – Das *vierblättrige K.blatt* (↗Vier) gilt bis heute als glückbringend, mehrblättrige K.blätter dagegen zumeist als unheilbringend, nur das fünfblättrige wird gelegentl. als Hinweis auf eine glückl. Ehe verstanden (↗Fünf).

Kleidung, *Gewand,* (nach bibl. Überlieferung seit dem Sündenfall getragen), im Ggs. zur ↗Nacktheit Folge u. Ausdruck der Schamhaftigkeit des Menschen; in sehr verschiedenen Formen u. Farben Sinnbild sozialer Angepaßtheit u. sozialen Ranges; oft Zeichen des Berufes; als Tracht auch Ausdruck bestimmter Volkszugehörigkeit. Weiße, oft leuchtende Gewänder sind häufig ein Hinweis auf die Überwindung der ird. Leiblichkeit (bei Engeln, Verklärten, Verstorbenen usw.). Das Wechseln der K. ist vielfach Symbol für den Eintritt in einen neuen Lebensabschnitt, eine neue Gemeinschaft usw.; das Anlegen des ↗Mönchsgewands beispielsweise symbolisiert wie eine Art zweiter Taufe den Verzicht auf die Welt.

Knoblauch

Knabenkraut ↗Orchideen.

Kniefall, rituelles, häufig rechtsverbindliches Symbol. Zeichen der Verehrung, Demut u. Unterordnung.

Knoblauch, galt bei vielen Völkern, wahrscheinl. wegen seines starken Geruchs, den man sinnbildl. als vertreibende Kraft deutete, als Mittel gg. den bösen Blick u. gg. böse Geister, in Mitteleuropa auch insbesondere gg. Vampire. In Griechenland schrieb man bereits dem bloßen Aussprechen des Wortes K. schützende Wirkung zu.

Knochen, galt, als relativ harter u. unveränderl. Bestandteil höherer Lebewesen, vor allem bei Jägervölkern als Sitz des Wesens oder der Lebenskraft. Verbreitet war die Sitte, die K. eines erlegten Tieres nach Verzehr des Fleisches vollständig der Natur, d. h. der Erde, dem Wasser oder dem Feuer zurückzugeben, um den Fortbestand der Art zu sichern.

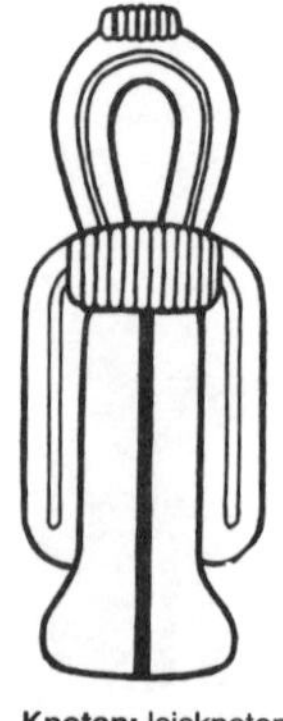
Knoten: Isisknoten

Knoten, häufig Symbol der Verknüpfung, Verbindung, auch der Bindung an schutzverleihende Mächte, aber auch Sinnbild der Komplikation u. des Hindernisses. – Bei den Ägyptern war der K. ein Symbol des Lebens u. der Unsterblichkeit; der *Isis-K.,* eine Art ↗Ankh mit nach unten geklappten Armen, war ein verbreitetes ↗Amulett. – Als Sinnbild der Liebe u. Ehe begegnet der K. verschiedentl. bei Hochzeitsriten. – Die islam. Welt kennt den K. als Schutz verleihendes Symbol; die arab. Männer knüpften sich z. B. verschiedentl. K. in den Bart als Mittel gg. den bösen Blick. – Weit verbreitet ist die symbol. Deutung der *Lösung v.* K. Der Buddhismus vergleicht das Sich-Lösen des Weisen aus der Welt des bloßen Scheins mit dem Auflösen v. K. – Auch der Tod wird gelegentl. mit dem Lösen eines K.s verglichen. – Ein Symbol des Sich-Öffnens war das Lösen v. K. z. B. in Marokko, wo der Ehemann seiner Frau erst beiwohnen durfte, nachdem er sieben K. an seinen Kleidern gelöst hatte.– Für die psychoanalyt. Traumdeutung kann ein K. auf Komplexe u. seel. Verfestigungen hinweisen, die Lösung v. K. entsprechend auf die Bewältigung v. Problemen. – Das Durchhauen des *Gordischen Knotens* durch Alexander d. Gr. wird im positiven Sinne redensartl. als Symbol für entschiedene Tatkraft, im negativen Sinn gelegentl. auch für rohe Ungeduld gebraucht.

Kohle, Symbol der verborgenen, okkulten Kraft: die kalte, schwarze K. bedarf des zündenden Funkens, um die in ihr schlummernden Energien entfalten zu können. Die brennende K. symbolisiert daher die alchimistische Verwandlung von ↗Schwarz in ↗Rot. – Die *Holzkohle,* als durch Feuer gereinigtes Holz, ist auch ein Symbol der Reinheit.

Kolanuß

Kolanuß, *Colanuß,* bei schwarzafrikan. Völkern wegen ihres bitteren Geschmacks Symbol für die Schwierigkeiten des Lebens u. ihre Überwindung, damit auch Symbol für Tugenden, die zu dieser Überwindung beitragen: Freundschaft u. Treue.

Koloß ↗Kolossalstatue.

Kolossalstatue, *Koloß,* überlebensgroßes Standbild (vor allem von Göttern oder Herrschern), das überna-

Kolossalstatue: Statuen von Abu Simbel

König: K. als prima materia, den Sohn verschlingend; nach einer Darstellung in: Lambsprinck, Figurae et emblemata, 1678

türliche Kräfte symbolisiert (zum Beispiel die sitzenden Statuen von Abu Simbel oder der Koloß von Rhodos, eines der sieben Weltwunder).

Komet *m,* in vielen Kulturen (in der Antike, im MA, auch bei Indianern u. in Afrika) als böses Vorzeichen (Hunger, Krieg, Seuchen, Weltuntergang) gedeutet. – Allerdings wird in der bildenden Kunst auch der Stern v. Bethlehem häufig als K. dargestellt.

Kondor *m,* in den mytholog. Vorstellungen der Andenvölker Verkörperung sonnenhafter Kräfte u. Sinnbild der ↗Sonne.

König, *Kaiser,* häufig als Verkörperung Gottes, der Sonne, des Himmels, als Zentrum des Kosmos oder Vermittler zw. Himmel, Menschen u. Erde verstanden. – C. G. Jung sieht in der im Traum auftauchenden Figur des alten K.s eine archetyp. Gestalt, die die Weisheit des kollektiven Unbewußten repräsentiert. Die *Märchengestalt* des K.s (vor allem das „K.-werden") muß andererseits wohl häufig als Symbol des angestrebten Ziels der Ich-Entwicklung verstanden werden. – In der Alchimie entspricht der K. verschiedentl. der prima materia.

Königskerze

Königskerze, in Europa, Afrika u. Asien verbreitete Pflanze; schon in der Antike als Heilmittel verwendet; sollte angebl. vor Angst u. Unheil schützen. – Im MA wurde sie zur Marienpflanze.

Königssohn, *Prinz,* begegnet in zahlreichen Märchen als strahlender Held, als Verkörperung jugendl.-aktiven, moral. Handelns u. Veränderns, aber auch standhaften Erduldens. Psychoanalyt. kann er als Repräsentant 'siegreicher Ichkräfte verstanden werden. ↗Königstochter.

Königstochter, *Prinzessin,* in den Märchentraditionen vieler Völker Sinnbild eines Ziels u. höchsten Gutes, das der Held nur nach Überwindung verschiedener Hindernisse u. Gefahren erreichen kann. – Psychoanalyt. auch gedeutet als Verkörperung des individuellen Unbewußten im Gegensatz zum „alten König" als Repräsentanten des kollektiven Unbewußten. ↗Königssohn.

Königsweg, im Ggs. zu krummen, abweichenden Wegen der rechte, gerade Weg, der die Fortentwicklung der unbeirrbaren Seele auf ihr inneres Ziel hin symbolisiert; im MA z. B. gebräuchl. Bz. für den Weg zu Gott im Mönchtum u. der Meditation.

Koralle: der Korallenbaum im Meer; nach einer Darstellung in: Dioscorides, De materia medica, 5. Jh.

Koralle. Als im Meer lebendes, häufig in Ast- oder Bäumchenform vorkommendes Tier, partizipiert die K. gelegentl. an der Symbolik des Wassers (↗Wasser) u. der des Baumes (↗Baum). Ihr Symbolgehalt hängt auch mit der Tatsache zusammen, daß die pflanzenartig aussehenden, in harten, oft kalkigen Skeletten lebenden Tierstöcke scheinbar an den drei Bereichen des Mineralischen, Pflanzlichen u. Tierischen teilhaben. Ihrer roten Farbe wegen kann sie gelegentl. auch zum Zeichen für ↗Blut werden.

Korb, Symbol des mütterlichen Schoßes; mit Früchten gefüllt, gelegentlich Attribut v. Fruchtbarkeitsgöttinnen, z. B. der Artemis v. Ephesos.

Korn ↗Samenkorn.

Koyote ↗Coyote.

Krabbe ↗Krebs.

Kranich, in China u. Japan Symbol des langen Lebens u. der Unsterblichkeit (↗Stelzen), da man glaubte, er könne tausend Jahre alt werden. Die weiße Farbe seines Gefieders wurde als Symbol der Reinheit gedeutet, die roten Kopffedern galten als Zeichen der Lebenskraft u. der Verbundenheit mit dem Feuer. – In Indien galt der K. als Symbol der Tücke u. des Verrats. – Bei einigen afrikanischen Völkern erscheint ein gekrönter K. als Symbol der Sprache u. des Denkens, u. a. wegen seiner scheinbar kontemplativen Körperhaltung. – Da der K., als Zugvogel, pünkl. im Frühjahr zurückkehrt, galt er auch als Symbol des Frühlings. Deshalb u. wegen seines auffälligen Balzverhaltens (K.tanz) war er, vor allem bei Griechen u. Römern, auch ein Symbol der Liebe u. Lebensfreude.

Kranz, vor allem durch sein Material (meistens Laub u. Blumen) von der ↗Krone unterschieden, diente in der Antike als Schmuck, Auszeichnung u. als Zeichen des Gottgeweihten bei Wettkämpfen, Festen u. Opfern (auch die Opfertiere wurden bekränzt). Vor Trunkenheit glaubte man sich durch Tragen eines Kranzes (anfangs aus Efeu, später oft aus Gewürzkräutern) schützen zu können. – Die Bibel spricht von Kränzen der Ehre, der Freude u. des Sieges (weitgehend synonym mit dem Begriff Krone). – Der Siegeskranz der Antike erhielt im Christentum die Bedeutung: Zeichen des errungenen Heils; in diesem Sinne erscheint er auch auf Grabplatten usw., gelegentl. in Verbindung mit dem ↗Christusmonogramm oder mit ↗Taube u. ↗Lamm. – Herrscher u. Sieger wurden in Antike, MA u. Neuzeit häufig mit *Lorbeerkränzen* (↗Lorbeer) dargestellt. Seit dem Humanismus wurde der Lorbeerkranz (in Anlehnung an die Antike) auch zur beliebten Auszeichnung von bes. hervorragenden Künstlern, Dichtern und Gelehrten. – Der *Adventskranz* aus Tannengrün mit vier Kerzen als Symbol der Vorbereitung u. Hoffnung, eine Besonderheit des dt. Sprachraumes, kam erst nach dem 1. Weltkrieg auf.

Kräuter, als häufig heilwirksame, unscheinbare Pflanzen Symbole verborgener Kraft u. Bescheidenheit.

Krebs, *Krabbe,* steht als im ↗Wasser lebendes Tier häufig in Zshg. mit der Symbolik des Wassers oder Urmeers (↗Meer). Wegen seiner Schale, die ihn vor der Außenwelt schützt, steht der K. dem Bedeutungs-Zshg. „Embryo–Uterus" nahe; der Bezug zu den

Krebs: Tierkreiszeichen

Kreis: magischer K. mit Hexagramm u. Kreuz

Kreis: magischer K.; aus: Francis Barrett, The Magus, London, 1901

Komplexen „Mutter" u. „Meer" verbindet ihn auch symbolisch mit dem Unbewußten. – Im Christentum gelten der K. u. die Krabbe als Symbole der Auferstehung, weil sie sich während ihrer Entwicklung häuten; daher sind sie im engeren Sinne auch gelegentl. Symbole Christi. – Die Krabbe gilt seit dem Altertum außerdem als lunares Symbol (vielleicht wegen des Einflusses des Mondes auf das Meer sowie wegen ihrer Form). – In Afrika erscheint sie manchmal auch als Symbol des Bösen. – Der K. ist das 4. Zeichen des ↗Tierkreises; sein Element ist das ↗Wasser.

Kreis, eines der häufigsten symbolischen Zeichen, oft im Bezug u. im Ggs. zum ↗Quadrat gesehen. Der K. führt in sich selbst zurück u. ist daher ein Symbol der Einheit, des Absoluten u. der Vollkommenheit; damit zusammenhängend auch ein Symbol des Himmels im Ggs. zur Erde oder des Geistigen im Ggs. zum Materiellen; ein enger Zshg. besteht zur Symbol-Bedeutung des Rades (↗Rad). Als unendl. Linie Symbol der Zeit u. der Unendlichkeit, oft durch die Gestalt einer ↗Schlange, die sich in den Schwanz beißt, veranschaulicht. – Mag. Praktiken gilt der K. als wirksames Symbol des Schutzes gg. böse Geister, Dämonen usw.; daher wohl auch die schützende Funktion, die man dem ↗Gürtel, dem ↗Ring, dem Reif, dem kreisförmigen Amulett usw. zusprach. – *Konzentr. K.e* symbolisieren im Zen-Buddhismus die höchste Stufe der Erleuchtung, die Harmonie aller geistigen Kräfte; in anderem Zshg., beispielsweise im Christentum, versinnbildlichen sie verschiedene geistige Hierarchien oder die verschiedenen Stufen der Schöpfung. Drei ineinander verschlungene K.e symbolisieren im Christentum die Dreieinigkeit. – Der in ein Quadrat eingeschriebene K. ist ein geläufiges kabbalist. Symbol für den in der Materie verborgenen Funken göttl. Feuers. – C. G. Jung sieht im K. ein Symbol der Seele u. des Selbst.

Kreuz, eines der am weitesten verbreiteten u. ältesten Symbole. Wie das ↗Quadrat partizipiert es an der Symbolik der Zahl ↗Vier (wenn man von seinen äußeren vier Punkten ausgeht); so wurde es beispielsweise zum Symbol der vier Himmelsrichtungen. In China dagegen brachte man es (unter Einbeziehung des K.mittelpunktes) mit der Zahl ↗Fünf (u. ↗Zehn) in Verbindung. Wenn man nur die beiden K.esarme betrachtet, kann es auch zum Symbol der Durchdringung zweier entgegengesetzter Bereiche, hauptsächlich des ↗Himmels u. der ↗Erde oder der Zeit u. des Raumes werden. – Bei der Architektur vor allem sakraler Bauten u. ganzer Stadtanlagen spielt die kreuzförmige Anordnung häufig eine (nicht nur prakt.) Rolle; das griech. K. bestimmt z. B. den Grundriß vieler byzantin. u. syr. Kirchenbauten, das latein. den romanischer u. gotischer Kirchen. – Das K. kann auch als Zeichen für den ↗Scheideweg verstanden werden (als Ort, wo sich die Wege der Toten u. der Lebenden kreuzen); bei einigen afrikanischen Stämmen wird es z. B. häufig in diesem Sinne gesehen (neben einer, den gesamten Kosmos, d. h. Menschen, Geister u. Götter umfassenden Bedeutung). – In Asien wird die vertikale Achse des K.es häufig als Symbol der aktiven, dem Himmel zugeordneten Kräfte, also des männl. Prinzips verstanden, während die horizontale Achse den passiven Kräften des Wassers, also dem weibl. Prinzip entspricht. Außerdem symbolisieren die beiden Achsen die Tag- u. Nachtgleichen u. die Sonnenwenden. – Das einem ↗Kreis eingeschriebene K. gilt als Vermittlung v. Quadrat u. Kreis u. betont deshalb symbolisch bes. die Verbindung v. Himmel u. Erde. Es ist ein Symbol des Mittelpunkts, des Ausgleichs v. Aktivität u. Passivität, des vollkommenen Menschen. Betrachtet man die vier Arme des einem Kreis eingeschriebenen Kreuzes als Speichen, so ergibt sich das Bild des Rades (↗Rad) u. damit ein Sonnen-Symbol, das sowohl bei asiat. Völkern wie bei den Germanen begegnet (auch ohne umschriebenen Kreis kann das K. gelegentl. Sonnen-Symbol sein, z. B. in Assyrien). Ein weiteres zunächst in Asien, dann auch bei den Germanen gebräuchl. Feuer- u. Sonnen-Symbol ist das Hakenkreuz (↗Swastika). – Im Christentum erhielt das K. durch den K.estod Christi eine bes. Bedeutung als Sinnbild des Leidens, aber auch des Triumphes Christi u. damit allg. als Symbol des Christentums (anfangs allerdings nur zögernd verwendet, da in der antiken Vorstellungswelt der Kreuzestod als äußerst anstößig galt). – In der christl. bildenden Kunst erscheint es in vielfältigen Formen (am gebräuchlichsten das griech. u. das lat. Kreuz); ein verborgenes K.symbol ist gelegentl. auch der ↗Anker. Daneben spielt die Form des K.es auch eine Rolle als Segensgestus u. beim Sichbekreuzigen. – Auf die Symbolik des Lebensbaums (↗Baum) verweist vor allem die sehr alte Form des *Gabelkreuzes,* in der christl. Kunst begegnet auch das Blüten u. Blätter treibende K. Christi als Symbol der Todesüberwindung (↗Baumkreuz). – Ägypt. Schleifenkreuz ↗Ankh.

Kreuzweg ↗Scheideweg.

Kriegsschrei ↗Schrei.

Kristall, Symbol der Reinheit u. Klarheit, daher auch häufig Symbol des Geistes. – Steht der Symbolbedeutung des Diamanten (↗Diamant) nahe. – Als materieller Körper, der jedoch, im Gegensatz zur übrigen Materie, durchsichtig ist, ist er auch ein Sinnbild der Vereinigung von Gegensätzen, vor allem des Geistes u. der Materie. – Da der K. nicht selbst brennt, aber

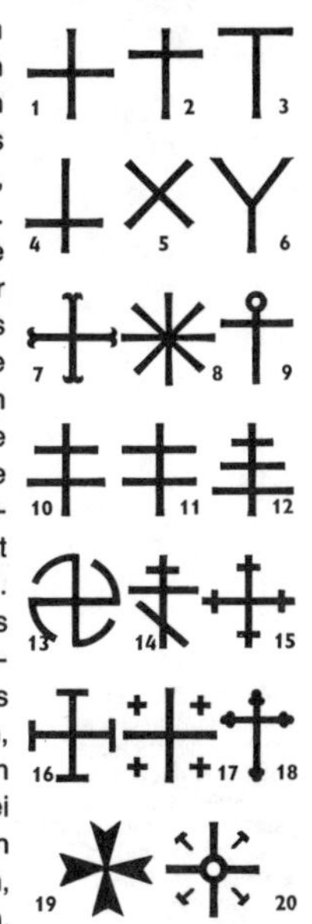

Kreuz. *Kreuzformen:*
1 Griechisches K.,
2 Lateinisches K.,
3 Tau-, Antonius- oder Ägyptisches K.;
4 Petrus-K.;
5 Adreas-K.;
6 Gabel- oder Schächer-K.;
7 Anker-K.;
8 Doppel-K.;
9 Henkel-K.;
10 Kardinals- oder Patriarchen-K.;
11 Lothringisches K.;
12 Päpstliches K.;
13 Swastika oder Haken-K.;
14 Russisches K.;
15 Wieder-K. (so genannt, weil die Enden der Balken ebenfalls ein K. ergeben);
16 Krücken-K.;
17 Jerusalem-K.;
18 Kleeblatt-K.;
19 Johanniter- oder Malteser-K.;
20 Koptisches K.

mittels des Sonnenstrahls, der durch ihn fällt, ein Licht entzünden kann, gilt er im Christentum als Symbol der Unbefleckten Empfängnis u. ist daher auch ein Marien-Symbol.

Krokodil, steht häufig in Zshg. mit der Symbolik des ↗Wassers; da es jedoch im Wasser u. auf dem Lande lebt, ist seine symbolische Bedeutung häufig noch komplexer. – Besondere Verehrung genoß es in Ägypten, wo es, wie die Sonne, als aus dem Wasser geboren galt; es wurde als mächtige, zugleich chthonische u. sonnenhafte Gottheit (Sobek) verehrt. Auch der Erdgott konnte sich in Gestalt eines K.s inkarnieren. – Einige indian. Kulturen sahen in einem K., das im Urmeer lebt, den Schöpfer der Welt, anderen galt es als Tier, das die gesamte Welt auf seinem Rücken trägt. – In der Bibel wird der Name ↗Leviathan auch auf das K., das an anderen Orten auch Ägypten symbolisiert, angewendet. – In der christl. Kunst steht es der Symbol-Bedeutung des ↗Drachens nahe.

Krokodil: der ägypt. Erdgott Geb in Gestalt eines K.s wird v. einer Verstorbenen am Ufer des Weltflusses angebetet (Ausschnitt); nach einer Darstellung im Totenbuch der Heri-uben, 21. Dynastie

Krokus, *Crocus,* Pflanzengattung mit über 60 Arten; im Altertum war vor allem die Art *Safran* geschätzt; K.kränze sollten angebl. vor Trunkenheit schützen. Aus der Blütennarbe des Safrans bereitete man einen gelben Farbstoff, ein Symbol des Lichts u. der Hoheit: Gewänder v. Göttern u. Königen waren deshalb häufig safrangelb. Wegen seines goldfarbenen Stempels ist der K. in der christl. Literatur gelegentl. ein Symbol des ↗Goldes u. damit zugleich der höchsten Tugend, der Liebe.

Krokus

Krone. Als den edelsten Teil des Menschen zierender Schmuck hat die K. eine die Person überhöhende symbolische Bedeutung; wegen der häufig verwendeten, strahlenförmigen Zacken steht sie einigen symbolischen Aspekten des Hornes (↗Horn) nahe; wegen ihrer ringähnl. Form partizipiert sie außerdem an der Symbolik des Kreises (↗Kreis). – Die K. ist stets Ausdruck der Würde, der Macht, der Weihe oder eines festl. Ausnahmezustandes. In den meisten Kulturen wird sie von den Herrschern getragen. Im Judentum ist die diademartige Goldkrone auch Zeichen hohepriesterl. Würde. – Die Götter- u. Königskronen wurden v. den Ägyptern wie mächtige, zauberische Wesenheiten geachtet, denen ein eigener Kult u. eigene Kultlieder geweiht waren. – Im Buddhismus u. Hinduismus wie im Islam gilt die K. (gelegentl. mit der Lotosblüte in Verbindung gebracht) als Zeichen der Erhebung des Geistes über den Körper. – Die Bibel spricht verschiedentl. v. der K., beispielsweise der K. des Lebens u. der K. der Unsterblichkeit, die den Zustand des ewigen Heils versinnbildlichen. – Im Orient wie im Abendland findet man den Hochzeitsbrauch des Tragens v. Braut-K.n, die als Zeichen der Jungfräulichkeit wie der Erhebung in einen besonderen, neuen Zustand galten. Verstorbene, bes. Unverheiratete, erhielten gelegentl. Toten-K.n mit ins ↗Grab als symbolischen Hinweis auf die bevorstehende Vereinigung mit Gott.

Krone: Maria mit K. v. der Mariensäule des H. Gerhard, München, Marienplatz

Kröte, als die Dunkelheit u. Feuchtigkeit liebendes Tier in China vorwiegend mit dem Prinzip Yin (↗Yin und Yang), mit dem ↗Mond, mit Fruchtbarkeit u. Reichtum in Verbindung stehend. – In vielen Kulturen wie der ↗Frosch zu ↗Regen u. Regenzauber in Beziehung gesetzt. – Im Abendland möglicherweise in früher Zeit mit solarer Symbolik zusammenhängend; später oft ambivalent gedeutet: einerseits als Schatzhüterin u. guter Hausgeist, vor allem als Helferin bei Geburten (seit der Antike stellte man sich die Gebärmutter häufig in Gestalt einer K. vor); andererseits aber als giftiges Hexentier, oft im Ggs. zur eher positiven Symbol-Bedeutung des Frosches. – In Ägypten galt die K. (vielleicht wegen ihres bevorzugten Aufenthalts in der Erde) als Totentier u. zugleich – wie der Frosch – als Symbol der Auferstehung (wohl wegen ihres deutl. Gestaltwandels bei der Entwicklung v. der Kaulquappe bis zum fertigen Tier). – In der Kunst des MA erscheint die K. sowohl bei Todesdarstellungen wie in Zshg. mit den Lastern Wollust u. Geiz.

Kröte: zwei K.n, zu Ehren des Satans tanzend; nach einer Darstellung in: Collin de Plancy, Dictionnaire infernal, 1845

Krug, in der ind. Kunst verschiedentl. anzutreffendes Symbol für überströmende Fruchtbarkeit u. Fülle; auch Sinnbild für den Trank der Unsterblichkeit. – In China Symbol des Himmels u. vor allem des Donners (wegen des Geräusches, das man durch Klopfen in einem leeren K. erzeugen kann). – In der frühchristl. Kunst begegnet häufig die Darstellung eines K.es, der durch daraus hervorwachsende Ranken u. Blätter oder durch trinkende Vögel auf das in ihm enthaltene Wasser des Lebens weist.

Krummstab ↗Stab.

Kubus, *Würfel.* Als v. 6 Quadraten begrenzter Körper partizipiert der K. an der Symbol-Bedeutung des ↗Quadrats, mehr als dieses jedoch ist er ein Symbol des Soliden, Festen u. Unveränderl. sowie gelegentl. auch der Ewigkeit. Unter den fünf platon. Körpern repräsentiert er die Erde.

Kuckuck, gilt nach wedischer Tradition als Symbol der Seele vor u. nach der Inkarnation; der Körper wird dabei mit dem fremden Nest verglichen, in das der K. seine Eier legt. – Im Volksglauben des Abendlandes wird die Anzahl der Rufe des K.s häufig als Vorzeichen für Lebensdauer, Heirat oder zu erwartendes Geld

Kuh: die ägypt. Göttin Hathor als K., Kalkstein, 18. Dyn.

gewertet. – Da man dem K. Geilheit nachsagte, nannte man die Dirnen im MA gelegentlich „K." Auch der Teufel wurde euphemistisch „K." genannt („Hol dich der Kuckuck!"). – K.seier gelten als Sinnbild für etwas Untergeschobenes.

Kugel, entspricht symbolisch weitgehend dem ↗Kreis; sie ist ein Symbol des Universums, der Erdkugel, des Sternenhimmels, der Gesamtheit aller einander aufhebenden Gegensätze, somit z. B. auch gelegentl. des ↗Hermaphroditen. – In der (vor allem islam. u. christl.) Architektur repräsentiert die K.- oder Halbkugel-Form wie der Kreis u. der Bogen meistens den ↗Himmel, der ↗Kubus oder das ↗Quadrat dagegen die ↗Erde.

Kuh, als fruchtbares, die lebenswichtige ↗Milch produzierendes Haustier allg. Symbol der mütterl. Erde, der Fülle u. des bergenden Schutzes. – In Ägypten vor allem als die Himmelsgöttin Hathor verehrt, die als Mutter u. Gattin der ↗Sonne, als Mutter des Horus u. als Amme des ägypt. Königs, als Göttin der Freude, des Tanzes u. der Musik (in Gestalt einer jungen Frau), als Sinnbild der Hoffnung u. der Erneuerung des Lebens, als die lebendige Seele der Bäume, aber auch als Herrin über das Gebirge der Verstorbenen galt; sie konnte u. a. goldleuchtend erscheinen oder gelegentl. auch die Gestalt einer Löwin (↗Löwe) annehmen. – In Indien wird die K. als heilige Ernährerin verehrt; die *weiße K.* steht außerdem in Zshg. mit dem heiligen Feuer. Der Buddhismus sieht eine enge Verbindung zw. der K. u. dem stufenweisen Fortschreiten zur inneren Erleuchtung des Menschen; die *weiße K.* symbolisiert die höchste Stufe der individuellen Existenz vor deren Aufgehen im Absoluten. Die wed. Tradition kennt die K. außerdem als Seelenführerin. – Für einige Völker, z. B. die Sumerer, bestand eine symbolische Beziehung zw. der fruchtbaren K. u. dem ↗Mond sowie zw. der Kuhmilch u. dem Mondlicht. – In der german. Mythologie spielte die Urernährerin u. -Beschützerin, die K. *Audhumla,* eine wichtige Rolle; sie stand auch in engem Zshg. mit dem ↗Wasser u. dem ↗Regen.

Kupfer, bei einigen afrikan. Stämmen umfassendes Symbol für Licht u. Leben u. für aktiv Wirksames, wie das Wort oder das Sperma. – In der Alchimie entspricht dem K. der Planet *Venus,* dessen Natur als warm u. feucht, weibl., die Schönheit, den Müßiggang u. die Wollust fördernd beschrieben wird. ↗Metalle.

Kuppel, *Gewölbe,* u. a. in der buddhist., islam. byzantin. u. christl. Baukunst häufig als Sinnbild des Himmelsgewölbes gedeutet, worauf vielfach bereits die Bemalung mit Sternen, Vögeln, Engeln, Sonnenwagen usw. hinweist.

Kürbis, wegen der großen Zahl seiner Kerne, wie der

↗Granatapfel, die Zedratzitrone (↗Zedrat-Zitronenbaum) usw., Symbol der Fruchtbarkeit. U. a. bei schwarzafrikan. Völkern auch Symbol des Welteies (↗Ei) u. der Gebärmutter. – Im Taoismus wird er auch als Nahrung, die langes Leben u. körperl. Unsterblichkeit verleiht, verehrt. – Zwei getrocknete K.hälften, aus denen man trank, hatten u. a. in China die symbolische Bedeutung der in zwei Hälften auseinandergebrochenen Ureinheit. – In der christl. Kunst bedeutet der schnell wachsende u. schnell verderbende K. häufig Kürze u. Hinfälligkeit des Lebens.

Kuß, urspr. wohl als Anhauch durch die im ↗Atem lebende Seele verstanden; daher auch als kräfteübertragend u. lebenspendend vorgestellt. – Zumeist Ausdruck seel. Hingabe u. Zeichen der Verehrung. Neben der realen erot. Bedeutung (die im Hochzeitsbrauchtum auch Symbol-Charakter annehmen kann) hat der K. auch sakrale Relevanz. In Ägypten beispielsweise wurden dem Gott-Herrscher die Füße geküßt, eine Form der Ehrerbietung, die gegenüber Herrschern, Priestern u. Richtern in vielen Kulturen verbreitet war.– In der Antike küßte man die Schwelle zum Tempel, den Altar u. das Götterbild. Im Islam wird noch heute, als Ziel u. Höhepunkt der Wallfahrt, der Schwarze Stein der Ka'aba geküßt. – In der frühen christl. Kirche als Friedens- oder Bruder-K. Symbol der Zusammengehörigkeit (vgl. den Oster-K. der Ostkirche); der Bruder-K. ist als Symbol der Zugehörigkeit zu einer Gemeinschaft auch in profanen Zusammenhängen übl. (z. B. unter kommunist. Genossen), mit abgeschwächter symbol. Bedeutung als Begrüßungs-K. auch unter Verwandten u. Freunden. – Der Altar-K. u. K. des Kreuzes, der Bibel, der Heiligenreliquien usw. wird im Christentum als Symbol, aber auch als geistige Vereinigung verstanden. – Im MA war der K. auch ein Symbol der Versöhnung (Sühne-K.). – Ersatz für den K. kann die *K.hand* sein, die wohl als Zuwerfen des K.es auf mag. Vorstellungen zurückgeht. – Die Erinnerung an den Mißbrauch des K.es durch Judas lebt als *Judas-K.* noch in unserem Sprachgebrauch.

Kuß: Judaskuß; nach einer Miniatur aus dem Psalter des Heinr. v. Blois

Kutte ↗Mönchsgewand.

Labyrinth *s,* urspr. Bz. für den mit zahlreichen unübersichtl. Gängen ausgestatteten Palast des Königs Minos auf Kreta, später für die von Dädalus erbaute Behausung des ↗Minotaurus. Von daher schließl. Bz. für alle Irrgärten in Architektur u. bildender Kunst. – Der Durchgang durch ein L. war verschiedentl. Bestandteil v. Initiationsriten (↗Initiation), er symbolisierte sowohl das Auffinden des verborgenen, spirituellen Zentrums wie den Aufstieg von der Dunkelheit zum Licht. – Die in vielen alten Kirchen auf dem Fußboden dargestellten L.e sind Sinnbilder des menschl. Lebens mit all seinen Prüfungen, Schwierigkeiten u. Umwegen; das Zentrum symbolisiert häufig die Heilserwartung in Gestalt des himmlischen Jerusalem (↗Jerusalem, himmlisches).

Labyrinth: Fußbodenmuster in der Kirche S. Vitale in Ravenna; 6. Jh.

Lamm, *Schaf,* wegen seiner Einfalt u. Duldsamkeit u. wegen seiner weißen Farbe Symbol der Sanftmut, Unschuld u. Reinheit. Im Altertum neben dem ↗Widder das häufigste Opfertier, daher auch Symbol für Christus u. dessen Opfertod. In der christl. Kunst deutet ein Lamm inmitten anderer Schafe oder abseits stehend auf das Lamm Gottes, das der Welt Sünden trägt. Gruppen v. Lämmern oder Schafen repräsentieren auch die Gläubigen oder die Kirche der Märtyrer (Christus erscheint dabei in der Rolle des Guten ↗Hirten). Das Jüngste Gericht wird u. a. unter dem Bild Christi vorgestellt, der die Schafe v. den Böcken scheidet. – Das Schaf ist das 8. Zeichen des chin. ↗Tierkreises, es entspricht dem ↗Skorpion.

Lamm: Osterlamm; Terrakotta, aus der Werkstatt des A. della Robbia

Lampe, repräsentiert häufig bildhaft das nicht darstellbare ↗Licht, oft unter dem Gesichtspunkt des individuellen geistigen Lichts, der einzelnen geistigen

Lampe: kluge (links) u. törichte (rechts) Jungfrau mit brennender bzw. leerer Öllampe; 2 Holzschnitte aus einer Folge v. N. M. Deutsch, 1518

Wesenheit; so kann das Entzünden u. Verlöschen einer L. Geburt u. Tod eines Menschen bedeuten. Vor allem in der Antike galt die L. daher auch einfach als Symbol für Leben u. Tod. – Die *Öllampe* aus Ton ist in verschiedener Hinsicht ein Symbol für den Menschen: sie ist, wie er, aus "Lehm" gemacht, sie beherbergt in Gestalt des Öls (↗Öle) eine Art "Lebenskraft"; wird sie entzündet, erscheint sie als Träger des Geistes, den die ↗Flamme symbolisiert. – Die vorsorgl. mit Öl gefüllte L. ist in dem bibl. Gleichnis v. den klugen u. törichten Jungfrauen ein Symbol der geistl. Wachsamkeit u. Bereitschaft. – Brennende L.en auf Gräber zu stellen ist ein nicht nur im Christentum übl. Brauch, der auf die jeweiligen religiösen Vorstellungen vom jenseitigen göttl. Licht verweist. ↗Laterne.

Laterne: L. v. dem Tempel in Nikko, Japan

Lanze, *Speer,* wie alle Waffen Kriegs- u. Macht-Symbol; weiterhin Symbol des Sonnenstrahls, phall. Symbol, gelegentl. auch der Symbol-Bedeutung der ↗Weltachse nahestehend. – In der christl. Kunst weisen Tiere, die v. L.n durchbohrt werden, oft auf Laster, die überwunden werden müssen; die Personifikationen v. Tugenden sind aus diesem Grunde häufig mit L.n als Attributen dargestellt. Im engeren Sinne ist die L. ein Attribut der Kardinaltugend Tapferkeit. – Die eucharist. Verwendung einer kleinen L. in der orthodoxen Kirche weist symbolisch auf die L. des Longinus, der den Tod Christi durch einen L.nstich in die Brust feststellte (die Longinus-L. spielte im MA, z. B. in der Gralssage, eine große Rolle).

Lapislazuli *m,* galt wegen seiner blauen Farbe u. der zahlreichen eingeschlossenen goldenen Pünktchen im Altertum als Sinnbild des gestirnten Himmels. – Im Orient geschätzt als Mittel gg. den bösen Blick.

lapis philosophorum ↗Stein der Weisen.

Leber: ein Adler frißt an der L., also Lebenskraft des Prometheus; von einer Schale aus Caere

Lärche, Kieferngewächs der nördl. gemäßigten Zone. – In Sibirien stellte man sich den Weltenbaum (↗Baum) als L. vor, an dem Sonne u. Mond in Gestalt eines goldenen u. eines silbernen Vogels auf- u. [absteigen.

Larve ↗Maske.

Laterne, entspricht symbolisch weitgehend der ↗Lampe. L.n begegnen vor allem in jap. Tempel- u. Gartenanlagen als Sinnbilder des Lichts u. geistiger [Klarheit.

Laubbaum ↗Baum.

Lavendel, sehr würzig duftender, unscheinbar blühender Lippenblüter des Mittelmeergebiets; seit alters zum Baden, Waschen u. als Heilmittel verwendet. Im MA gelegentl. symbolisch auf die Tugenden Marias bezogen.

Lebensbaum, *Thuja,* wie alle immergrünen Pflanzen Unsterblichkeits-Symbol. – L. als *Baum des Lebens* ↗Baum, ↗Kreuz.

Lebensfaden ↗Moiren.

Leber, galt bei verschiedenen Völkern als Sitz der

Leberblümchen

Leier: Orpheus mit der L.; v. einem Krater aus Gela, um 450 v. Chr.

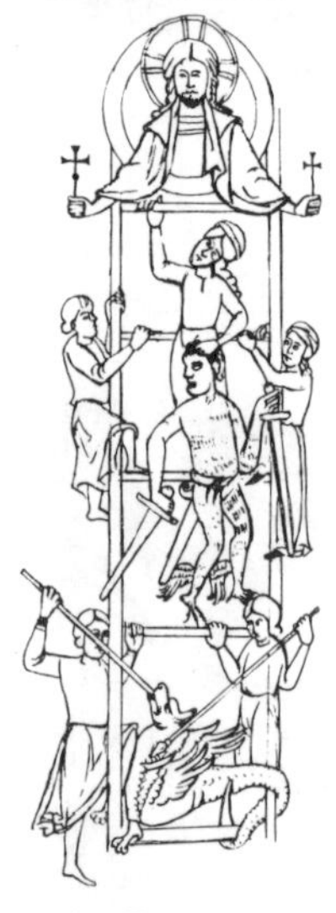

Leiter: Tugendleiter, nach einer Miniatur aus Zwettl

Leopard: Mänade mit Leopard v. einer Schale des Brygos-Malers; um 490 v. Chr.

Lebenskraft, der Begierde, des Zorns, aber auch der Liebe. Aus *Tierlebern* glaubte man die Zukunft voraussagen zu können *(Leberschau),* wozu vor allem in Babylonien, aber auch beispielsweise bei den Etruskern, ein ausgeklügeltes Interpretations-System bestand. – Dem Essen der L. schrieb man die Kraft zu, Verzauberungen aufheben zu können.

Leberblümchen, als heilkräftige Pflanze in der Symbolik des christl. MA Marien-Symbol; wegen seiner Dreiblättrigkeit auch Trinitäts-Symbol.

Lehm ↗Gefäß.

Leier, *Harfe,* Symbol göttl. Harmonie u. der harmon. Verbindung zw. ↗Himmel u. ↗Erde. – Die L. ist ein Attribut des griech. Gottes Apollo sowie allg. ein verbreitetes Symbol der Musik u. Poesie. – Die Töne der L. galten verschiedentl. (z. B. im Orpheusmythos) als zauberwirksam, insbes. als wilde Tiere besänftigend. – In der Bibel erscheint das Harfenspiel oft als Ausdruck des Dankes u. des Lobes Gottes.

Leiter, *Stufenleiter,* in verschiedenen Varianten Symbol einer Verbindung zw. ↗Himmel u. ↗Erde (in diesem Zshg. gelegentl. der symbol. Bedeutung des ↗Regenbogens nahestehend); Symbol des Aufstiegs; Symbol einer gradweisen Steigerung oder einer Entwicklung. Die Anzahl der Sprossen entspricht oft einer heiligen Zahl (häufig ↗Sieben), die einzelnen Sprossen haben gelegentl. verschiedene Farben (z. B. im Buddhismus) oder bestehen aus verschiedenen Metallen (z. B. in den Mithras-Mysterien); oft entsprechen sie damit zugleich verschiedenen Stufen einer spirituellen Einweihung. – Die Bibel erwähnt u. a. Jakobs Traum v. der *Himmelsleiter,* an der die Engel auf- u. niedersteigen: ein Symbol der lebendigen Beziehung zw. Gott u. Mensch. – In der christl. Kunst begegnet häufig die *Tugendleiter,* auf der die tugendhaften Menschen, allseits von Dämonen bedroht, Stufe für Stufe nach oben gelangen. – Als Orte der geistigen Höherentwicklung wurden auch die Klöster gelegentl. mit L.n verglichen (Zisterzienser- u. Kartäuserklöster heißen manchmal auch „Scala Dei"). – ↗Treppe.

Leopard, häufig ein Symbol für Wildheit, Aggressivität, Kampf oder Stolz. – In China galt der L. im Ggs. zum sonnenhaften ↗Löwen als mondhaftes Tier. – In afrikan. Mythen dagegen wird er mit dem Licht der Morgensonne in Verbindung gebracht. – Die Antike kannte den L. als Attribut der Artemis u. des Dionysos, er galt als ein Symbol der Stärke u. Fruchtbarkeit u. spielte in diesem Sinne auch im Dionysos- bzw. Bacchus-Kult eine Rolle; seiner wilden Sprünge wegen wurde er mit den Mänaden verglichen. ↗Panther.

Lerche, Vogel, der senkrecht zum Himmel aufsteigt u.

sein Nest auf der Erde baut; damit Symbol für die Verbindung v. ↗Himmel u. ↗Erde.

Lernäische Schlange ↗Hydra.

Leuchter, Symbol des (geistigen) Lichtes u. des Heils. Der aus reinem ↗Gold gefertigte, siebenarmige L. (↗Sieben) des Judentums entspricht wohl z. T. dem Lichtbaum der Babylonier; er steht auch in Zusammenhang mit kosmischer Symbolik (sieben Planeten, sieben Himmel). – In der christl. Kunst des MA symbolisiert der siebenarmige L. häufig das Judentum.

Leuchter: der siebenarmige L. als Symbol des AT; nach einer elsäss. Miniatur, 12. Jh.

Leuchtkäfer, mit Bezug auf seine Eigenschaft, in der Dunkelheit aus eigener Kraft zu leuchten, gelegentl. als Sinnbild nach dem Tode weiterlebender Seelen verstanden. – In China traditionelles Attribut armer Studierender, da sein Schein diesen bei Nacht als einzige Lichtquelle beim Lesen der Bücher dient.

Leuchtturm ↗Turm.

Leviathan *m,* urspr. Ungeheuer der phönik. Mythologie, das das Chaos symbolisiert; er lebt danach zumeist im Meer u. es besteht ständig die Gefahr, daß er v. dort wieder aufsteigt u. die bestehende Ordnung bedroht. – In der Bibel u. der christl. Kunst, wo er dem ↗Drachen, der ↗Schlange, dem ↗Krokodil oder dem ↗Wal nahesteht, erscheint er als die v. Gott besiegte Verkörperung des Chaos, des Teufels oder des Antichrist.

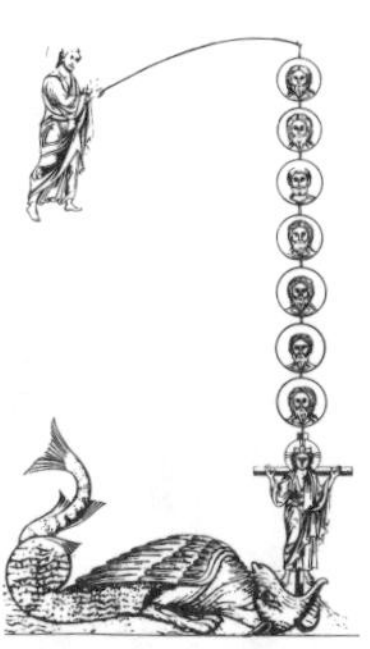

Leviathan: der Fang des L. mit der siebenteiligen Angelrute des Stammes Jesse u. dem Gekreuzigten als Köder, aus: Herrad v. Landsberg, Hortus deliciarum, 1180

Liber Mundi ↗Buch.

Licht, allgegenwärtige Erscheinung, die uns in ihren Wirkungen vertraut, in ihrem Wesen weitgehend unfaßbar ist. Von daher bevorzugtes Symbol für Immaterialität, Geist, Gott, aber auch Leben oder Glück. Verschiedentl. findet man noch eine engere Unterscheidung zw. dem L. der ↗Sonne, das die Inspiration u. geistige Schau symbolisiert u. dem L. des ↗Mondes, das – als reflektiertes L. – die mittelbare Erkenntnisform des rationalen, diskursiven Denkens versinnbildlicht. – Das L. begegnet häufig in Abgrenzung zur *Finsternis,* die dann meistens als Symbol für Nicht-Erkennen u. geistige Dumpfheit, für moral. unterentwickelte oder minderwertige Bereiche u. Zustände, für Tod, Unglück oder aber für „Geheimnis" erscheint. – Die räuml. Vorstellung v. „oben" u. „unten" (↗Höhe, ↗Tiefe) entspricht im symbol. Denken dem Verhältnis v. L. u. Finsternis. – Fast alle auf einer Zweiteilung der Welt basierenden Grundprinzipien beziehen sich auf die Unterscheidung v. L. u. Dunkelheit, so z. B. Ormuzd u. Ahriman, ↗Yin und Yang, Engel u. Dämonen, Geist u. Materie, Männl. u. Weibl. usw. Die Vorstellung eines Aufstiegs vom Dunkel zum L. spielt bei vielen Völkern eine wichtige Rolle sowohl in bezug auf die Menschheits- wie die Individualentwicklung; auch zahlreiche Initiationsriten

Licht: Personifikation des L.s; nach einer elsäss. Miniatur des 12. Jh. (Ausschnitt)

Lichtnelke

sind deshalb auf dieser Dualität aufgebaut. – Die Scheidung v. L. u. Finsternis am Uranfang der Welt als ein Setzen der ersten Ordnung begegnet in den kosmogon. Vorstellungen vieler Völker. – Mystiker sprechen gelegentl. v. einem Dunkel, das „jenseits" (im Ggs. zu „unterhalb") des L.s der Erkenntnis liegt u. das die prinzipielle Unerkennbarkeit Gottes symbolisiert. – In der bildenden Kunst wird die geistige *Erleuchtung* einer Persönlichkeit häufig durch eine ↗Aureole, einen ↗Nimbus oder einen ↗Heiligenschein veranschaulicht. ↗Feuer, ↗Sonnenfinsternis.

Lichtnelke, in Europa u. Nordasien verbreitete Wiesenpflanze mit rosenrot leuchtenden Blüten; in der christl. Kunst des MA Marienattribut.

Lilie: Kaiser Friedrich I. Barbarossa mit Lilienzepter; nach einer Miniatur aus der Weltchronik, Altdorf (heute Weingarten), letztes Viertel 12. Jh.

Lilie. Die *weiße L.* ist ein altes u. weitverbreitetes Licht-Symbol; daneben gilt sie, vor allem in der christl. Kunst, als Symbol der Reinheit, Unschuld u. Jungfräulichkeit (bes. häufig auf Mariendarstellungen, z. B. sehr oft im Zshg. mit der Verkündigung durch den Erzengel Gabriel); möglicherweise handelt es sich dabei um die Sublimierung einer ursprüngl. phallischen Bedeutung, die man der L. wegen der auffälligen Form ihres Stempels beimaß. Eine L., die auf Darstellungen Christi als Weltenrichter aus dessen Munde hervorkommt, ist ein Symbol der Gnade. – Die Bibel spricht v. den „L.n auf dem Felde" als einem Symbol der vertrauensvollen Hingabe an Gott. – Die L. ist außerdem ein uraltes Königs-Symbol u. spielt auch in der Heraldik eine wichtige Rolle v. wechselnder Bedeutung, so kann sie z. B. auf das Patronat der Gottesmutter Maria verweisen oder, mit deutlicher Dreizahl ihrer Blütenblätter, auf die Dreieinigkeit.

Linde, wurde bei Germanen u. Slawen als heiliger Baum verehrt. Sie galt als blitzabwehrend u. sollte angebl. bei Berühren Krankheiten an sich ziehen. Häufig verkörperte sie das Zentrum v. Gemeinschaften oder baul. Anlagen, so die Gerichts-, Friedhofs-, Brunnen-, Dorf-L. – Im Ggs. zur ↗Eiche wird die L. häufig als weibl. verstanden.

Linga *s, Lingam,* in Indien als Kultbild verbreitete plast. Phallus-Darstellung, Symbol des Gottes Shiva; begegnet sowohl als naturalist. Abbild wie als Säulenstumpf, oft auf quadrat. Basis mit achtkantigem Mittel- u. zylindrischem Oberteil (gelegentl. mit einem oder mehreren Köpfen); symbolisiert die göttl. u. die männl. Schöpferkraft, wahrscheinl. auch die ↗Weltachse. Das weibl. Gegenstück zum L. ist die ↗Yoni. Ein L. mit der Kundalinischlange (↗Schlange) umwunden symbolisiert die Erkenntniskraft, in Verbindung mit der Yoni ist es u. a. ein Sinnbild aufbrechender Erkenntnis u. der Verbindung v. Form u. Materie.

Links ↗Rechts u. links.

Linde

Loch, Symbol der Öffnung, gelegentl. des Aufbruchs

ins Ungewisse, aber auch Symbol der Nichtigkeit u. des Mangels. – Verschiedentl. auch Symbol des weibl. Genitales. – Die mit einem L. versehene chin. Jade-Scheibe „Pi" ist ein Himmels-Symbol; das L. repräsentiert hier das Hereinscheinen der geistigen in die ird. Welt.

Lorbeer, wie alle immergrünen Pflanzen Unsterblichkeits-Symbol. – Galt in der Antike als phys. u. moral. reinigend; man schrieb ihm auch die Fähigkeit zu, dichterische Inspiration u. Weissagungskraft zu verleihen; außerdem galt er als blitzabwehrend. Er war vor allem dem Apollo heilig. – In Verbindung mit Triumphzügen tauchte er zunächst wegen der ihm zugeschriebenen Reinigungskraft auf: man wollte sich v. dem im Kriege vergossenen Blut reinigen; später galt er dann einfach als Symbol für Sieg u. Triumph u. – mit Bezug auf seine Unsterblichkeitsbedeutung – als Sinnbild für die dadurch errungene Unsterblichkeit; in diesem Sinne wurde er auch zur Auszeichnung besonderer Leistungen in Wissenschaft u. (vor allem Dicht-)Kunst, meist als L.kranz, verwendet.

Lorelei ↗Sirenen.

Lot, *Senkblei,* Symbol der Vertikalität, zeitweilig auch der ↗Weltachse. Vor allem im Freimaurertum Symbol des geistigen Gleichgewichts, des aufrechten Geistes. In der bildenden Kunst gelegentl. Symbol für Architektur, für Geometrie, aber auch für Maß u. Gerechtigkeit.

Lotos *m,* ägypt. u. asiat. Art der Seerose, spielt als Symbol in Ägypten, Indien u. Ostasien eine bedeutende Rolle. Da er am Abend seine Blüte schließt u. ins Wasser zurückzieht u. erst bei Sonnenaufgang wieder auftaucht u. sich öffnet, ist er ein altes Licht-Symbol; als weiße, blaue oder rote Blüte, die aus schlammigem Wasser aufsteigt, ist die L.blüte ein Symbol der das Unreine überwindenden Reinheit. – In Ägypten galt der L., der in sich die Sonne trägt, als aus dem Urwasser entstanden u. war damit zugleich Symbol für die Entstehung der Welt aus dem Feuchten; insbesondere war er deshalb auch dem heiligen, lebenspendenden Nil verbunden. Er war Attribut verschiedener Gottheiten, wurde bei Bestattungs- u. Opferriten verwendet u. spielte eine wichtige Rolle in der Tempelarchitektur u. -ornamentik. Der Duft des blauen, wohlriechenden L. galt als lebenerneuernd. – Auch Buddhismus u. Hinduismus kennen eine reiche mit dem L. verbundene Symbolik. Die auf den Urgewässern schwimmende Knospe der L.blüte gilt, ähnlich dem Weltenei (↗Ei), als Symbol der Gesamtheit aller noch nicht entfalteten Möglichkeiten vor Erschaffung der Welt (gesondert auch als Symbol des menschl. Herzens), die geöffnete Blüte ist ein Sinnbild der Schöpfung. Die achtblättrige L.blume ist ein Symbol aller Himmelsrichtungen u. damit zugleich ein Sinnbild

Linga: phallisches Symbol des ind. Gottes Shiva

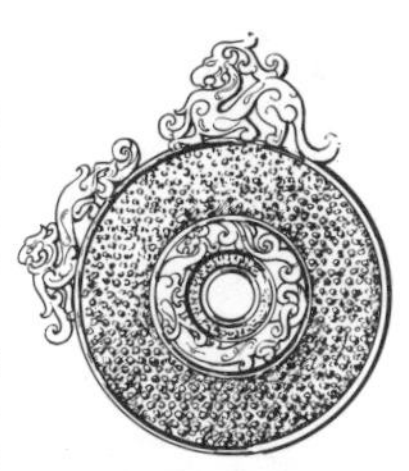

Loch: das chin. Himmelssymbol Pi aus Jade; spätere Chou-Zeit

Lorbeer: L.kränze auf antiken Münzen

Lotos: das lebenspendende Riechen an einer L.blüte; Ausschnitt nach einer Wandmalerei im Grab des Nacht bei Theben, 18. Dyn., um 1400 v. Chr.

Löwe: jugendl. Gottheit in der aufgehenden Sonne, getragen v. zwei L.n, die den östl. u. westl. Horizont symbolisieren; nach einer Darstellung im Totenpapyrus der Heri-uben, 21. Dyn.

Löwe: bronzenes Löwenstandbild in Braunschweig

der kosm. Harmonie; in diesem Zshg. begegnet sie häufig als Meditationszeichen. Brahma wird meistens auf einem L.blatt, Buddha auf einer L.blüte bzw. aus ihr hervorgehend dargestellt. Das „Kleinod in der Lotosblüte" (mani padme) ist das Nirwana, das bereits latent in der Welt anwesend ist. Die tausendblättrige L.blüte gilt als Symbol der Gesamtheit aller geistigen Offenbarung. In Indien wird häufig auch zw. der rötl. L.blüte als sonnenhaftem u. der bläul. als mondhaftem Symbol unterschieden. – Die Verknüpfung des L. bzw. der Seerose mit Reinheitsvorstellungen reicht in etwas veräußerlichter Form bis ins europ. MA: da seine bzw. ihre Samen u. Wurzeln als Mittel zur Beruhigung sinnlicher Triebe galten, wurden sie Mönchen u. Nonnen als Medikament empfohlen.

Löwe, gilt als „König" der Tiere der Erde (neben dem ↗Adler als „König" der Vögel); weitverbreitetes Symbol-Tier, meist mit sonnenhafter Bedeutung oder engem Bezug zum Licht, u. a. wohl wegen seiner Kraft, seiner goldgelben Farbe u. der strahlenartigen Mähne, die sein Haupt umgibt; die Beziehung zum Licht drückt sich auch in der ihm zugeschriebenen Eigenart aus, niemals die Augen zu schließen. Weitere symbolprägende Eigenschaften sind vor allem Mut, Wildheit u. angebliche Weisheit. – Als Sinnbild der Macht u. Gerechtigkeit begegnet seine Darstellung oft an Herrscherthronen u. -palästen. – In China u. Japan galt der L. ähnl. wie der ↗Drache als dämonenabwehrend, weshalb er z. B. häufig als Tempelwächter dargestellt wurde. Auch ägypt., assyr. u. babylon. Tempel werden oft v. L.nplastiken bewacht. – In Ägypten begegnen Darstellungen v. zwei einander mit dem Rücken zugewandten L.n, die Aufgang u. Untergang der Sonne, Osten u. Westen, Gestern u. Morgen symbolisieren. – Im Mithraskult symbolisiert der L. die Sonne. – Der ind. Gott Krishna sowie Buddha werden mit L.n verglichen. – Wegen seiner unbändigen Kraft stand der L. vor allem in der Antike auch Fruchtbarkeits- u. Liebesgöttern nahe, so Kybele, Dionysos (Bacchus) u. Aphrodite (Venus). – Die Bibel erwähnt den L.n häufig, er begegnet sowohl in positiver wie negativer Symbol-Bedeutung: Gott gleicht dem L. in seiner Macht u. Gerechtigkeit, der Stamm Juda wird mit einem L.n verglichen, Christus selber heißt „der L. von Juda"; andererseits wird aber auch der Teufel mit dem reißenden L.n in Zshg. gebracht. – Das MA sah im L. auch ein Symbol der Auferstehung Christi, u. a. mit Bezug auf die v. mehreren Autoren berichtete Auffassung, daß die L.n tot geboren u. nach drei Tagen vom Hauch ihres Vaters zum Leben erweckt werden. Darstellungen v. brüllenden L.n können auch auf die Auferstehung der Toten am Jüngsten Tag verweisen. – Auf den negativen, bedrohlichen Aspekt

Löwe: Tierkreiszeichen

des kraftvollen L.n beziehen sich mittelalterl. Darstellungen, die Menschen oder andere Tiere verschlingende L.n zeigen: meist Symbole für unheilvolle, bedrohl. oder für strafende Mächte. Ähnl. negativ begegnet die Stärke des L.n auch in Darstellungen oder myth. Erzählungen v. *L.nkämpfen* u. *-jagden,* in denen er als Repräsentant ungezähmter Wildheit v. Helden überwunden wird (Herakles, Samson). – Der geflügelte L. ist Attribut u. Symbol des Evangelisten Markus (↗Evangelistensymbole). – In der Heraldik begegnet der L., meist mit Bezug auf seine Stärke, häufig als Wappentier u. Wappenschildhalter. – Der L. ist das 5. Zeichen des ↗Tierkreises; sein Element ist das ↗Feuer.

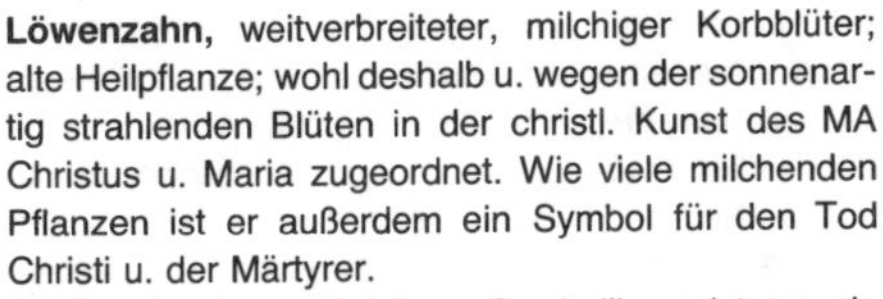

Löwenzahn, weitverbreiteter, milchiger Korbblüter; alte Heilpflanze; wohl deshalb u. wegen der sonnenartig strahlenden Blüten in der christl. Kunst des MA Christus u. Maria zugeordnet. Wie viele milchenden Pflanzen ist er außerdem ein Symbol für den Tod Christi u. der Märtyrer.

Löwenzahn

Luchs, in der mittelalterl. Symbolik meistens ein Symbol des Teufels. Da man ihm die Fähigkeit zuschrieb, durch Mauern u. Wände blicken zu können, begegnet er auch bei Darstellungen der fünf Sinne als Personifikation des Gesichtssinnes.

Luft, neben der ↗Erde, dem ↗Wasser u. dem ↗Feuer in den kosmolog. Vorstellungen vieler Völker eines der vier ↗Elemente; sie gilt wie das Feuer als bewegl., aktiv u. männl., im Ggs. zu den weibl., passiven Elementen Wasser u. Erde. Die L. steht symbolisch in engem Zshg. mit dem ↗Atem u. dem ↗Wind; oft galt sie als feinstoffl. Zwischenreich zw. dem ird. u. dem geistigen Bereich, verschiedentl. sah man in ihr auch ein Symbol des unsichtbaren, aber in seinen Wirkungen spürbaren Geistes. – In der Astrologie wurde die L. verknüpft mit den Tierkreiszeichen (↗Tierkreis) Zwillinge, Waage u. Wassermann. – In der Alchimie wird die L. häufig durch das Zeichen 🜁 versinnbildlicht.

Luftblase ↗Blase.

Lumpen, Symbol materieller Armut; dahinter kann sich vor allem im Märchen innerer Reichtum verbergen: Sinnbild der Überlegenheit des Wesentlichen gegenüber dem bloßen Schein.

Luxuria (Wollust), weibl. Personifikation einer der 7 Todsünden, reitet auf einem Schwein oder Bock; Symbole u. a.: Spiegel, Sirene.

Magische Quadrate, nach Art des Schachbrettes in quadrat. Felder eingeteilte Flächen. Die Quadrate sind meistens mit bestimmten *Zahlen* so besetzt, daß die Summe jeder waagrechten, senkrechten u. diagonalen Reihe die gleiche Zahl ergibt. Sie besaßen einst magische Bedeutung (als Sinnbild der Harmonie). Daneben gibt es auch *mag. Buchstabenquadrate,* z. B. die ↗Sator-Arepo-Formel.

Magneteisenstein: der M. zieht die Nägel aus einem Schiff; Holzschnitt, 1509

Magneteisenstein, in der Antike *lapis amoris* genannt, weil er wie die Liebe Anziehung ausübt. – Im MA als Sinnbild für die Anziehungskraft Gottes gegenüber seinen Geschöpfen gedeutet, daher auch *lapis gratiae* (Stein der Gnade) genannt. – Eine auf antiker Überlieferung beruhende, im MA weitverbreitete Fabel berichtet v. einem Magnetberg im Meer, der alle vorüberfahrenden Schiffe aufgrund ihrer eisernen Bestandteile an sich zog, so daß diese an ihm zerschellen mußten; er wurde als Symbol der Sünde verstanden, an dem das Lebensschiff (↗Schiff) zugrunde gehen muß, sofern es sich nicht an Maria, dem ↗Meerstern, orientiert.

Maiẹstas Dọmini *w,* in der christl. Kunst symbolische Darstellung der ewigen Herrlichkeit des erhöhten Christus: Frontaldarstellung des häufig v. einer ↗Mandorla umgebenen thronenden Christus mit erhobener rechter u. dem ↗Buch des Lebens in der linken Hand, oft v. den ↗Evangelistensymbolen oder den 24 Ältesten der Apokalypse umgeben.

Maiglöckchen

Maiglöckchen, gg. zahlreiche Leiden verwendete Heilpflanze, häufiges Attribut Christi u. Marias (auf Verkündigungsdarstellungen gelegentl. anstatt der ↗Lilie); symbolisiert das „Heil der Welt".

Mais, in einigen indian. Kulturen hochverehrte Nährpflanze, die mit dem Kosmos, der ↗Sonne u. der Entstehung des Menschen in Zshg. gebracht wurde. Sie galt als Symbol für Wohlstand u. Glück.

Malve, *Stockrose,* Pflanze der nördl. gemäßigten Zone, als Heilmittel verwendet. Bereits im Altertum galten die Blätter der M. als Zeichen einer Bitte um Vergebung; in der christl. Kunst begegnet die M. gelegentl. in derselben Bedeutung.

Mais: die aztekische Maisgöttin Chicomecoatl

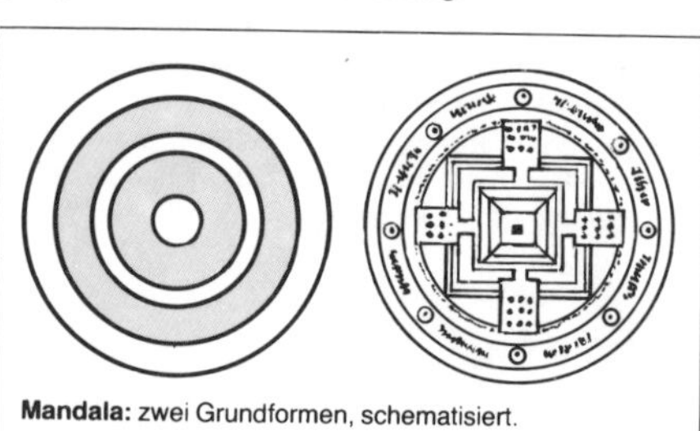

Mandala: zwei Grundformen, schematisiert.

Mandala *s,* altind. Bz. für ↗„Kreis"; das Wort bezeichnete später vor allem abstrakte oder mit bildhaften Elementen durchsetzte Meditationszeichen ind. Religionen in Form eines Kreises oder eines Vielecks; stellt symbolisch religiöse Erfahrungen dar u. will durch die Meditation ein Hilfsmittel zur Vereinigung mit dem Göttl. sein. – C. G. Jung interpretierte die M.s als Individuations-Symbole u. fand den asiat. entsprechende auch in der Traumsymbolik des modernen Menschen. ↗Yantra.

Malve

Mandel, als süße Frucht in einer harten Schale Symbol des Wesentlichen, Geistigen, das hinter Äußerlichkeiten verborgen ist. Symbol Christi, weil seine menschl. Natur seine göttl. verbirgt, auch Sinnbild seiner Inkarnation. In der Antike galt die M. wie die Nuß wegen ihres beschützt geborgenen Kerns als Symbol der Schwangerschaft u. Fruchtbarkeit u. wurde daher bei Hochzeiten ausgestreut. Da man den genießbaren Kern erst aus der Schale herausarbeiten mußte, war sie auch ein Symbol der Geduld. Das aus der M. gewonnene Öl hatte bei den Griechen phall. Bedeutung, es galt als der Samen des Zeus.

Mandelbaum, blüht in den Mittelmeerländern bereits im Januar; er wurde damit zum Symbol der Wachsamkeit (weil er früh „erwacht") u. der Wiedergeburt.

Mandorla *w, Mandelglorie,* mandelförmige ↗Aureole, die auch an der symbolischen Bedeutung der ↗Mandel teilhat; seit frühchristl. Zeit hauptsächl. für Darstellungen des verherrlichten Christus u. Marias verwendet.

Mandorla: Christus in der M.; nach einer Miniatur, Pontifical v. Chartres, Anf. 13. Jh.

Mandragola ↗Alraune.

Mandragora ↗Alraune.

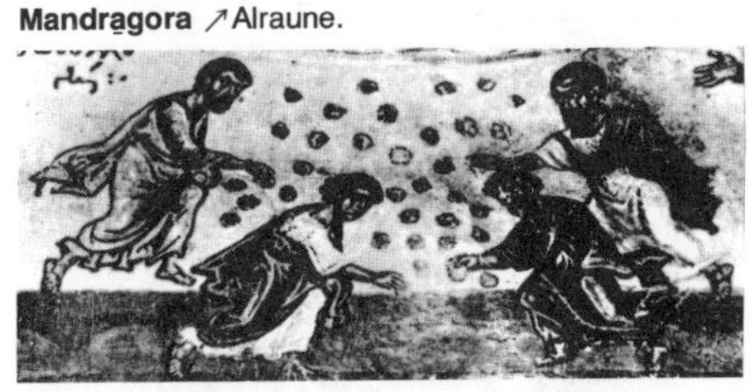

Manna: Wachtel- u. M.regen; byzantin. Oktateuch in Smyrna, 1. Hälfte 13. Jh.

Manna *s* oder *w,* wunderbare Nahrung, die für die Kinder Israels auf ihrem Zug durch die Wüste vom Himmel fiel; nach Talmud-Tradition am Abend des 6. Schöpfungstages geschaffen. Symbol. Bz. für jede übernatürl. Nahrung. Von jüd. u. christl. Autoren auch als Symbol des Logos gedeutet.

Männlich-weiblich ↗Yin und Yang, ↗Licht.

Mantel, Symbol des Schutzes (z. B. der M. der *Schutzmantelmadonna* in der christl. Kunst des MA) oder der Würde (z. B. der Königs-M.). Gelegentl. auch Symbol für den Träger selbst.

Mantel: Schutzmantelmadonna aus: Speculum humanae salvationis, um 1350

Mantelpavian ↗Affe.

Marabu ↗Storch.

Margarite

Margarite, *Marguerite, Wiesen-Wucherblume,* Korbblüter mit weißstrahlenden Blüten; wie der Name M. sagt (lat. margarita = Perle), wurde die Pflanze mit der ↗Perle u. damit zugleich mit Tränen, aber auch mit vergossenen Blutstropfen verglichen. Auf christl. Tafelbildern des MA weist sie daher häufig auf Christi u. der Märtyrer Tod u. Leiden hin.

Marionette, Figur, die an Fäden, Drähten oder Stäben v. oben gehalten u. bewegt wird; Symbol für die Abhängigkeit des Menschen v. übergeordneten Mächten; im engeren Sinne auch Sinnbild für eine willenlose, außengesteuerte Persönlichkeit.

Mars (Planet) ↗Eisen.

Maske, *Larve,* sehr alte Form einer häufig bes. ausdrucksstarken Gesichtsumhüllung; diente zum Erschrecken v. Feinden, zu mag. Praktiken u. zur Darstellung v. Geistern u. personifizierten Kräften v. Tieren u. Menschen, meist mit auffälliger Betonung bestimmter stereotyper Charakterzüge. – Auf spätantiken Sarkophagen weisen Theater-M.n auf das „Schauspiel des Lebens" hin. – Heute oft verstanden als Sinnbild für das Verbergen des Ich hinter einem künstl. Gesicht.

Maßliebchen ↗Gänseblümchen.

Materia Prima ↗Hermaphrodit ↗Mercurius, ↗Stein der Weisen, ↗Wasser.

Maulbeerbaum, stand in China mit der aufgehenden ↗Sonne in Zshg. Pfeile, die v. einem Bogen aus M.holz (oder dem Holz des ↗Pfirsichbaums) in alle vier Himmelsrichtungen abgeschossen wurden, sollten böse Einflüsse vertreiben.

Maske: zwei griech. Theatermasken

Maulbeerfeige ↗Sykomore.

Maus. Im Ggs. zu den übrigen Mäusen wurde bei den Ägyptern die *Spitz-M.* als heiliges Tier verehrt. – *Weiße* Mäuse galten bei den Römern als glückl. Omen. – Der Volksglaube des MA sah in Mäusen entweder Verkörperungen v. Hexen oder aber auch v. Seelen Verstorbener; weiße Mäuse wurden dagegen verschiedentl. als Verkörperungen der Seelen ungeborener Kinder gedeutet. Die *Mäuseplage* wurde demgegenüber häufig als Strafe Gottes verstanden.

Maya ↗Schleier.

Meer, Sinnbild unerschöpfl. Lebenskraft, aber auch des alles verschlingenden Abgrundes, insofern in der Perspektive der Psychoanalyse dem Doppelgesicht der gebenden u. nehmenden, gewährenden u. strafenden Großen Mutter verwandt; als Reservoir zahlloser ungehobener Schätze u. im Dunkel verborgener Gestalten auch Sinnbild des Unbewußten. – Als unermeßl. große Fläche Symbol der Unendlichkeit z. B. bei den Mystikern Symbol des Aufgehens in Gott. ↗Wasser.

Maulbeerbaum

Meerstern, in der christl. Symbolik sinnbildl. Bz. für

Maria, die über den Wogen u. Stürmen der Welt richtungsweisend u. trostspendend für die Gläubigen erstrahlt.

Meißel, ähnlich wie der ↗Pflug Symbol des aktiven, männlichen Prinzips, das die passive, weibliche Materie bearbeitet u. formt.

Melone, wie die meisten Früchte mit vielen Kernen ein Fruchtbarkeits-Symbol.

Menhir *m,* aufrechtstehender Stein mit wahrscheinl. häufig kult. Bedeutung, zumeist der späten Jungsteinzeit entstammend; möglicherweise vielfach Phallus-Symbol im weitesten Sinne, also auch Symbol für Macht u. Schutz; vielleicht auch mit der Symbolik der ↗Weltachse in Zshg. stehend.

Mensch. Der M. selber sowie Teile u. Prozesse des menschlichen Körpers erscheinen in vielen Kulturen als Sinnbild außermenschlicher Zusammenhänge. Verbreitet ist die Deutung des M.en als *Mikrokosmos* in Analogie zum Weltall (Makrokosmos). – Sehr häufig finden sich Zuordnungen menschlicher Körperteile, Organe oder Grundsubstanzen zu anderen Bereichen, so entsprechen beispielsweise die Knochen (als tragendes Gerüst) der ↗Erde, der Kopf (als Sitz des Geistes) dem ↗Feuer, die Lungen (als Atmungsorgan) der ↗Luft u. das Blut (als flüssige, alles verbindende Substanz) dem ↗Wasser. Die Heilkunst früherer Zeiten basierte zu einem großen Teil auf der Annahme von Entsprechungen zw. Phänomenen des menschl. Körpers u. Phänomenen der übrigen Welt (↗Tierkreis). – Der (häufig geflügelte) M. ist das Attribut des Evangelisten (↗Evangelistensymbole) Matthäus.

Mercurius, *Merkur,* altröm. Gott des Handels (später dem Hermes gleichgesetzt). Name des sonnennächsten Planeten; in der Alchimie Bz. für das *Quecksilber* (die ird. Entsprechung des Planeten) u. darüber hinaus für die „Materia prima" (Urmaterie) oder für den ↗„Stein der Weisen". Das Quecksilber gilt in der Alchimie neben ↗Salz u. ↗Schwefel als eines der „philosophischen" Elemente u. Weltprinzipien; es repräsentiert das Flüchtige (spiritus). Den Merkur deutete man im Ggs. zu den „männl." Planeten Sonne, Mars, Jupiter u. Uranus u. den „weibl." Planeten Venus, Saturn u. Neptun als ↗Hermaphrodit; er spielte deshalb eine wichtige Rolle als Sinnbild aller die Gegensätze vermittelnden Praktiken der [Alchimie.

Merkur ↗Mercurius.

Messer, wie die ↗Schere als scharfschneidendes Arbeitsinstrument Symbol des männl., aktiven Prinzips, das die weibl., passive Materie bearbeitet. – Im Hinduismus ist das M. ein Attribut schrecklicher Gottheiten. – In vielen Kulturen gilt es auch als unheilabwehrend, was möglicherweise mit der symbo-

Meer: mischgestaltiges Meerwesen; Decke v. Zillis, Graubünden, 1. Hälfte 12. Jh.

Menhir: M. v. Gollenstein bei Blieskastel, Neolithikum, um 2000 v. Chr.

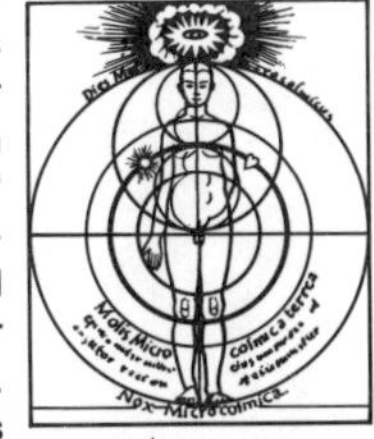

Mensch: M. als Mikrokosmos mit Licht- u. Schattenzonen; nach einer Darstellung in Roberto Fludd, Utriusque Cosmi Historia, Oppenheim, 1619

Mercurius als Sonne-Mond-Hermaphrodit, auf dem Chaos als Kugel stehend; aus: Mylius, Philosophia reformata, 1622.

lischen Bedeutung des Eisens (↗Eisen) zusammenhängt. – Ein M. in der Hand alttestamentl. Gestalten ist ein Beschneidungs-M. u. deutet auf die Zugehörigkeit zum alten Bund.

Met, vergorenes (↗Gärung) Getränk aus ↗Honig u. ↗Wasser; in der german. Mythologie Trank der Götter u. Helden. Die berauschende Wirkung wurde verschiedentl. als Zeichen der Übertragung göttlicher Kräfte auf den Menschen gedeutet.

Metalle: die 7 Wandelsterne der Antike (Merkur als der siebte im Zentrum), denen die Alchimisten bestimmte M. zuordneten

Metalle, begegnen unter dem Gesichtspunkt ihrer symbolischen Bedeutung ambivalent; die Verarbeitung v. M.n (↗Schmied) wurde häufig in Zshg. mit dem höll. Feuer gesehen. Andererseits galt die Gewinnung der M.e aus Erzen u. ihre Scheidung als Symbol der Läuterung u. Vergeistigung. – Die Alchimisten sahen in bestimmten M.n ird. Entsprechungen zu den einzelnen Planeten, unter denen man fr. die 7 Wandelsterne der Antike verstand. – C. G. Jung verstand die M. wegen ihres „unterirdischen“ Charakters als Sinnbild der Sexualität, die der Läuterung bedarf. – Bezug auf die negative symbol. Bedeutung nimmt der gelegentl. bei Initiationen (auch im Freimaurertum) übl. Brauch, sich aller M., die man am Körper trug, zu entledigen zum Zeichen der Reinigung bzw. des Verzichts auf alle ird. Güter.

Meteorit ↗Stein.

Metalle
Schema der alchimist. Entsprechungen zw. Metallen u. Planeten.

Sonne ☉ = Gold
Monde ☾ = Silber
Merkur ☿ = Quecksilber (in der Antike Stahl u. Zinn)
Venus ♀ = Kupfer
Mars ♂ = Eisen
Jupiter ♃ = Zinn (in der Antike Messing oder Elektrum)
Saturn ♄ = Blei

Midgardschlange ↗Schlange.
Mikrokosmos ↗Mensch.
Milan *m,* galt in Japan (vor allem der goldene M.) als göttl. Vogel. – In Griechenland war er dem Apollo heilig u. wegen seines hohen Fluges u. scharfen Blicks ein Symbol des Sehertums.
Milch, als erstes u. gehaltvollstes Nahrungsmittel in vielen Kulturen zugleich Symbol für Fruchtbarkeit wie für seel. u. geistige Nahrung u. für Unsterblichkeit. Wegen ihrer Farbe u. ihres milden Geschmacks wird sie oft mit dem ↗Mond, der im Ggs. zur Sonne mildes, weißes Licht ausstrahlt, in Verbindung gebracht. – In einigen Gegenden Asiens u. Europas herrschte die Ansicht, der ↗Blitz oder durch ihn verursachte Brände könnten nur mit M. gelöscht werden. – Nach ind. kosmogon. Vorstellungen war die Welt im Uranfang ein M.-Meer, das durch einen riesigen Quirl oder durch Peitschenschläge (↗Peitsche) in ↗Butter, die erste Nahrung der Lebewesen, verwandelt wurde. – Die christl. Kunst, die auch die Gottesmutter gerne stillend darstellt *(Maria lactans)*, unterscheidet zw. der guten Mutter, die die M. der Wahrheit spendet, u. der bösen, die ↗Schlangen an ihrem Busen nährt. – M. in Verbindung mit ↗Honig begegnet sowohl in der Antike wie im AT als Inbegriff höchster göttl. Güter u. seligen Lebens (vgl. z. B. das verheißene Land, in dem M. u. Honig fließen). M. u. Honig spielten daher eine wichtige Rolle in verschiedenen antiken Mysterien; auch im Brauchtum der frühchristl. Kirche erscheinen M. u. Honig als liturgisches Symbol, sie wurden dem Täufling beim ersten Empfang der Eucharistie zum Zeichen des Heilsversprechens gespendet.

Milch: der ägypt. König wird v. der in Form eines hl. Baumes erscheinenden Isis gesäugt: Grab des Thutmosis III.

Milchstraße, in den religiösen Vorstellungen vieler Völker ein Verbindungsglied zw. unserer u. einer transzendenten Welt; sie wurde mit einer weißen Schlange (z. B. in einigen indian. Kulturen), mit einem Fluß, mit Fußstapfen, mit ausgegossener Milch, mit einem Baum, mit einem bestickten Gewand usw. verglichen. Verschiedentl. galt sie (z. B. im Orient u. bei den Germanen) als Weg, den die Seelen der Verstorbenen nach ihrem Tod wandern müssen; mehrere Naturvölker verstanden sie auch als Aufenthaltsort der Toten. In Japan, Indien u. Ägypten sah man die M. als den Fluß eines fruchtbaren Landes, an dessen Ufern die Götter wohnen. – Bei einigen Völkern stand sie der Symbol-Bedeutung des ↗Regenbogens nahe. – Gelegentl. verstand man sie auch als Riß im Himmelsgewölbe, durch den das himml. Feuer in unsere Welt scheint.
Milz, galt in Europa u. der arab. Welt als Sitz des Humors u. des Lachens, worauf redensartl. verschiedentl. Bezug genommen wird.

Minotaurus: Theseus tötet den M.; nach einer Darstellung auf einem griech. Teller

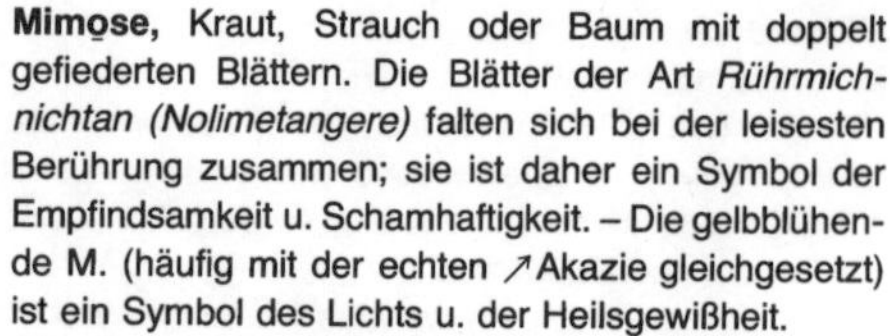

Mimose, Kraut, Strauch oder Baum mit doppelt gefiederten Blättern. Die Blätter der Art *Rührmichnichtan (Nolimetangere)* falten sich bei der leisesten Berührung zusammen; sie ist daher ein Symbol der Empfindsamkeit u. Schamhaftigkeit. – Die gelbblühende M. (häufig mit der echten ↗Akazie gleichgesetzt) ist ein Symbol des Lichts u. der Heilsgewißheit.

Minotaurus *m,* Fabelwesen der griech. Mythologie mit Menschenleib u. Stierkopf, das, v. Minos im ↗Labyrinth gefangen gehalten, dort jährl. oder alle neun Jahre mit Athener Jünglingen u. Jungfrauen gefüttert u. schließl. v. Theseus mit Hilfe des Fadens (↗Faden) der Ariadne besiegt wurde. Symbol dunkler, im verborgenen wirkender, zerstörer. Kräfte. Verschiedentl. auch ident. mit der symbolischen Bedeutung des Zentauren (↗Zentaur).

Minze ↗Pfefferminze.

Mistel

Mistel, galt vielfach als Abwehrmittel gg. Krankheit, Blitz u. Zauberei, als Glücksbringer u., da immergrün, als Unsterblichkeits-Symbol; spielt vor allem im kelt. Brauchtum, z. B. des Jahreswechsels, eine bedeutende Rolle.

Mistkäfer ↗Skarabäus.

Mittag, *Mitternacht,* wie Sommer- u. Wintersonnenwende zeitl. Wendepunkte, denen von alters her bes. Bedeutung beigelegt wurde; gelten in China als Höhepunkte v. Yang- bzw. Yin-Einfluß (↗Yin und Yang). – Die Mitternacht ist nach esoter. Auffassung häufig der Zeitpunkt des höchsten Standes der geistigen (im Ggs. zur phys.) ↗Sonne u. steht daher in Zshg. mit Kontemplation, spiritueller Erkenntnis u. Einweihung. Dem Volksglauben gilt die Mitternacht oft als „Geisterstunde“, in der ein Kontakt mit Geistern, armen Seelen usw. am leichtesten herzustellen ist. Die Stunde der Mitternacht wie die des hellen Mittags, an dem kein Schatten fällt, sind im Märchen oft die Stunde der geheimnisvollen Entscheidung. Die sommerl. Mittagshitze galt in der Antike als Stunde des Pan.

Mitte, als Zentrum, v. dem alles ausgeht, Symbol Gottes oder des Göttl. (verschiedentl. auch als Mittelposition im Bildaufbau). – Der Mittelpunkt der Welt (↗Weltachse) wurde häufig als hl. ↗Berg, als ↗Baum oder als ↗Nabel vorgestellt.

Mohn

Mohn, wurde bei den eleusin. Mysterien der Demeter geopfert als Symbol der Erde, aber auch des Schlafes u. des Vergessens.

Moiren [Mz.], griech. Schicksalsgöttinnen, die durch ihr Handeln das Walten des Schicksals symbolisieren; nach Hesiod die Töchter des Zeus: Klotho, die Spinnerin des Lebensfadens (↗Faden); Lachesis, die das Schicksal zuteilt; Atropos, die den Lebensfaden zerschneidet (↗Schere). Von den Römern mit den *Parzen* identifiziert.

Moloch *m,* urspr. kanaanäischer Gott, dem Menschenopfer dargebracht wurden. Später allg. Symbol für menschenverderbende oder -zerstörende Instanzen, namentl. für unmenschl. Staatssysteme.

Moloch: Darstellung nach: Athanasius Kircher, Oedipus Aegyptiacus, Rom, 1652

Mönchsgewand, *Kutte,* nach mönch. Tradition zumeist Symbol für Armut, Weltabgeschiedenheit u. Zugehörigkeit zu einer religiösen Gemeinschaft; im Christentum in symbolischem Bezug zum Taufkleid gedeutet.

Mond, spielt im mag. u. bildhaft-religiösen Symbol-Denken der meisten Völker eine bedeutende Rolle. Entscheidend ist dabei vor allem, daß er wegen seiner ständig wechselnden Gestalt scheinbar „lebt“, daß er mit verschiedenen Lebensrhythmen auf der Erde in offensichtl. Verbindung steht u. daß er zu einem wichtigen Anhaltspunkt in der Zeitmessung wurde. Im Alten Orient spielte er daher oft eine bedeutendere Rolle als die ↗Sonne. Bei vielen Völkern wurde er als Gott oder (meist) Göttin verehrt (z. B. bei den Griechen als Selene, bei den Römern als Luna). – Wegen seines „Vergehens“ u. „Wachsens“ u. seiner Einflüsse auf die Erde, zumal den weibl. Organismus, steht er seit jeher in engem Zshg. mit der weibl. Fruchtbarkeit, mit dem Regen, mit dem Feuchten sowie allg. mit jedem Werden u. Vergehen. – Bei einigen Völkern gab es bes. Riten, die den M. bei Neumond oder in M.finsternissen, die als Schwäche u. Bedrohung des nächtl. Gestirns verstanden wurden, kräftigen oder retten sollten. – Im Ggs. zur meistens als männl. gedeuteten, selbstleuchtenden Sonne, die dem Prinzip Yang (↗Yin und Yang) nahesteht, erscheint der M. zumeist als Sinnbild des Milden, Anlehnungsbedürftigen, Weiblichen u. wird mit dem Prinzip Yin verbunden. Seltener begegnet demgegenüber, wie etwa im dt. Sprachbereich, die Vorstellung vom M. als (alten) Mann. In vielen Myten erscheint der M. als Schwester, Frau oder Geliebte der Sonne. In der Astrologie u. der Tiefenpsychologie wird der M. u. a. verstanden als Symbol für das Unbewußte, die fruchtbare Passivität, die Empfänglichkeit. ↗Halbmond, ↗Hase, ↗Milch.

Mond: Luna mit Zweigen (?) u. Horn, auf Wolken schreitend, mit zwei Rädern u. dem Tierkreiszeichen Krebs; Holzschnitt, 15. Jh.

Mond: der M. als weibl. Prinzip (Luna); Vatikan, 15. Jh.

Mondfinsternis ↗Sonnenfinsternis.

Monstrum ↗Ungeheuer.

Moor ↗Sumpf.

Morgenröte, allg. Symbol der Hoffnung, der Jugend, der Fülle der Möglichkeiten, des Neuanfangs. Bei den Griechen personifiziert als Göttin *Eos,* Schwester des Helios (↗Sonne) u. der Selene (↗Mond); fährt als „rosenfingrige“ dem Sonnenwagen voraus; in Rom mit *Aurora* gleichgesetzt. – In der christl. Symbolsprache wird Maria gelegentlich die M. genannt, die uns die Christussonne brachte.

Morgenstern, wie der ↗Abendstern Bz. für den

Mühle, mystische: Säulenkapitell in Vézelay, Mitte 12. Jh.

Mund: der ägypt. König Ay führt an seinem verstorbenen Vorgänger Tutanchamûn (als Osiris dargestellt) die Zeremonie der Mundöffnung durch; nach einem Wandbild aus dem Grab des Tutanchamûn (Ausschnitt)

Mund: Höllenrachen; Ausschnitt nach einer Miniatur, England, 2. Hälfte 13. Jh.

hellen Planeten Venus, jedoch im Ggs. zum Abendstern auf die morgendl. Position der Venus bezogen; als allmorgendl. Künder des neuen Tages Symbol ständiger Erneuerung oder ewiger Wiederkehr; Symbol des über die Nacht siegenden Lichts, daher im Christentum Sinnbild Christi oder Marias.

Mörser, zusammen mit dem Pistill (M.keule) populäres Sexual-Symbol.

Mühle, mystische, ma. Allegorie, die das Verhältnis v. AT zu NT veranschaulicht: der Weizen des AT wird durch die myst. Mühle zu Mehl gemahlen, aus dem das Lebensbrot der Gläubigen gemacht wird.

Mund, verkörpert als Organ des Wortes u. des Atems sinnbildl. die Macht des Geistes u. der Schöpferkraft, vor allem das „Einhauchen" der Seele u. des Lebens; als Organ des Essens, Fressens u. Verschlingens auch Symbol des Vernichtens, vor allem als Maul v. Ungeheuern *(Höllenrachen).* – Die Zeremonie der *Mundöffnung,* die in Ägypten an den Mumien vorgenommen wurde, sollte dem Verstorbenen ermöglichen, vor den Göttern die Wahrheit zu sprechen u. ihn erneut in die Lage versetzen, zu essen u. zu trinken. – In der Malerei des MA bedeuten kleine schwarze Dämonen, die aus dem M. kommen, böse Worte u. Lügen. Christus als Weltenrichter erscheint häufig mit einem ↗Schwert oder einem Schwert u. einer ↗Lilie, die aus dem M. hervorgehen.

Mundöffnung ↗Mund.

Münze ↗Geld.

Muschel. Als im Meer lebendes Tier ist die M. häufig Attribut von Meeresgottheiten. Die weiße M. stand gelegentlich, z. B. in China, symbolisch in Zshg. mit dem ↗Mond (u. damit dem Prinzip Yin). – Als die „aus dem Meer Aufsteigende" (Anadyomene) wird Aphrodite verschiedentl. auf einer M. stehend dargestellt. Auch die Tatsache, daß die M. in ihrer Form dem weiblichen Geschlechtsorgan gleicht, daß sie an der Symbolik der fruchtbaren ↗Wasser des ↗Meeres teilhat u. daß sie in sich die schöne ↗Perle wachsen läßt, mag sie mit Aphrodite (wie in Indien mit Lakshmi, der Göttin des Glücks u. der Schönheit) in Verbindung gebracht haben. – Als Grabbeigabe symbolisiert die M. im Christentum das Grab, aus dem der Mensch am Jüngsten Tag auferstehen wird. Zum Marien-Symbol wurde die M., weil Maria Jesus, die „köstliche Perle" in ihrem Schoß barg u. weil man im MA glaubte, die M. werde „jungfräulich" durch Tautropfen befruchtet.

Myrrhe *w,* Harz verschiedener Arten v. Bäumen u. Sträuchern des Balsambaumes. Wegen ihres Duftes u. ihrer wohltätigen u. heilenden Wirkung spielte die M. im ind., oriental., jüd. u. christl. Kultus eine wichtige Rolle, u. a. war sie Bestandteil des heiligen Salböls der Israeliten; in der Bibel wird sie als eine der Gaben der hl. drei Könige erwähnt. Wegen ihrer Bitterkeit, ihrer Heilkraft u. ihrer Verwendung zur Mumifizierung v. Leichen wird sie häufig in symbolische Beziehung gesetzt zu Leiden u. Tod Christi, aber auch zu Buße u. Askese der gläubigen Christen.

Muschel: Geburt der Venus aus der M.; nach Botticelli

Myrte *w,* immergrüner, weiß blühender Baum oder Strauch der wärmeren Gegenden; die M. galt den Juden als Symbol göttl. Huld sowie des Friedens u. der Freude. – In der Antike war die M. der Aphrodite heilig u. daher ein Liebes-Symbol, als immergrüne Pflanze zugleich ein Symbol der Unsterblichkeit. Im Gegensatz zum ↗Lorbeer, der den Sieger nach blutigem Kampf schmückt, war der *M.nkranz* ein Symbol für den auf unblutige Weise errungenen Sieg. – Der *M.nkranz* für *Bräute* war bereits als Zeichen der Freude bei den Juden gebräuchl., in der Antike schmückten sich Bräute mit Kränzen aus Rosen u. M.n mit Bezug auf die Liebes- u. Ehegöttin Aphrodite. Heute gilt der Brautkranz aus M.n häufig als Symbol für Jungfräulichkeit.

Nabel, in den Mythen verschiedener Völker Symbol für das Zentrum der Welt, v. dem aus die Schöpfung ihren Anfang genommen haben soll. Berühmt ist der *Omphalos* v. Delphi, ein zylindr., oben abschließender Stein, der zugleich ein Sinnbild für die Verbindung zw. Götter-, Menschen- u. Totenreich war. – Als N. des Himmels wird gelegentl. der *Polarstern* gedeutet, um den sich das Himmelsgewölbe zu drehen scheint. – Die *Nabelschau* als Meditation über kosm. u. menschl. Grundprinzipien findet sich sowohl im ind. Joga wie gelegentl. in der Ostkirche.

Nabelschau ↗Nabel.

Nabelschnur, gelegentl. Symbol für die aufrechterhaltene Bindung an die Mutter u. die frühe Kindheit.

Nachen ↗Kahn.

Nacht, im Ggs. zum ↗Tag Symbol des geheimnisvollen Dunkels, des Irrationalen, des Unbewußten, des Todes, aber auch des bergenden u. fruchtbaren mütterl. Schoßes. ↗Mittag.

Nachtfalter, als ↗Schmetterling, der unwiderstehl. v. ↗Licht angezogen wird u. achtlos darin verbrennt, Symbol der myst., opferbereiten, selbstlosen Liebe der Seele zum göttl. Licht.

Nachtigall, wegen ihres süßen u. zugleich klagenden Gesanges Symbol der Liebe (vor allem in Persien), aber auch der Sehnsucht u. des Schmerzes. – In der Antike galt ihr Gesang als glückl. Omen. – Der Volksglaube sieht in ihr häufig eine verdammte Seele, aber auch die Künderin eines sanften Todes. – In der christl. Symbolik Sinnbild der Himmelssehnsucht.

Nabel: der Omphalos von Delphi

Nacht: Ausschnitt aus: Tag u. N. als geflügelter Genius; Genesismosaik, San Marco, Venedig, Anf. 13. Jh.

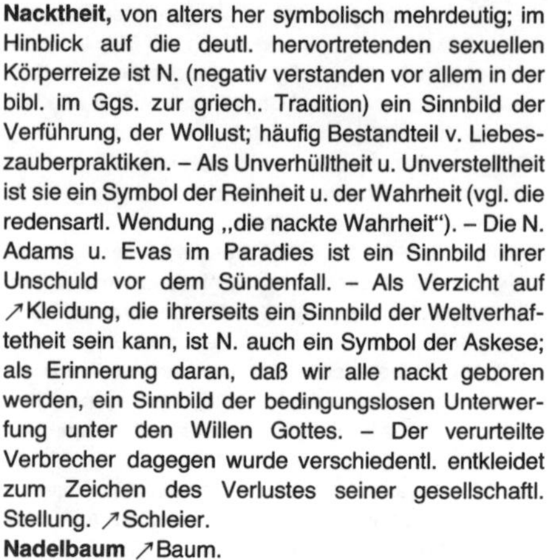

Nacktheit, von alters her symbolisch mehrdeutig; im Hinblick auf die deutl. hervortretenden sexuellen Körperreize ist N. (negativ verstanden vor allem in der bibl. im Ggs. zur griech. Tradition) ein Sinnbild der Verführung, der Wollust; häufig Bestandteil v. Liebeszauberpraktiken. – Als Unverhülltheit u. Unverstelltheit ist sie ein Symbol der Reinheit u. der Wahrheit (vgl. die redensartl. Wendung „die nackte Wahrheit"). – Die N. Adams u. Evas im Paradies ist ein Sinnbild ihrer Unschuld vor dem Sündenfall. – Als Verzicht auf ↗Kleidung, die ihrerseits ein Sinnbild der Weltverhaftetheit sein kann, ist N. auch ein Symbol der Askese; als Erinnerung daran, daß wir alle nackt geboren werden, ein Sinnbild der bedingungslosen Unterwerfung unter den Willen Gottes. – Der verurteilte Verbrecher dagegen wurde verschiedentl. entkleidet zum Zeichen des Verlustes seiner gesellschaftl. Stellung. ↗Schleier.

Nadelbaum ↗Baum.

Nardenöl ↗Baldrian.

Narzisse

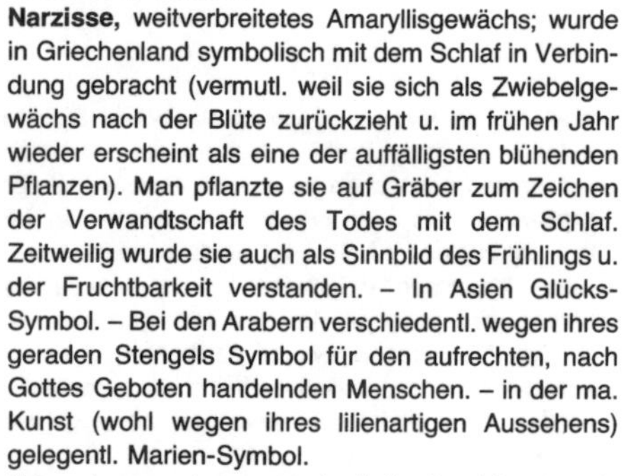

Narzisse, weitverbreitetes Amaryllisgewächs; wurde in Griechenland symbolisch mit dem Schlaf in Verbindung gebracht (vermutl. weil sie sich als Zwiebelgewächs nach der Blüte zurückzieht u. im frühen Jahr wieder erscheint als eine der auffälligsten blühenden Pflanzen). Man pflanzte sie auf Gräber zum Zeichen der Verwandtschaft des Todes mit dem Schlaf. Zeitweilig wurde sie auch als Sinnbild des Frühlings u. der Fruchtbarkeit verstanden. – In Asien Glücks-Symbol. – Bei den Arabern verschiedentl. wegen ihres geraden Stengels Symbol für den aufrechten, nach Gottes Geboten handelnden Menschen. – in der ma. Kunst (wohl wegen ihres lilienartigen Aussehens) gelegentl. Marien-Symbol.

Nase, begegnet verschiedentl. in der Literatur als verschleiertes Symbol für den Penis.

Nebel, Symbol des Unbestimmten, des Überganges v. einem Zustand zum anderen oder auch des Vagen, Phantastischen. Nach den mytholog. Vorstellungen mancher Völker Urstoff der Welt. – N.darstellungen begegnen häufig in der japan. Malerei. ↗Wolken.

Neidköpfe, fratzenhafte Köpfe, deren schreckenerregender Ausdruck von alters her zur Abwehr feindl. Einflüsse diente, z. B. das ↗Gorgoneion; sie symbolisieren durch ihr abstoßendes Aussehen die Geste des Abweisens u. Bannens. – Eine ähnl. Funktion erfüllte z. B. auch der mit einer *Fratze* statt eines Gesichtes dargestellte ägypt. ↗Bes.

Nelke, Staude mit spitzen, grasähnl. Blättern. Die Form v. Blatt u. Frucht wurde bildhaft als "Nagel" gedeutet (daher der Name "Nägelein", "Nagerl") u. die N. deshalb zum Symbol der Passion Christi. Die Pflanze erscheint häufig auf Darstellungen der Madonna mit dem Kinde. – Daneben begegnet sie auch auf zahlreichen Verlöbnisbildern des späteren MA u. der Renaissance, wohl als Liebes- u. Fruchtbarkeits-Symbol. – Später wurde die (vor allem rote) N. Symbol-Blume des 1. Mai als sozialist. Feiertags.

Nelkenwurz

Nelkenwurz, *Benediktenwurzel,* weitverbreitetes Rosengewächs mit gelbl. Blüten u. nach Nelken duftender Wurzel. Heilpflanze u. daher Marienattribut; im Zshg. mit Christus deutet sie auf ihn als auf das „Heil der Welt".

Nest, Symbol der Geborgenheit u. Ruhe; Vögel in N.ern symbolisieren in der ma. Kunst oft den Frieden des Paradieses.

Netz: Apostel als Fischer; Tafel v. der Dekke in Zillis

Netz, Symbol des weitläufigen Verknüpftseins; vor allem aber Symbol des Einfangens u. Sammelns. Oriental. Gottheiten werden verschiedentl. mit N.en dargestellt, mit denen sie die Menschen unterwerfen oder an sich ziehen. – Im Iran erscheint demgegenüber der Mensch, vor allem der Mystiker, als mit einem N. ausgestattet, mit dem er Gott sucht. – Im NT begegnet das N. als Symbol des Wirkens Gottes; daneben wird es, als Anspielung auf den Beruf des *Fischers,* mit den Aposteln als „Menschenfischern" in Verbindung gebracht. Unter diesem Gesichtspunkt kann ein N. mit Fischen (↗Fisch) auch zum Symbol der Kirche werden. – Tiefenpsycholog. kann der Fischfang mit dem N. auch als Ausdruck einer aktiven Auseinandersetzung mit dem Unterbewußtsein gedeutet werden.

Neun, als Dreifaches der heiligen ↗Drei Zahl der Vollkommenheit. – Die 9stöckige Pagode galt in China als Symbol des Himmels. – In der Antike dachte man sich die Gesamtheit menschl. Künste u. Wissenschaften personifiziert als die 9 Musen. – Im christl. Symboldenken ist 9 u. a. die Zahl der Engelchöre. ↗Neunundneunzig.

Neunundneunzig, wahrscheinl. mit Bezug auf die vollkommene Symbol-Zahl ↗Neun im Christentum Zahl des Wortes Amen, gezählt nach den Zahlenwerten, die man den griech. Buchstaben zuordnete: α (1) + μ (40) + η (8) + ν (50). – Die Anzahl v. 99 Perlen in der ↗Gebetsschnur der Mohammedaner hängt vermutl. ebenfalls mit der Symbol-Bedeutung der vollkommenen Neun zusammen.

Niere, bei einigen Naturvölkern, aber auch im Judentum als Sitz der Gefühle sowie besonderer Kraft u. Leidenschaft verstanden; die Wendung „Herz u. N.n" zur Bz. der inneren Kräfte des Menschen findet sich schon im AT. – Die N. galt im MA als Sitz der Gemütsbewegungen, bes. aber des Geschlechtstriebes.

Niesen, wurde bei einigen Naturvölkern auf den Einfluß v. Dämonen zurückgeführt, die damit die Seele

Nilpferd: die ägypt. nilpferdgestaltige Göttin Thoëris, gestützt auf die Hieroglyphe „Schutz"; Statuette aus grünem Schiefer, 26. Dyn.

aus dem Körper jagen möchten. Die Lappen glaubten, daß ein heftiges N. den Tod verursachen könne. Auf Vorstellungen dieser Art geht möglicherweise die seit der Antike bezeugte Sitte zurück, niesenden Menschen Gesundheit u. Glück zu wünschen.

Nilpferd, in Ägypten wegen seiner Freßsucht gefürchtetes Tier, galt daher als Verkörperung böser Kräfte, als Symbol v. Brutalität u. Ungerechtigkeit; das weibl. N. dagegen wurde als Sinnbild der Fruchtbarkeit in Gestalt einer N.göttin verehrt, die häufig aufrechtstehend u. schwanger dargestellt wurde u. als Beschützerin der Frauen galt. – Im AT ist das N. ein Symbol brutaler Kraft, die nur v. Gott selbst zu bändigen ist.

Nimbus *m,* in der antiken u. oriental. Kunst, bes. der Malerei, kreisrunde Fläche oder Strahlenkranz um das Haupt eines Gottes, Heros, Heiligen usw.; repräsentiert möglicherweise die ↗Sonne oder eine ↗Krone; Symbol der Göttlichkeit, Hoheit, Erleuchtung oder Herrschaft. ↗Heiligenschein.

Nolimetangere ↗Mimose.

Null, Symbol der Nichtigkeit u. Wertlosigkeit; mit Bezug auf die v. N. ausgehende fortlaufende Zahlenreihe auch Symbol des Anfangs.

Nuß, *Walnuß,* entspricht symbolisch weitgehend der ↗Mandel. – In der christl. Literatur verschiedentl. erwähnt als Sinnbild des Menschen: die grüne Hülle als Symbol des Fleisches, die harte Schale als Symbol der Knochen u. der süße Kern als Symbol der Seele. Als Christus-Symbol verkörpert die bitter schmeckende Hülle das Fleisch Christi, das die bittere Passion durchlitten hat, die Schale das Holz des Kreuzes u. der Kern, der nährt u. durch sein Öl Licht ermöglicht, die göttl. Natur Christi.

Obelisk *m,* ein nach oben sich verjüngender hoher Steinpfeiler mit viereckigem Grundriß u. pyramidaler Spitze. In Ägypten Kult-Symbol des Sonnengottes: seine Spitze wurde morgens v. den ersten Strahlen der ↗Sonne getroffen. Seine stark richtungsbetonte Form versinnbildlicht außerdem die Verbindung zw. ↗Erde u. ↗Himmel bzw. Sonne.

Oben ↗Höhe.

Ochse, *Büffel,* anders als der wilde ↗Stier ein Symbol der Friedfertigkeit u. gutmütigen Stärke. O. u. Büffel sind in Ostasien u. Griechenland heilig u. beliebte Opfertiere. In Ostasien gilt der Büffel als Reittier der Weisen, z. B. des Lao-Tse auf seinem Ritt nach Westen. – Wie der ↗Esel fehlt der O. fast nie bei Darstellungen der Krippe Jesu. – Der O. ist das 2. Zeichen des chin. ↗Tierkreises, er entspricht dem Stier.

Ochse: Specksteinsiegel mit Darstellung eines Buckelochsen; aus Mohendscho Daro

Ochse: O. u. Esel an der Krippe Jesu; Relief v. Taufstein der Stiftskirche in Freckenhorst, 1. Hälfte 12. Jh.

Obelisk: O. mit Hieroglyphen vor dem Pylon des Tempels von Luxor, 19. Dyn.

Odermennig *m,* Rosengewächs mit gelben, aufrechten Blütentrauben; alte Heil- u. Zauberpflanze. Mit nichteisernem (↗Eisen) Werkzeug am Karfreitag ausgegraben, sollte der O. Zuneigung u. Liebe bei den Frauen verschaffen. – Begegnet verschiedentl. als Heils-Symbol auf ma. Tafelbildern neben Maria.

Ofen, steht symbolisch in Zshg. mit dem ↗Feuer; vor allem in der ↗Alchimie bedeutsam für Verwandlungsprozesse v. Metallen, v. ↗Wasser, ↗Luft, ↗Erde usw. u. die damit verbundenen myst. u. moral. Prozesse. – Bes. der *Backofen* ist ein Symbol des weibl. Schoßes; das *In-den-O.-geschoben-Werden* kann daher auch als Symbol für eine Rückkehr in den Embryonalzustand, das *Verbrennen im O.* als Symbol für Tod u. Neugeburt gedeutet werden.

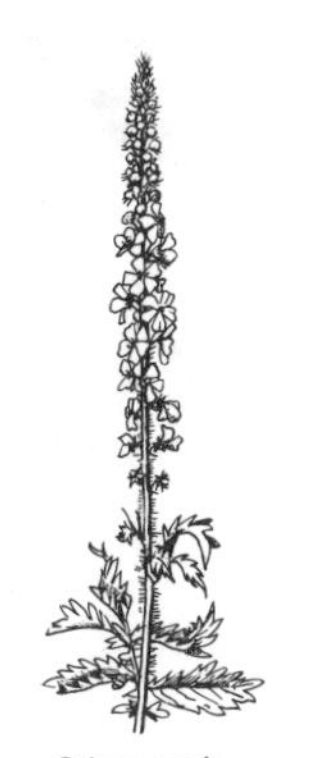

Odermennig

Ohr, Symbol des Hörens, der Kommunikation, auch des Gehorchens; wie das ↗Auge Wahrnehmungsorgan, das als *Geistesohr* auch Sinnbild für Inspiration sein kann, das geistige „Hören" gilt gegenüber dem geistigen „Sehen" als die ältere Fähigkeit. – Das O. wurde in der Antike als Sitz des Gedächtnisses angesehen; das Ziehen am O., das bis ins MA bei Rechtsakten verbreitet war, galt als Appell an das Gedächtnis v. Zeugen, best. Fakten nicht zu vergessen. – Ein langes, weites O. wurde vielfach, z. B. in China, als Zeichen für Urteilskraft, Weisheit u. Unsterblichkeit verstanden. – In Afrika hat das O. häufig sexuelle Bedeutung; die äußere Form des O.es gilt oft als phallisch, während der Gehörgang – als aufnehmendes Organ – mit der Vagina verglichen wird.

Ölbaum, der ↗Olivenbaum.

Öle, gelten in vielen Kulturen als Träger besonderer Kräfte; vor allem das *Olivenöl,* als Produkt des ↗Olivenbaums, der auf dürrem Boden Frucht trägt, ist ein Symbol geistiger Kraft, aber auch, da es in den Öllampen brannte, ein Licht-Symbol. – Den mytholog. Vorstellungen des Shintoismus galten Ö. als Symbole des undifferenzierten Urzustandes der Welt: die „Urgewässer" bestanden aus Öl. – In den Eleusin.

Ohr: sitzender Lo-Han; Statue aus gebranntem Ton, China, T'ang-Zeit

Olivenbaum: die Taube Noahs mit dem Olivenzweig; Holzschnitt v. G. Marcks

Mysterien verwendete man das Olivenöl als Reinheits-Symbol. – In den mittelmeer. Ländern kannte man – z. B. auf Steinaltären ausgegossene – Ölopfer zum Zeichen des Gebets um Fruchtbarkeit. – Die *Salbung* mit Öl spielt in verschiedenen Religionen eine wichtige sakrale Rolle; im Judentum etwa wurden Dinge (z. B. der Stein v. Bethel) u. Menschen (Priester, Propheten u. Könige) mit Öl gesalbt zum Zeichen des göttl. Segens u. der von Gott verliehenen Autorität, die ihnen zuteil wurden. Das Wort „Christus" (hebr. „Messias") heißt „Der Gesalbte", es bezeichnet also die königl., prophet. u. priesterl. Gewalt Jesu. – Öl wird – auch mit Balsam u. Gewürzen vermischt (↗Chrisam) – verschiedentl. im christl. Kultus zur Konsekration (z. B. bei der Taufe, der Priesterweihe, der letzten Ölung) verwendet.

Olivenbaum, *Ölbaum,* alte Kulturpflanze mit reicher Symbol-Bedeutung; war in Griechenland der Athena heilig u. galt als Symbol der geistigen Stärke u. Erkenntnis (da er das Öl für die Öllampen lieferte, also dem ↗Licht nahestand), der Läuterung (wegen der Reinigungskraft des Öles), der Fruchtbarkeit u. Lebenskraft (er ist sehr widerstandsfähig u. kann viele hundert Jahre alt werden), des Sieges sowie des Friedens u. der Versöhnung (wegen der lindernden Wirkung seines Öles). – Mit Bezug auf den *Olivenzweig,* den die v. Noah aus der Arche ausgesandte ↗Taube zurückbrachte, gelten der O. u. seine Zweige im Christentum vor allem als Zeichen der Versöhnung mit Gott u. des Friedens. ↗Öle.

Om: die heilige Silbe als Schriftzeichen

Öllampe ↗Lampe.

Om, mit einer Fülle esoter. Bedeutungen befrachtete heilige Meditations-Silbe des Hinduismus, Buddhismus u. Dschainismus (als Lautgestalt: *Aum*); gilt als unvergängl. u. unerschöpfl. u. wird u. a. als sinnbildl. Ausdruck für den Schöpfergeist, das Wort oder (mit Bezug auf die Dreizahl der Laute) für die drei Zustände des Menschen: Wachen, Träumen, Tiefschlaf; drei Tageszeiten: Morgen, Mittag, Abend; drei Vermögen: Handeln, Erkennen, Wollen usw. gedeutet.

Omega, letzter Buchstabe des griech. Alphabets; vor allem im Christentum Symbol des Endes u. der Vollendung der Welt. – Teilhard de Chardin nennt den anzustrebenden Zielpunkt der Menschheitsentwicklung den „Punkt Omega". ↗Alpha u. Omega, ↗Taw.

Omphalos ↗Nabel.

Onager, nach einem Stich von M. Merian.

Onager *m,* Wildesel, schwer zu bändigende Unterart des Halbesels; in der Bibel Symbol für den Menschen, der keine Vernunft annehmen will, bes. für das widerstrebende Israel, das sich Gottes Geboten nicht beugen will. – Gelegentl. auch Symbol für die in der Wildnis lebenden Eremiten. – Da er mehrfach mit einem Horn auf der Stirne dargestellt wird, kann er auch als die phallisch betonte Variante des ↗Einhorns aufgefaßt werden.

Opfer, als kult. Handlung u. a. Sinnbild eines Verzichts auf ird. Güter zugunsten einer Verbindung mit Gott, Göttern oder Ahnen (häufig allerdings zugleich eine mag. Zweckhandlung). Verbreitet sind auch sakramentale Mahl-Opfer, bei denen nur ein Teil der Gaben (meist *O.tiere*) verbrannt wird, der übrige zum Zeichen einer sakramentalen Gemeinschaft u. zugleich der Verbindung mit Gott, Göttern usw. v. den Opfernden gemeinsam verspeist wird. – C. G. Jung deutete bestimmte *Tieropfer,* z. B. das *Stieropfer* des Mithraskultes, als Sinnbild eines Sieges der Geistigkeit des Menschen über seine Animalität.

Opfertiere ↗Opfer.

Orange, wie die meisten Früchte mit vielen Kernen Fruchtbarkeits-Symbol.

Orchideen: Knabenkraut

Orchideen, Knabenkrautgewächse zumeist feuchtwarmer Gegenden; viele Erd-O., z. B. die in Europa u. angrenzenden Gebieten heim. *Knabenkräuter,* haben hodenförmige Wurzel-Knollen (griech. orchis = Hoden); sie galten daher im Altertum als Aphrodisiacum u. als Fruchtbarkeits-Symbol; man sah in ihnen eine Lieblingsspeise der Satyrn; verschiedentl. wurden sie zu Liebeszauber verwendet u. sollten angebl. vor Krankheit u. bösem Blick schützen, Glück im Spiel verleihen sowie reich machen. – Die Chinesen verwendeten die O. bei Frühlingsfesten zum Austreiben böser Geister. – Das gefleckte Knabenkraut war urspr. der german. Muttergöttin Frija geweiht, später Marienpflanze.

Osterei ↗Ei.

Osterhase ↗Hase.

Ouroboros *m, Uroboros,* eine sich in den Schwanz beißende ↗Schlange (gelegentl. auch ein oder zwei Drachen oder – selten – ein langhalsiger Vogel oder deren zwei); Symbol der Unendlichkeit, der ewigen Wiederkehr, des Abstiegs des Geistes in die phys. Welt u. seiner Rückkehr. In der Alchimie oft Symbol für die sich wandelnde Materie.

Ouroboros: Darstellung aus: Horapollo, selecta hieroglyphica, 1597

Palme, vor allem die *Dattel-P.,* bis über 20 m hoher Baum mit elast. Stamm, den der Wind nicht brechen kann; sie kann bis 300 Jahre alt werden. Bei den Babyloniern galt sie als Gottesbaum. – In Ägypten wohl mit der Symbol-Bedeutung des Lebensbaumes (↗Baum) zusammenhängend, häufig Vorbild für die Gestaltung v. Säulen (↗Säule). – Die Antike kannte Zweige der P. als Sieges-Symbol bei öffentl. Spielen. Bei den Griechen war sie, als Baum des Lichtes, Helios u. Apollo geweiht. Ihr griech. Name, ↗Phönix, weist auf eine enge sinnbild. Beziehung zu diesem sagenhaften Vogel. – Palmzweige sind ein weitverbreitetes Symbol für Sieg, Freude u. Frieden. Die immergrünen Blätter der P. sind außerdem ein Sinnbild für das ewige Leben u. die Auferstehung. In der christl. Kunst begegnen Palmzweige daher häufig als Märtyrer-Attribute. – C. G. Jung sieht in der aufwärtsstrebenden Gestalt der P. ein Symbol der Seele.

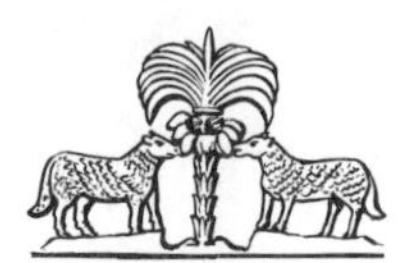

Palme: P. als Baum des Lebens; v. einem Sarkophag im Mausoleum der Galla Placidia, Ravenna, 5. Jh.

Panther, verbreitete Bz. für den schwarzen ↗Leoparden; im Ggs. zum gefleckten Leoparden aber weniger wildes Symbol-Tier. Der Physiologus berichtet, daß der P. nach jeder Mahlzeit drei Tage schlafe u. danach einen wunderbaren Wohlgeruch verströme, der die Menschen unwiderstehl. anziehe. Er galt deshalb einerseits als Symbol der Wollust u. Sinnlichkeit, andererseits (wegen des Erwachens nach drei Tagen) auch als Symbol für Tod u. Auferstehung Christi.

Päonie ↗Pfingstrose.

Pappel, *Zitterpappel,* wegen ihrer beim leisesten Windhauch zitternden Blätter Symbol des Schmerzes u. der Klage; galt bei den Griechen als in der Unterwelt wachsender Baum u. in Zshg. damit bes. als Sinnbild der Totenklage.

Pappel

Paradiesflüsse ↗Fluß.

Parzen ↗Moiren.

Pegasus *m,* in der griech. Mythologie das dem Rumpf der Medusa (↗Gorgonen) entsprungene geflügelte Pferd; es soll durch seine Hufe die den Musen geweihte Quelle Hippokrene aus dem Boden geschlagen haben; daher später Sinnbild der geistigen, insbesondere der poet. Kreativität.

Peitsche, Symbol für Macht u. richterl. Gewalt. – Verschiedentl. wird auch der ↗Blitz mit einem P.nschlag verglichen. – Im Weda wird das Milchmeer (↗Milch) der Uranfänge durch P.nhiebe in ↗Butter, die erste Nahrung der Lebewesen, verwandelt.

Pelikan, nach dem ↗Physiologus ein Vogel, der seine widerspenstigen Jungen tötet (nach anderen Darstellungen werden sie auch v. der ↗Schlange getötet), sie aber nach drei Tagen mit dem eigenen Blut aus Wunden, die er sich selbst schlägt, wieder zum Leben erweckt. Symbol für aufopfernde Vater- u. Mutterliebe. In der ma. Kunst u. Literatur trat das Töten der Jungen

Pelikan: P., sich die eigene Brust aufreißend; Relief im Domparadies v. Münster, Westf.; 1235

in den Hintergrund zugunsten der Legende, der P. nähre seine Nachkommen mit dem eigenen Blut, bis er selbst sterbe; er wurde daher zu einem verbreiteten Symbol für Christi Opfertod. – In der Symbol-Sprache der Alchimisten war der P. ein Bild für den Stein der Weisen, der sich auflöst, d. h. gleichsam stirbt, um aus ↗Blei ↗Gold entstehen zu lassen.

Pentagramm

Pentagondodekaeder ↗Dodekaeder.

Pentagramm *s, Drudenfuß,* der in einem Zug dargestellte fünfzackige Stern; uraltes mag. Zeichen. – Bei den Pythagoräern Symbol für Gesundheit u. Erkenntnis. – Von den Gnostikern häufig auf Abraxasgemmen (↗Abraxas) dargestellt. – Im MA oft verwendetes Abwehrzeichen gg. dämon. Mächte, u. a. gg. die sog. Druden, weibl. Nachtgeister. – Als in sich selbst verschlungene Form gelegentl. auch Symbol für Christus als das ↗Alpha u. Omega sowie – als Fünfzack – für die fünf heiligen Wunden Christi.

Perle, allg. häufig mondhaftes, weibl. Symbol, z. B. in China dem ↗Mond, dem ↗Wasser u. der Frau u. damit dem Prinzip Yin (↗Yin und Yang) nahestehend. Wegen ihrer Kugelform u. ihres unnachahml. Glanzes gilt die P. auch verschiedentl. als Symbol der Vollkommenheit. – Wegen ihrer Härte u. Unveränderlichkeit u. a. in China u. Indien auch Sinnbild der Unsterblichkeit. Die „flammende P." galt in China als Sonnen-Symbol u. Sinnbild höchsten Wertes. – Bei den Griechen, wohl vor allem wegen ihrer Schönheit, Symbol der Liebe. – Die unversehrte P. galt in Persien als Sinnbild der Jungfrau. Der pers. Mythos sah die P. außerdem in Zshg. mit der uranfängl. Formung der Materie durch den Geist. – Ihre tiefsinnigste (u. zugleich weitverbreitete) symbolische Deutung verdankt die P. jedoch der Tatsache, daß sie, in der ↗Muschel (d. h. in der Dunkelheit) verborgen, am Meeresgrunde heranwächst. Sie ist damit ein Symbol für das im Mutterleib entstehende Kind, vor allem aber ein Sinnbild des in die Finsternis scheinenden Lichtes; bei mehreren Völkern findet sich die Vorstellung, daß sie aus Lichtkeimen oder Tautropfen, die v. Himmel oder v. Mond stammen, entstanden sein soll. Vor allem Gnosis u. Christentum betonen diesen Bedeutungskomplex u. beziehen ihn häufig auf Christus als auf den Logos, der aus dem Fleische (Maria) geboren wurde. – Volkstüml. Vorstellungen identifizieren P.n auch oft mit Tränen. – Die *P.nkette* ist ein Symbol der aus der Vielheit zusammengefügten Einheit.

Pfau, galt in Indien u. a. wohl wegen seines Rades (↗Rad) als sonnenhafter Vogel; er ist Reittier verschiedener Gottheiten, im Buddhismus z. B. Reittier Buddhas; mit einer ↗Schlange im Schnabel Symbol des über die Finsternis siegenden ↗Lichtes; die Schönheit seiner Federn wurde verschiedentl. gedeu-

Pfau: das Pfauenrad als Ganzheitssymbol; aus: Boschius, Symbolographia, 1702

tet als Folge einer Verwandlung des Giftes, das er im Kampf mit der Schlange in sich aufgenommen hatte. – In der Antike war der P., wohl wegen seiner Schönheit, der Hera bzw. Juno zugeordnet. – Der Islam sieht im radschlagenden P. ein Symbol des Universums, gelegentl. auch des Vollmondes oder der Mittagssonne. – Im frühen Christentum begegnen P.endarstellungen ebenfalls als Sonnen-Symbole sowie als Sinnbilder der Unsterblichkeit u. der Freuden im jenseitigen Leben. – Das Rad des P.es, das alle Farben in sich vereinigt, galt in esoter. Tradition als Ganzheits-Symbol. – Im Symboldenken des MA verkörpert der P. außerdem die Todsünde Hochmut (superbia). – Wegen seines gespreizten, auffälligen Balzverhaltens wird der P. in der Neuzeit oft als Symbol der selbstgefälligen Eitelkeit verstanden.

Pfefferminze, *Minze,* Lippenblüter mit stark aromat., äther. Öl; bereits im Altertum als Heilmittel bekannt; in der christl. Kunst wegen ihrer Heilkraft Marienpflanze.

Pfeil ↗Pfeil u. Bogen.

Pfeil und Bogen: Eros mit P. u. B., nach einem Gemälde v. Franceschini (Ausschnitt)

Pfeil u. Bogen, Symbol des Krieges u. der Macht. – Der *Bogen* deutet häufig auf Spann- u. Lebenskraft; der *Pfeil* ist ein Symbol der Schnelligkeit, auch des rasch eintretenden Todes (z. B. gelegentl. Symbol der Pest!); häufig symbolisiert er eine Bewegung, die über gegebene Grenzen hinausreicht; verschiedentl. versinnbildlicht er auch den Strahl der Sonne (z. B. die Pfeile Apollos); als Licht-Symbol ist er zugleich ein Symbol der Erkenntnis; außerdem kann er auch phall. Bedeutung haben; der *Bogenschütze* in der mittelalterl., vor allem roman., Kunst hängt daher häufig mit Sinnlichkeit u. Wollust zusammen (selten auch mit dem strafenden Gott); eine ähnl. Bedeutung kommt ihm zumeist als pfeilschießendem *Zentauren* (↗Zentaur) zu. Amor (Cupido) wird häufig mit P. u. B. u. Köcher dargestellt, die Pfeile der Liebe abschießend. – Im Hinduismus u. Buddhismus bedeutet die Silbe ↗Om einen Pfeil, der vom Menschen, als Bogen verstanden, ausgeht u. durch das Nichtwissen hindurch das wahre u. höchste Sein erreicht; andererseits kann Om auch den Bogen bedeuten, v. dem aus der Pfeil des Ich in Richtung des Absoluten (Brahma) fliegt, mit dem es sich vereinigen will. – Das nicht absichtsvolle Zielen mit P. u. B. auf eine Scheibe ist eine bekannte japan. Meditationstechnik (Kyudo), die das Loslassen vom eigenen, ichbezogenen Willen bezweckt. Ähnl. Praktiken finden sich auch im Islam.

Pfeil und Bogen: reitender Tod mit P. u. B. als Menschenjäger; Ausschnitt aus einem Holzschnitt in: Der Akkermann aus Böhmen, v. J. v. Tepl, 1461

Pferd. Bereits in altsteinzeitl. Höhlen (↗Felsbilder) begegnen häufig Darstellungen von P.en, bis ins Industriezeitalter spielten sie in den meisten Kulturen eine große Rolle, daher die reiche Symbolik, die sich mit diesem Tier verbindet. – Ursprüngl. wurde das P. meist als chthonisches Wesen verstanden, es stand in

Zshg. mit ↗Feuer u. ↗Wasser als lebenspendenden u. zugleich gefährlichen Mächten, so sagte man ihm etwa in vielen Gegenden Europas wie auch im Fernen Osten nach, es könne mit seinen Hufen Quellen aus dem Erdboden schlagen. Häufig erscheint es auch in Verbindung mit dem lunaren Bereich. Es stand dem Reich des Todes nahe (z. B. in Zentralasien u. bei vielen indoeuropäischen Völkern) u. erschien daher auch als Seelenführer; es wurde deshalb auch gelegentl. mit dem Verstorbenen zusammen begraben oder anläßlich seines Todes geopfert. – Negativer erscheint die dunkle Seite der P.esymbolik z. B. im Zoroastrismus, der den Widersachergeist Ahriman oft in P.egestalt verkörpert sah. Mit der dunklen Seite der P.esymbolik hängen auch die in der griechischen Mythologie begegnenden Mischwesen zwischen P. u. Mensch (↗Zentauren, Silene, Satyrn) zusammen, deren P.-Teil zumeist unkontrollierte Triebhaftigkeit repräsentiert. Anders zu beurteilen ist ↗Pegasus, das geflügelte P. der griechischen Mythologie, das mit der, dem Chthonischen komplementären, später sich entwickelnden Licht-Symbolik des P.es (z. B. in China, Indien u. in der Antike) zusammenhängt. Unter diesem lichten Aspekt wurde das P., vor allem als *weißes P.,* zum sonnenhaften Tier u. Himmelstier, zum Reittier der Götter, zum Sinnbild der durch Vernunft gebändigten Kraft (vgl. auch das bekannte Gleichnis von den beiden P.en in Platos „Phaidros“) oder der Freude u. des Sieges (Darstellungen auf Märtyrergräbern). – Als Symbol für Jugend, Kraft, Sexualität u. Männlichkeit partizipiert das P. sowohl an der dunklen wie an der hellen Seite der obenerwähnten Symbolik. – Das P. ist das 7. Zeichen des chin. ↗Tierkreises, es entspricht der ↗Waage. – ↗Reiter.

Pferd: geflügeltes P., sassanid., 10. Jh.

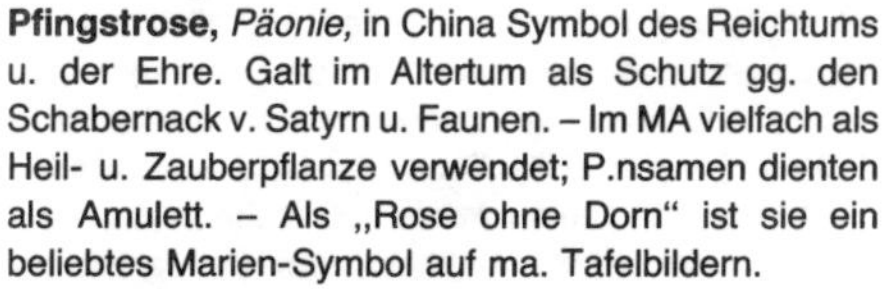

Pfingstrose, *Päonie,* in China Symbol des Reichtums u. der Ehre. Galt im Altertum als Schutz gg. den Schabernack v. Satyrn u. Faunen. – Im MA vielfach als Heil- u. Zauberpflanze verwendet; P.nsamen dienten als Amulett. – Als „Rose ohne Dorn“ ist sie ein beliebtes Marien-Symbol auf ma. Tafelbildern.

Pfirsichbaum, wegen seiner frühen Blüte u. a. in China Symbol des Frühlings u. der Fruchtbarkeit. In Japan ist die Pfirsichblüte ein Symbol der Jungfräulichkeit. Das Holz des P.s, wie das des ↗Maulbeerbaums, galt in China als wirksames Mittel gg. böse Einflüsse; auch der Frucht wurden ähnl. Wirkungen zugeschrieben. Baum, Blüte u. Frucht galten außerdem als Symbole der Unsterblichkeit.

Pflanzen, als unterste u. damit zugleich grundlegende Stufe der organ. Welt Symbol für die Einheit alles Lebendigen; in den myth. Erzählungen der Völker findet man mehrere Beispiele v. vollständigen oder teilweisen Verwandlungen v. P. in Menschen u. Tiere

Pflanzen: Blattmaske

oder umgekehrt. – Der ständige Wechsel der P. zw. Wachstum, Blüte, Reife u. Tod, zw. Saat u. Ernte, macht das Pflanzenreich insgesamt zum Sinnbild zykl. Erneuerung. – P. in fruchtbarer Fülle sind häufig der Inbegriff der „Mutter Erde".

Pflaumenbaum, im Fernen Osten wegen seiner frühen Blüte, die am noch blattlosen Baum erscheint, Symbol des Frühlings, der Jugend, der Reinheit. – Die *Pflaume* wird in der psychoanalyt. Traumdeutung gelegentl. als weibl. Sexual-Symbol verstanden.

Pflug. Die Arbeit des Pfluges im Erdreich wird in vielen Kulturen mit der Befruchtung der Frau durch den Mann verglichen, der P. ist daher ein phallisches Symbol u. ein Symbol der Fruchtbarkeit.

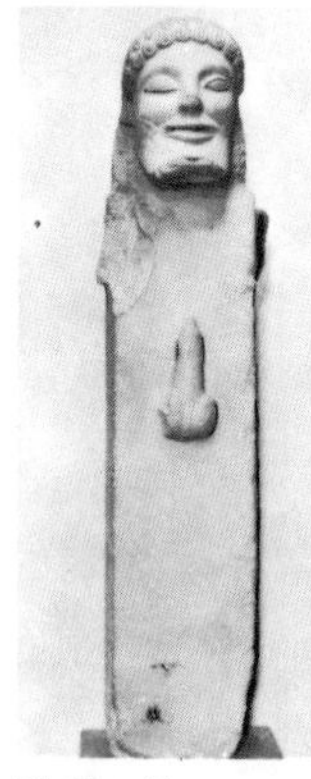

Phallus: Herme v. Siphos

Pflügen, galt nach weitverbreiteter Vorstellung als Befruchtung der Erde oder, damit zusammenhängend, als durch den Menschen bewirkte Verbindung v. ↗Himmel u. ↗Erde. ↗Pflug.

Pforte ↗Türe.

Pfropfen (v. Obstbäumen). Die Früchte v. gepfropften Bäumen galten bei den Juden als Produkt einer widernatürlichen, in die göttl. Ordnung eingreifenden Handlung u. durften daher nicht verzehrt werden. – In der christl. Kunst des MA bedeutet ein gepfropftes *Reis* gelegentl. Umkehr, Veredelung, durch Gnade bewirkten geistigen Neuanfang.

Phallus *m,* gilt weltweit als Zeichen der Fruchtbarkeit u. besonderer, auch kosm. Kräfte u. als Quelle des Lebens; daher oft als ↗Amulett verwendet u. als Kultbild (z. B. als wesentl. Bestandteil der antiken Hermen) verehrt. ↗Linga.

Phönix, aus der Asche aufsteigend; roman. Schnitzarbeit v. einem Chorgestühl; Abtei v. Champeaux.

Phönix *m,* bei den Ägyptern heiliger Vogel (Benu oder Boine), urspr. als Bachstelze, später als Reiher oder als goldener Falke mit Reiherkopf vorgestellt; galt als Verkörperung des Sonnengottes (der sich bei der Weltentstehung auf dem Urhügel niedergelassen haben soll), des tägl. Sonnenumlaufs u. des jährl. Anschwellens des Nils. Dieser Bezug zu stets wiederkehrender Erneuerung wurde v. Griechen, Römern u. schließl. den christl. Kirchenvätern (vor allem mit Bezug auf den ↗Physiologus) umgedeutet zu dem weitverbreiteten Symbol des Vogels, der sich nach bestimmten Zeitabständen (alle 500, 1000 oder 1461 Jahre) selbst verbrennt u. erneuert aus der Asche aufsteigt. Er ist in dieser Form ein Symbol Christi sowie allg. der den Tod überwindenden Auferstehung u. der Unsterblichkeit.

Physiologus *m,* Bz. für eine Gruppe v. Naturkundebüchern, die auf einer wahrscheinl. in Alexandria entstandenen Quelle beruhen. Es finden sich darin z. B. Berichte v. z. T. sagenhaften Tieren oder auch sagenhaften Eigenschaften bekannter Tiere, die oft bibl.-christl. gedeutet werden. Das MA kannte vor allem verschiedene lat. Bearbeitungen (Bestiarien), auf die zahlreiche Vorstellungen der christl. Tiersymbolik zurückgehen.

Pi ↗Loch, ↗Scheibe.

Pilger, in der Symbolik mehrerer Religionen Symbol für das Leben des Menschen auf dieser Erde, das nicht endgültig, vielmehr nur der Übergang zu einem anderen ist.

Pilz, vor allem in China Symbol des langen Lebens (möglicherweise, weil er sich getrocknet sehr lange aufbewahren läßt). Angebl. gedeiht er nur in friedl. u. geordneten Zeiten, daher auch Symbol der weisen Staatsführung. – In einigen Gegenden Afrikas u. Sibiriens deutete man den P. auch als Sinnbild der (neugeborenen) Menschenseele.

Pinie: bronzener antiker Pinienzapfen v. einem Brunnen im Vatikan

Pinie, im Altertum Bz. für alle zapfentragenden Nadelbäume *(pinus)*. Die P. im engeren Sinne war ein Fruchtbarkeits-Symbol (vor allem wohl wegen der unablässigen Produktion neuer Zapfen). Der *Pinienzapfen* (gelegentl. auch der Zapfen der Aleppo-Kiefer, mit deren Harz der Wein haltbar gemacht wurde) krönte den ↗Thyrsosstab des Dionysos u. seines Gefolges. In der christl. Symbolik stand er in engem symbolischem Zshg. mit dem Lebensbaum (↗Baum), dessen Krone er mehrfach auf Darstellungen bildet.

Pinienzapfen ↗Pinie.

Pirol, in China Symbol des Frühlings, der Hochzeit u. der Freude.

Polarstern, Stern, um den sich das Himmelsgewölbe zu drehen scheint; galt daher häufig als Zentrum des Kosmos, ↗Nabel der Welt, Himmelstor, kosm. Radnabe oder oberste Spitze des Weltgebirges.

Porzellanschnecke ↗Schnecke.

Primel ↗Schlüsselblume.

Prinz, der ↗Königssohn.

Prinzessin, die ↗Königstochter.

Prostitution ↗Sakrale Prostitution.

Prudentia *w,* Personifikation der *Klugheit,* einer der vier Kardinaltugenden; häufig dargestellt mit den Attributen ↗Schlange, ↗Spiegel, ↗Sieb, ↗Fackel.

Punkt, kann – vor allem in der Meditation – ein Symbol für das Zentrum (↗Mitte), das Zusammenfallen aller Realitäten, aller Potentialitäten oder beider sein. Meistens als *Mittel-P.* eines Kreises (↗Kreis) dargestellt.

Puppe. Die *Insekten-P.,* vor allem die *Schmetterlings-P.,* ist in verschiedenen Kulturen ein Symbol der Verwandlung, ein Sinnbild für die schutzbedürftige u. häufig zurückgezogene Verfassung des Menschen vor der Schwelle zu einer neuen Reifestufe.

Purpur *m,* partizipiert symbol. weitgehend an den Farben ↗Rot oder ↗Violett. Der echte, aus dem Farbstoff der *Purpurschnecken* gewonnene P. war wegen seiner Kostbarkeit früher der Kleidung v. Herrschern u. Priestern vorbehalten u. wurde deshalb zu einem Symbol der Macht u. Würde, später galt er, vor allem bei den Römern, allgemeiner als Zeichen des Luxus u. der Wohlhabenheit.

Quadrat, eines der häufigsten symbolischen Zeichen; statisches, adynamisches Symbol, oft im Bezug u. im Ggs. zum ↗Kreis gesehen, Sinnbild der ↗Erde im Ggs. zum ↗Himmel oder des Begrenzten im Ggs. zum Unbegrenzten. Weiterhin Symbol der vier Himmelsrichtungen. – Häufig verwendet als Grundriß v. Tempeln, Altären, Städten oder als architekton. Einheit z. B. im roman. gebundenen System. – In China galten der Kosmos wie die Erde als quadratisch. – Die Pythagoreer sahen im Q. ein Sinnbild für das vereinte Wirken der vier ↗Elemente u. damit der Kräfte der Aphrodite, der Demeter, der Hestia u. der Hera, als deren Synthese die Göttermutter Rhea aufgefaßt wurde. Nach Platon verkörpert das Q., neben dem Kreis, das absolut Schöne. – Im Islam spielt das Q. in verschiedenen Zusammenhängen eine Rolle; die Herzen der gewöhnl. Menschen beispielsweise galten als quadrat., weil sie vier möglichen Inspirationsquellen offenstehen: der göttl., der engl., der menschl. u. der teufl. (die Herzen der Propheten dagegen sind dreieckig, weil sie den Angriffen des Teufels nicht mehr ausgesetzt sind). – In der christl. Kunst ist das Q. verschiedentl. ein Symbol der Erde im Ggs. zum Himmel. Die quadrat. ↗Heiligenscheine (damals) noch lebender Personen zeigen daher an, daß die Gestalt noch dieser Erde angehört. – C. G. Jung sieht im Q. ein Symbol der Materie, des Leibes, der ird. Realität. ↗Kubus, ↗Magische Quadrate, ↗Vier.

Quadrat: Verbindung v. menschl. Figur u. Q.; v. einer Schale aus Westnorwegen, 9. Jh.

Quadratur des Kreises: Alle Ding stehn nur in den dreyen, In vieren thun sie sich erfrewen; nach einer Darstellung in: Jamsthales, Viatorium spagyricum, 1625

Quadratur des Kreises, die unlösbare Aufgabe, nur mit Hilfe v. Lineal u. Zirkel einen gegebenen ↗Kreis in ein flächengleiches ↗Quadrat zu überführen. Symbol für die angestrebte Durchdringung des Symbolgehalts v. Kreis u. Quadrat.

Quecksilber ↗Mercurius.

Quelle, allg. als Ursprung lebenspendender Kräfte, als Sinnbild der Reinheit u. des fruchtbaren Überflusses verehrt; bei mehreren Völkern, z. B. den Griechen, personifiziert als weibl. Gottheit. – In der Bibel verschiedentl. Symbol des ewigen Lebens u. der Wiedergeburt. – C. G. Jung sieht in der Q. ein Sinnbild der unerschöpfl. geistig-seel. Energie.

Quintessenz ↗Fünf.

Quitte, in der Antike Symbol für Glück, Liebe u. Fruchtbarkeit, der Aphrodite (Venus) heilig. In Griechenland brachte die Frau bei der Hochzeit eine Q. ins Haus des Ehemannes als Symbol der erhofften glückl. Ehe.

Rabe, wegen seiner Farbe, seines krächzenden Rufes u. seiner Zudringlichkeit bei vielen Völkern (des Orients u. des Abendlandes) als böses Vorzeichen gewertet, das Krankheit, Krieg u. Tod ankündigt. Die Bibel zählt ihn zu den unreinen Tieren. Im Symboldenken des MA symbolisiert er gelegentl. die Todsünde Völlerei. – Andererseits galt er aber in vielen Kulturen auch als göttl. u. sonnenhaft (möglicherweise u. a. wegen seiner Intelligenz). – In Japan war er Götterbote u., vor allem als roter R., Sonnen-Symbol. Nach chin. Vorstellung lebt in der Sonne ein dreifüßiger R. – In Persien waren R.en dem Gott des Lichts u. der Sonne heilig u. spielten daher im Mithraskult eine Rolle (Abbildungen auf zahlreichen Mithrassteinen). – Griechen u. Römer sahen weiße R.n in Verbindung mit dem Sonnengott Helios u. mit Apollo. – In der nord. Mythologie sind dem Gott Odin, dem obersten der Asen, zwei Raben, Hugin (Gedanke) u. Munin (Gedächtnis) zugeordnet. – Der intelligente R. spielt auch in verschiedenen Sintflutsagen eine Rolle: Noah ließ ihn ausfliegen, um Land zu erkunden; Entsprechendes wird in babylon. Sagen berichtet. – R.n galten verschiedentl. als grausame Eltern, die ihre Jungen vernachlässigen, daher noch heute die Bezeichnung „Rabenvater“ u. „Rabenmutter“. – Da der R. gerne allein lebt, ist er auch ein Sinnbild der selbstgewählten Einsamkeit; möglicherweise symbolisiert er daher im Christentum den Abtrünnigen u. Ungläubigen. – Der *Ruf* des R.n galt den Römern als Symbol der Hoffnung: cras, cras (morgen, morgen).

Rad: Darstellung vom Sonnentempel in Konarak, Indien

Rachen ↗Mund.

Rad, verbindet den Symbolgehalt des Kreises (↗Kreis) mit dem, diesen modifizierenden, Aspekt der Bewegung, des Werdens u. Vergehens; neben dem Bewegungsaspekt spielt auch die strahlenförmige Anordnung der Speichen eine symbolprägende Rolle. In den meisten Kulturen erscheint das R. als Sonnen-Symbol (z. B. noch heute an manchen Orten im Brauchtum der Wintersonnenwende übl.); in vielen

Rad: die Räder des Ezechiel; Ausschnitt nach einer Miniatur im Evangeliar der Bibliothek zu Aschaffenburg, 13. Jh.

Rad: Radfenster

vorgeschichtl. Kulturen Europas, zum ersten Mal in der Jungsteinzeit in Mitteldeutschland, begegnet das wohl auch als sonnenhaft zu verstehende R.-Zeichen mit vier Speichen. – Auch die im Mittleren Osten in zahlreichen Dekors begegnenden Rosetten stehen möglicherweise in Zshg. mit dem R. als Sonnen-Symbol. – Das R. ist ein Haupt-Symbol des Buddhismus, es symbolisiert die verschiedenen Daseinsformen, die der Erlösung bedürfen, sowie die Lehre des Buddha („Rad des Lebens" u. „Rad der Lehre"). – Das R. kann auch ein Symbol des gesamten Kosmos, mit Bezug auf dessen ständige Erneuerungszyklen, sein (z. B. die Rota Mundi der Rosenkreuzer). – Auf frühchristl. Grabsteinen erscheint das R. als Symbol Gottes u. der Ewigkeit. Das Buch Daniel berichtet von der Vision flammender Räder um das Haupt Gottes, Ezechiel v. mit Augen besetzten Rädern, die laufen u. zugleich stillestehen, damit die Omnipotenz Gottes ausdrückend. – Der ↗Tierkreis wird häufig mit einem R. verglichen. – C. G. Jung sieht im „Rad" (mittlere Fensterrose der Fassade) mittelalterl. Kathedralen ein Symbol der Einheit in der Vielheit, eine bes. Form des ↗Mandala. ↗Glücksrad.

Rainfarn

Rainfarn, Korbblüter mit würzig duftendem äther. Öl; alte Zauber- u. Heilpflanze. Begegnet in der ma. Kunst gelegentl. als Marienattribut. An Mariae Himmelfahrt geweihter R. sollte Schutz gg. Zauberer, Hexen u. den Teufel verleihen.

Ratte, in Asien häufig glückbringendes Symbol-Tier; in Japan Begleiterin des Gottes des Reichtums; in China wie in Sibirien gilt das Fehlen v. R.n in Haus u. Hof als beunruhigendes Zeichen. – In der ind. Mythologie ist die R. das Reittier des elefantenköpfigen Gottes Ganesha (↗Elefant). – In Europa dagegen gilt die R. im Volksglauben als Personifikation v. Krankheiten, Hexen, Dämonen u. Kobolden. Wenn die R.n das Haus oder das Schiff verlassen, wertet man dies allerdings auch hier als unglückverheißend (meist freilich ganz rational als Indikator für zu Ende gehende Vorräte oder sich ankündigende Mißstände). – Die R. ist das 1. Zeichen des chin. ↗Tierkreises, sie entspricht dem ↗Widder.

Rauch, Symbol der Verbindung zw. Himmel u. Erde, Geist u. Materie. Die *R.säule* wird gelegentl. symbolisch zur ↗Weltachse in Beziehung gesetzt. ↗Friedenspfeife, ↗Weihrauch.

Raupe, als kriechende Larve (in Entsprechung zum ↗Wurm) gelegentlich Symbol für Niedrigkeit u. Häßlichkeit. – In Indien auch (weil sie über die Puppe zum Schmetterling wird) Symbol der Seelenwanderung.

Rausch, *Trunkenheit,* in manchen Kulturen eng verbunden mit Ernteriten u. Gebeten um Fruchtbarkeit. In verschiedenen Religionen gilt der durch Tanz,

Musik, Alkohol oder Drogen erzeugte R. wegen seiner die Grenzen des alltäglichen Bewußtseins übersteigenden Gewalt als Ausdruck besonderer Gottverbundenheit.

Raute ↗Rhombus.

Rebis (v. res bina = das Zweifache), in der Alchimie Bz. für den ↗Hermaphrodit.

Rebis: R. als Drachenbesieger

Rebstock, der ↗Weinstock.

Rechts und links. Im Volksglauben u. in vielen Religionen gilt die rechte Seite als die bessere u. glückhafte. – Häufig, z. B. in der Antike war der rechte Arm (der die Waffe trägt) u. damit allg. die rechte Seite Sinnbild v. Kraft u. Erfolg. – Der Platz zur Rechten Gottes, eines Herrschers oder Gastgebers gilt als bevorzugter Ehrenplatz. – Beim Jüngsten Gericht stehen die Auserwählten zur Rechten, die Verdammten zur Linken Gottes. – Die schwarze Magie setzt in der bewußten Umkehrung diese Bewertung v. r. u. l. voraus: rituelle Handlungen werden mit der linken Hand, auf der linken Seite usw. ausgeführt. – In China wird die – in der christl.-abendländ. Tradition als passiv empfundene – linke Seite mit dem Himmel, dem aktiven, männl. Prinzip, also mit Yang (↗Yin und Yang), die rechte mit der Erde, der Fruchtbarkeit, der Ernte, dem weibl. Prinzip, also mit Yin in Verbindung gebracht. So gibt man in China beispielsweise mit der linken Hand u. empfängt mit der rechten. – Nach kabbalist. Tradition symbolisiert die rechte Hand Gottes die Barmherzigkeit, die linke die Gerechtigkeit; die rechte Hand ist daher die Segenshand, die Hand des Priestertums, die linke die des Königtums.

Regen, weltweit verstanden als Sinnbild himml. Einwirkungen auf die Erde, als Symbol der Fruchtbarkeit, häufig als Befruchtung der Erde durch den Himmel (*R.tropfen* als Sperma der Götter); in diesem Sinne auch anschaul. Sinnbild für den geistig-seel. Einfluß der Götter auf die Erde. ↗Einbeinigkeit.

Regenbogen, häufig Symbol der Verbindung zw. ↗Himmel u. ↗Erde. Nach talmud. Tradition am Abend des sechsten Schöpfungstages geschaffen. In der griech. Mythologie ist der R. die Verkörperung der Götterbotin Iris. – Nach der Sintflut setzte Gott einen R. an den Himmel als Zeichen seines Bundes mit den Menschen; Christus thront z. B. auf ma. Weltgerichtsdarstellungen auf einem R., der in diesem Sinne zu verstehen ist. Der R. wurde daher auch zum Symbol Marias, der Vermittlerin der Versöhnung. – Die symbol. Deutung der *R.farben* hängt davon ab, wie viele Farben unterschieden werden; in China etwa kennt man fünf R.farben (↗Fünf), deren Synthese die Vereinigung v. ↗Yin u. Yang symbolisiert. – Im Christentum werden auf Grund der Tradition der Dreiteilung nach Aristoteles häufig nur die drei Grundfarben unterschieden (ein Symbol der Dreifaltigkeit),

Regenbogen: Christus auf dem R., Ausschnitt aus einem Bild des Jüngsten Gerichts, 1543

oder aber die Farben Blau (Wasser der Sintflut oder himml. Herkunft Christi), Rot (künftiger Weltbrand oder Passion Christi) u. Grün (die neue Welt oder das Erdenwirken Christi). ↗Brücke.

Reichsapfel ↗Apfel.

Reiher, in Ägypten gelegentl. heiliger Vogel; auch der Vogel Benu (↗Phönix) erscheint zeitweilig in R.gestalt. – Wegen seines langen Schnabels begegnet er verschiedentl. als Symbol der Ergründung verborgener Weisheit wie andererseits auch der Neugier (die ihren Schnabel in alles steckt). – Im MA wie andere schlangenvertilgende (↗Schlange) Tiere Christus-Symbol. – Der *Graue R.* galt wegen seines aschfarbenen Gefieders als Symbol der Buße. – Da der R. nach Plinius aus Schmerz Tränen vergießen kann, wird er auch symbol. mit Christus am Ölberg in Verbindung gebracht.

Reinigung, ↗Bad, ↗Hand- u. Fußwaschung, ↗Taufe.

Reis, entspricht in asiat. Ländern als wichtigstes Nahrungsmittel dem ↗Weizen in Europa u. hat mit diesem daher auch die wesentl. symbolischen Bedeutungen gemeinsam. – In Japan ist der R. außerdem, vor allem die gefüllte R.kammer, ein Symbol des Überflusses u. auch geistigen Reichtums. – In China galt bes. der rote R. als Symbol der Unsterblichkeit. – Die mühselige Arbeit des *R.anbaus* wurde vielfach als Folge eines Bruchs zw. ↗Himmel u. ↗Erde verstanden.

Reise, als zielgerichtetes Zurücklegen eines Weges, auf dem außerdem oft Hindernisse überwunden werden müssen, Symbol des Lebensweges oder im Spezielleren Symbol für die Suche nach geistig-seelischen Zielen, die oft verkörpert erscheinen als das gelobte Land, als Inseln der Seligen, als Schlösser u. Heiligtümer (häufig auf Bergen). – Initiationsriten verliefen verschiedentl. in Form v. Prüfungsserien, die der Adept wie eine Art R. hinter sich bringen mußte (z. B. bei chin. Geheimgesellschaften, bei griech. Mysterien, bei den Freimaurern). – Viele Völker kennen die Vorstellung von einer R., die die Verstorbenen nach ihrem Tode unternehmen müssen; ausführl. berichten darüber z. B. die ägypt. u. tibetan. Totenbücher. Es handelt sich dabei offenbar um ein Symbol für eine Reinigung u. Weiterentwicklung der Seele. – Der Buddhismus vergleicht den Geburtenkreislauf, die Abfolge der Inkarnationen der geistigen Individualität bis zu ihrer Erlösung ins Nirwana mit einer R. – In psychoanalyt. Sicht kann die R. als Traum-Symbol u. a. als Wunsch nach Veränderung verstanden werden.

Reisigbündel, in China Symbol für Werden u. Vergehen der Menschheit: so wie ein R. zu- u. wieder aufgeschnürt wird, besteht die gesamte Menschheitsgeschichte aus stets neuen Formationen, die durch den Tod immer wieder aufgelöst werden. – Als bevorzugtes Brennmaterial steht das R. auch gelegentl. symbolisch in Beziehung zum ↗Feuer. (z. B. als Attribut v. Hexen).

Reiter, Symbol der Beherrschung wilder Kraft (auch die europ. Reiterstandbilder v. Herrschern partizipieren noch an dieser Symbolik). – In der Apokalypse erscheinen nach Öffnung der ersten vier Siegel nacheinander vier R. auf einem weißen, einem feuerroten, einem schwarzen u. einem fahlen Roß. Der R. auf dem weißen Roß symbolisiert wahrscheinl. Christus als Sieger, die anderen versinnbildlichen die Strafengel des Krieges, der Hungersnot u. des Todes.

Reiter: Statuette Karls des Großen; Statuette 9. Jh., Pferd 16. Jh.

Rentier, begegnet bereits auf ↗Felsbildern aus vorgeschichtl. Zeit u. diente dort vermutl. kult. Zwekken. – Das R. spielt in den nördl. Gebieten Eurasiens eine wichtige Rolle als mondhaftes Symbol-Tier, das, als Seelenführer, der Nacht u. dem Totenreich nahe steht.

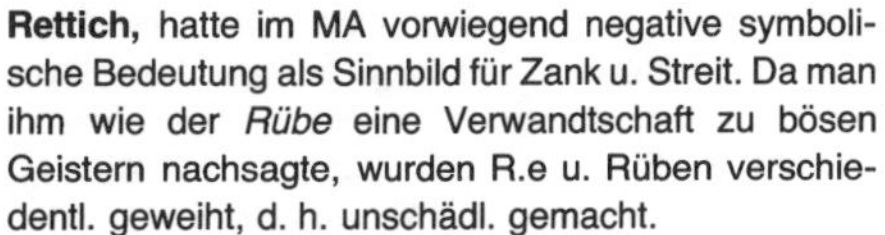

Rettich, hatte im MA vorwiegend negative symbolische Bedeutung als Sinnbild für Zank u. Streit. Da man ihm wie der *Rübe* eine Verwandtschaft zu bösen Geistern nachsagte, wurden R.e u. Rüben verschiedentl. geweiht, d. h. unschädl. gemacht.

Rhombus *m, Raute,* wegen seiner an das weibl. Genitale erinnernden Form weibl. Sexual-Symbol; daher gelegentl. allg. Symbol ird. u. chthon. Mächte.

Riese: Ausschnitt v. Gundestrup-Kessel; Relief, Silber, kelt., 1. Jh. v. Chr.

Riesen, in den myth. Vorstellungen u. Märchen der meisten Völker begegnende übergroße, menschenähnl. Wesen (Titanen, Kyklopen usw.); urspr. wahrscheinl. oft als Verkörperungen der übermächtigen Naturgewalten geschaut; in den meisten Mythologien Gegner der Götter; im Märchen zumeist Menschenfresser; im Volksschwank oft ungeschickte Tölpel. – Gelegentl. begegnen aber auch positive Vorstellungen v. Ur-R., die an der Schaffung der Welt beteiligt waren oder sie steitzen. – Der Kampf gg. die R. symbolisiert häufig wohl die Selbstbehauptung des Menschen gegenüber der Natur.

Rind ↗Kuh, ↗Ochse, ↗Stier.

Ring, infolge seiner Gestalt ohne Anfang u. Ende Symbol der Ewigkeit; ferner Symbol der Verbindung, der Treue, der Zugehörigkeit zu einer Gemeinschaft, daher oft auch Auszeichnung, Amts- u. Würdezeichen (Amts-R. der röm. Senatoren, Beamten-, Ritter-, Doktor-R.). Zur Symbolik des R.es gehört auch die Vorstellung v. der mag. Kraft des ↗Kreises; dem R. wird deshalb oft eine apotropäische Wirkung zugeschrieben (z. B. gg. den bösen Blick), er wird darum auch als ↗Amulett getragen; Verlust oder Zerbrechen des R.es bedeuten im Volksaberglauben Unheil.

Ringelblume

Ringelblume, Korbblüter mit goldgelben bis orangefarbenen, strahlenkranzähnl. Blüten, wird im Volksmund auch *Sonnenbraut* genannt; alte Heilpflanze; begegnet auf christl. Tafelbildern des MA als Marienattribut u. Symbol der Erlösung.

Rittersporn, Hahnenfußgewächs; im MA wegen seiner sporenähnl. Blüten mit dem ritterl. Adel in Zshg. gebracht u. deshalb als Symbol für ritterl. Tugenden empfunden; auf Marienbildern auch Sinnbild der Würde Marias als Gottesmutter.

Rittersporn

Robinie ↗Akazie.

Rose, wegen ihres Duftes, ihrer Schönheit u. Anmut (trotz der ↗Dornen) eine der am häufigsten begegnenden Symbol-Pflanzen. Im Abendland spielt sie eine ähnl. bedeutende Rolle wie der ↗Lotos in Asien. – In der Antike war die R. der Aphrodite (Venus) geweiht. Die rote R. soll aus dem Blut des Adonis entstanden sein, sie war ein Symbol der Liebe u. Zuneigung, der Fruchtbarkeit u. auch der Verehrung gegenüber den Toten. R.n dienten zur Bekränzung des Dionysos (Bacchus) sowie der Festteilnehmer bei Trinkgelagen, u. a., weil man ihnen, wie dem ↗Veilchen, eine kühlende Wirkung auf das Gehirn zuschrieb. Sie sollten außerdem die Zechenden daran erinnern, im Rausche nichts auszuplaudern. Auch im frühen Christentum war die R., oft in Verbindung mit dem Kreuz, noch ein Symbol der Verschwiegenheit. Daneben wurden ihr in der christl. Symbolik noch zahlreiche Bedeutungen zuteil: die rote R. weist auf das vergossene Blut u. die Wunden Christi, sie symbolisiert außerdem die Schale, die das heilige Blut auffing; wegen des symbol. Zusammenhangs mit dem Blut Christi ist sie zugleich auch ein Symbol der myst. Wiedergeburt. Da die R. im MA ein Attribut der Jungfrauen war, ist sie auch ein Marien-Symbol, die rote R. ist außerdem allg. ein Symbol göttl. Liebe. – Die *Fenster-R.n* der ma. Kirchen stehen in engem symbol. Zshg. mit dem ↗Kreis u. dem ↗Rad, daher wohl auch mit der ↗Sonne als Christus-Symbol. – In der Alchimie spielte die meist siebenblättrige R. eine Rolle als Sinnbild komplexer Zusammenhänge sei es z. B. der 7 Planeten mit den entsprechenden Metallen, sei es verschiedener Schritte innerhalb alchimist. Operationen usw. – Heute ist die rote R. fast ausschl. ein Liebes-Symbol.

Rose: R. als Rosenkreuz; aus: Roberto Fludd, Summum Bonum

Rosenkranz ↗Gebetsschnur.

Rosmarin, würziger kleiner Strauch der Mittelmeerländer, v. den Römern wegen seines Duftes häufig bei Opfern verbrannt. Der R. galt im Volksbrauchtum als Mittel gg. Krankheiten u. böse Geister u. wurde in diesem Sinne vor allem bei Geburt, Hochzeit u. Tod verwendet. Als kräftige, immergrüne Pflanze ist der R. außerdem ein altes Liebes-, Treue- u. Fruchtbarkeits-

Symbol sowie – als Totenpflanze – ein Sinnbild der Unsterblichkeit; der Brautkranz wurde früher, bevor man ihn aus Myrten flocht, oft aus R. gewunden.

Rot, Farbe des ↗Feuers u. des ↗Blutes u. ebenso wie diese symbolisch ambivalent; *positiv:* Farbe des Lebens, der Liebe, der Wärme, der begeisterten Leidenschaft, der Fruchtbarkeit; *negativ:* Farbe des Krieges, der zerstörer. Macht des Feuers, des Blutvergießens, des Hasses. – Im Altertum war der Glaube weit verbreitet, daß R. vor Gefahren schütze. So bestrich man z. B. gelegentl. Tiere, Bäume u. Gegenstände mit R., um sie vor bösen Einflüssen zu schützen oder fruchtbar zu machen. In Ägypten galt R., die Farbe der glühenden Wüste, als Symbol für „böse" u. „zerstörer."; deshalb verwendete z. B. der Schreiber auf dem Papyrus für üble Wörter eigens rote Schreibflüssigkeit; als Farbe der Krone Unterägyptens hatte R. allerdings positive Bedeutung. – Bei den Römern trugen die Bräute einen feuerroten Schleier, das *Flammeum,* einen sinnbildl. Hinweis auf Liebe u. Fruchtbarkeit. R. war bei den Römern außerdem als Symbol der Macht die Farbe der Kaiser, des Adels u. der Generäle. – Auch die hohe Gerichtsbarkeit bediente sich gerne der Farbe R., z. B. trug der Scharfrichter im MA als Herr über Leben u. Tod ein rotes Gewand (heute noch in vielen Ländern Farbe der Richter, bes. der ranghohen). – Die Kardinäle tragen R. mit Bezug auf das Blut der Märtyrer. – Aber auch Satan, der Herr der Hölle, u. die Hure Babylon sind rot gekleidet: Ausdruck der verzehrenden Gewalt des Höllenfeuers oder unbezähmter Begierden u. Leidenschaften. – In der Alchimie galt R. häufig als Farbe des ↗Steins der Weisen, der als Stein, der das Signum des Sonnenlichts trägt, verstanden wurde. – R. als auffällige Signalfarbe, die Aufbruch, neues Leben u. Wärme verheißt, ist außerdem die Bannerfarbe der Revolution, heute insbes. des Sozialismus u. Kommunismus.

Rübe ↗Rettich.

Rubin *m,* entspricht wegen seiner intensiven Farbe häufig im Symbolgehalt dem ↗Rot; seit dem MA sagte man ihm heilende Wirkung nach.

Rührmichnichtan ↗Mimose.

S

Salamander: S. im Feuer; nach einer Darstellung bei Charles Pesnot, Lyon, 1555

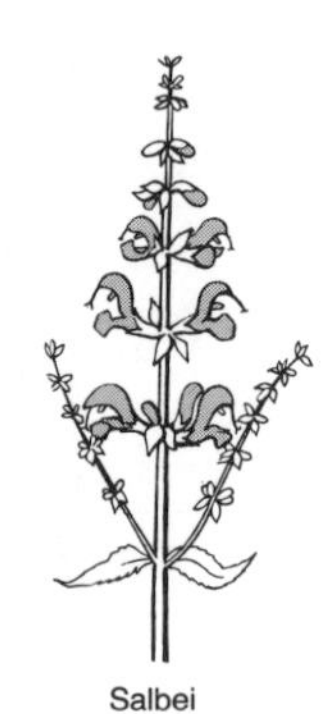

Salbei

Safran ↗Krokus.

Sakrale Prostitution, zumeist im Tempelbezirk betrieben; u. a. im Alten Orient, Griechenland u. in Indien übl.; galt als Sinnbild der Vereinigung mit den Göttern u. als Fruchtbarkeitsritual.

Sal ↗Salz.

Salamander, nach dem Volksglauben des MA Elementargeist, der unbeschädigt im Feuer leben kann; galt daher u. a. als Symbol des Gerechten, der sich die Seelenruhe trotz Anfechtung bewahrt.

Salbei *m* oder *w,* Lippenblüter mit aromat. Blättern; vielseitige Heilpflanze u. deshalb auch Marienattribut in der christl. Kunst des MA.

Salbung ↗Öle, ↗Chrisam.

Salomonssiegel ↗Hexagramm.

Salz, wegen seiner lebenswichtigen Bedeutung u. wegen seiner Seltenheit in früheren Zeiten v. hohem Wert. Galt häufig als Symbol für Lebenskraft u. als unheilabwehrend. Da es oft durch Verdunstung aus ↗Wasser gewonnen wird, sah man in ihm gelegentl. auch das Sinnbild einer Verbindung v. Wasser u. ↗Feuer. Das im Ozean sich auflösende *S.korn* ist andererseits ein Symbol für das Aufgehen der Individualität im Absoluten. Wegen seiner Lebensnotwendigkeit, seiner Würz- u. Reinigungskraft, seiner Unverweslichkeit u. Konservierungskraft sowie wegen seines lichten, transparenten Aussehens ist es auch ein verbreitetes Symbol für moral. u. spirituelle Kräfte. In der Bergpredigt vergleicht Christus die Jünger mit dem S. der Erde. An anderer Stelle ist in der Bibel die Rede vom S. des Leides, durch das hindurch die Apostel u. Christen zum ewigen Leben gelangen müssen. – In Japan gebrauchte man das S. häufig rituell als Sinnbild der inneren Reinigung u. des Beschütztseins; in diesem Sinne streute man es z. B. auf Türschwellen, Brunnenränder, auf den Boden nach Bestattungszeremonien usw. Noch heute streuen manche Japaner im Hause S. aus, nachdem eine unangenehme Person es verlassen hat. – Mit besonderem Bezug auf seine Würzkraft gilt das S. auch als Sinnbild der geistreichen Rede u. des Witzes. – Bei den semit. Völkern u. den Griechen ist das S., oft in Verbindung mit dem ↗Brot, ein Symbol der Freundschaft u. Gastfreundschaft. Brot u. S. sind auch häufig der Inbegriff der einfachen, notwendigen Nahrung. – Im negativen Sinne erscheint das S., z. B. in der Bibel oder bei den Mystikern, als Sinnbild der Zerstörungskraft u., vor allem die *S.wüste,* als Symbol der Unfruchtbarkeit u. Verdammung. – In der Alchimie (wo es meist lat. *Sal* genannt wird) ist das S. neben ↗Schwefel u. Quecksilber (↗Mercurius) eines der philosophischen Elemente u. Weltprinzipien; es repräsentiert das Feste, Körperliche (corpus).

Samenkorn, Sinnbild des Lebens, der Fülle noch nicht entwickelter Möglichkeiten. Das S., das in der Erde stirbt, um eine Pflanze entstehen zu lassen, ist ein Symbol des ständigen Wechsels zw. Tod u. Neubeginn in der Natur, aber auch ein Sinnbild des Opfers sowie ein Symbol für die geistige Neugeburt des Menschen.

Sand, wegen der unermeßl. Vielzahl seiner Körner Symbol der Unendlichkeit.

Sanduhr: Darstellung in einem Werk v. Joost Hartgers, Amsterdam 1651

Sanduhr, *Stundenglas,* Symbol der verrinnenden Zeit u. des Todes. Weil sie nach Ablaufen des Sandes je wieder umgedreht werden muß, ist die S. auch gelegentl. ein Symbol für Ende u. Neuanfang v. Zyklen oder Epochen oder für die wechselnden Einflüsse des Himmels auf die Erde u. umgekehrt. – Unter den vier Kardinaltugenden symbolisiert die S. die Mäßigkeit.

Saphir *m,* galt in Antike u. MA (allerdings häufig mit dem ↗Lapislazuli gleichgestellt) als heilend; wegen seiner blauen Farbe Symbol des Himmels, des himml. Schutzes oder – bei den Alchimisten – der Luft. In der Apokalypse gehört der S. zu den Fundamenten des himml. Jerusalem. – Wie alle blauen Steine gilt der S. im Orient als Mittel gg. den bösen Blick.

Sator-Arepo-Formel, eine aus frühchristl. Zeit überlieferte, aber wohl ältere Zauberformel in Gestalt eines ↗magischen Quadrates aus 25 Buchstaben; kommt bereits in mag. Papyri vor u. war lange Zeit weit verbreitet, oft als ↗Amulett (vor allem gg. Tollwut u. Brand). Es existieren verschiedene Übersetzungs- u. Interpretations-Lösungen (z. B. wörtl. „Sämann Arepo hält mit Mühe die Räder“, oder – nur v. den um das einzige N angeordneten Buchstaben ausgehend – ein doppeltes PATERNOSTER, dazu A u. O. oder ähnl.); sicher scheint jedoch zu sein, daß die S. als Ganzheits-Symbol, mit wechselndem Bedeutungsgehalt, verwendet wurde.

S	A	T	O	R
A	R	E	P	O
T	E	N	E	T
O	P	E	R	A
R	O	T	A	S

Sator-Arepo-Formel

Saturn ↗Blei.

Sau ↗Schwein.

Saubohne, bereits im Altertum bekannte Nutzpflanze. Die schwarzfleckige Blüte galt verschiedentl. als Todes-Symbol. Der Samen wurde symbolisch mit der Fruchtbarkeit, mit Bereichen unter der Erde u. daher auch wiederum mit dem Tod in Verbindung gebracht. Die doppelte symbolische Zuordnung zu Tod u. Leben drückt sich z. B. aus in dem Umstand, daß man die Bohnen einerseits in Verbindung brachte mit den Seelen Verstorbener, andererseits mit embryonalen, vor allem männl. Kindern. – S.en-Opfer wurden entsprechend bei Feldarbeit u. Ernte, bei Hochzeiten u. Begräbnissen gebracht. ↗Bohnen.

Sauerteig, bereits im frühen Judentum verschiedentl. Symbol der Zersetzung, der geistigen Verderbnis, der Unreinheit. Opferbrote, die man den Göttern darbrach-

Säule: Korenhalle des Erechtheion, Akropolis, Athen; um 420–405 v. Chr.

te, mußten deshalb fast stets ungesäuert sein. Beim Auszug des Volkes Israel aus Ägypten, der nachts u. überstürzt geschah, wurde der ungesäuerte Brotteig mitgenommen, da man keine Zeit mehr hatte, den Prozeß der Fermentation abzuwarten; auf der Flucht wurden daher *ungesäuerte Brote* gegessen; die alljährl. Feier des Paschafestes bei den Juden, das auch „Fest der ungesäuerten Brote" heißt, ist der sinnbildl. Nachvollzug der Situation des Auszugs aus Ägypten, der seinerseits ein Sinnbild der Verheißung ist.

Säule, Sinnbild der Verbindung zw. ↗Himmel u. ↗Erde; als Stütze des Gebäudes allg. Symbol der Festigkeit u. der tragenden Kraft, kann auch als pars pro toto Symbol für das „Gebäude" einer starken Gemeinschaft oder Institution sein. In ihrer vollständigen Gestalt, mit Basis u. Kapitell, steht sie dem Symbolgehalt des Lebensbaumes (↗Baum) nahe (Basis als Wurzel, Schaft als Stamm, Kapitell als Laub; vgl. z. B. ägypt., korinth., roman. u. got. S.en). – Gelegentl. kann sie auch als Verkörperung der menschl. Gestalt empfunden werden, worauf bereits die Bezeichnung Kapitell (von capitellum = Köpfchen) sowie die manchmal statt S.n verwendeten Atlanten u. Karyatiden hinweisen. – Die Bibel spricht v. den S.en, auf denen die Welt ruht u. die Gott am Jüngsten Tag einreißen wird. – Am Eingang zur Vorhalle des Salomonischen Tempels standen zwei symbolisch bedeutungsvolle S.n, benannt „Jachin" (Er läßt feststehen) u. „Booz" (In ihm ist Kraft); die Nachbildungen dieser S.n spielten später in den Tempeln der Freimaurer eine wichtige Rolle. – Neben architektonisch gebundenen S.n u. unabhängig v. diesen begegnen in vielen Kulturen auch einzelne, freistehende S.en oder Pfeiler, z. B. die sächsische Irminsul, wohl ein Sinnbild der den Himmel stützenden Weltsäule (↗Weltachse), oder die zahlreichen antiken, Siege symbolisierenden *Triumphsäulen* (z. B. die mit szenischen Reliefbändern geschmückte Trajanssäule in Rom). – Verschiedentl. kann die S., bes. bei Fruchtbarkeitskulten, auch phallische Bedeutung haben. – Die *Feuer-* u. *Wolkensäule,* als welche Gott das Volk Israel durch die Wüste führte, erscheint als mystisches Symbol mehrfach in der religiösen Literatur.

Saum ↗Gewandsaum.

Schachspiel, Symbol des Kampfes zweier gegensätzl. Parteien, zumeist mit den Grund-Gegensätzen Männlich–Weiblich, Tod–Leben, Hell–Dunkel, Gut–Böse, Himmel–Erde bzw. Hölle in Verbindung gebracht. Als Betätigungsfeld planender Intelligenz gilt das S., z. B. in Indien, auch als Sinnbild kosmischer Vernunft u. Ordnung.

Schädel, *Totenschädel,* häufig symbolisch mit dem Himmelsgewölbe verglichen (Ausdruck der sinnbildl. Bedeutungsverknüpfung von menschl. Mikrokosmos u. universalem Makrokosmos). – Vor allem in der Kunst des Abendlandes Symbol der Vergänglichkeit. – Als materielles „Gefäß" des Geistes wurde der S. von Alchimisten gerne als Behälter bei Verwandlungsprozessen verwendet. Auch der, aus verschiedenen Kulturen bezeugte, S.kult hat seinen Grund wohl in der Vorstellung vom S. als „Sitz" des Geistes. – Der unter dem Kreuz Christi häufig dargestellte S. ist der S. Adams (↗Adam).

Schädel: der hl. Hieronymus, über einem Schädel meditierend; nach einer Federzeichnung v. A. Dürer.

Schaf ↗Lamm.

Schakal *m,* galt oft als Tier, das um Friedhöfe streicht u. sich von Leichen ernährt, daher sah man in seinem Erscheinen häufig ein böses Omen. Gelegentl. verstand man ihn auch als Symbol der Gier u. des Zorns. – Der Tierkopf des ägyptischen Totengottes Anubis wird häufig als S.kopf gedeutet, es handelt sich allerdings wohl um einen schakalähnlichen Windhund.

Schakal: der ägypt. Gott Anubis; Ausschnitt aus einer Wandmalerei im Grab des Ramses I., Tal der Könige; 19. Dyn.

Schale, *Kelch,* oft ein Symbol überströmender Fülle. – In der Bibel erscheint das Bild der S. in verschiedenen Zusammenhängen: die S. des Heils oder des Schicksals, das der Mensch aus der Hand Gottes wie eine S. oder wie den Inhalt einer S. empfängt oder auch die S. des Zornes Gottes usw. Christus spricht in der Ölbergszene v. dem Kelch der ihm bevorstehenden Leiden. – Als Nahrung spendendes Gefäß erscheint die S. gelegentl. als Sinnbild der mütterl., nährenden Brust (z. B. in Indien); als bergendes u. bewahrendes Behältnis ist sie auch ein Symbol des mütterl. Schoßes. – Wegen ihrer Form wurde sie mit der Mondsichel (↗Halbmond) in Verbindung gebracht (die, auch wegen ihrer milchweißen Farbe, wiederum auf die mütterl. Brust verweist). – S.n in ritueller Verwendung oder in der religiösen bildenden Kunst enthalten häufig den Trank der Unsterblichkeit. – Der Kelch, der das Blut Christi enthält, verweist auch außerhalb der Eucharistiefeier, in bildlichen Darstellungen, auf Christus u. das ewige Heil. – Das gemeinsame Trinken aus einer S. oder einem Kelch im Rahmen einer Gemeinschaft zum Zeichen der Zusammengehörigkeit u. der Zugehörigkeit zu einer gemeinsam anerkannten Idee, Religion usw., ist in verschiedenen Kulturen verbreitet. Das gegenseitige Austauschen der Trinkschalen symbolisiert Treue (z. B. in Japan, etwa im Rahmen der Hochzeitszeremonien). – In der islam. Literatur begegnet die S. als Symbol des Herzens; drei Schalen, gefüllt mit ↗Milch, ↗Wein u. ↗Wasser symbolisieren den Islam (Milch als Symbol der natürlichen u. richtigen Religion), das Christentum (in dem der Wein sakrale Bedeutung erhält) u. das Judentum (in dem das Wasser eine

Schale: der eucharist. Kelch; Ausschnitt, nach einem Gemälde v. J. D. de Heem; um 1650

zerstörende Rolle in der Sintflut u. eine hilfreiche beim Durchschreiten des Roten Meeres spielte). – Der Symbolgehalt der S. steht gelegentl. auch der kosm. Symbol-Bedeutung des Schädels (↗Schädel) nahe. ↗Gral.

Schatten, einerseits der Ggs. zum ↗Licht; in dieser Hinsicht z. B. Aspekt des Prinzips Yin (↗Yin u. Yang); andererseits eine Art Abbild jeder phys. Erscheinung u. insofern oft als bestimmte Wesensform der ird. Gestalten gedeutet; gilt z. B. in Afrika häufig als zweite, dem Tode verwandte Natur aller Dinge u. Wesen. – In mehreren Indianersprachen bezeichnet dasselbe Wort S., Bild u. Seele. – In verschiedenen Jenseitsvorstellungen werden die Toten als S. gedacht. – Oft wurden aber auch gerade die Seele u. Lebenskraft als S. verstanden, entspr. haben Geister, die in Menschengestalt erscheinen, oder Menschen, die ihre Seele dem Teufel verkauft haben, keinen S. – Als „blutleere" u. nur scheinbar belebte Gestalt erscheint der S. in philosoph. Sicht auch als Symbol für die Scheinhaftigkeit der ird. Welt, so etwa im Buddhismus, oder für die im bloßen Meinen befangene, nicht an der Ideenwelt orientierte Erkenntnis, so in Platos Höhlengleichnis (↗Höhle). – C. G. Jung versteht unter dem Begriff S. die Gesamtheit der unterbewußten Persönlichkeitsschichten, die durch den Individuationsprozeß stufenweise bewußt angeeignet u. verwandelt werden.

Schatz, begegnet in den myth. Vorstellungen vieler Völker, vor allem als verborgener, oft v. ↗Ungeheuern bewachter S. Wird verschiedentl. als Sinnbild esoter. Wissens, unter psychoanalyt. Gesichtspunkt auch als Symbol für angestrebte Ziele der Individualentwicklung verstanden.

Scheibe: geflügelte Sonnenscheibe; nach einer Darstellung im Grab des Sohnes des ägypt. Königs Ramses III.

Schaukel, in Südostasien (wie auch teilweise in Griechenland u. Spanien) steht die S. in Zusammenhang mit Fruchtbarkeitsriten; die Bewegung des Schaukelns wird dabei offenbar in Verbindung gebracht mit dem Zu- u. Abnehmen des natürl. Wachstums; möglicherweise wird auch an den durch das Schaukeln entstehenden Wind gedacht, der den Boden befruchtet. Vor allem in Indien symbolisiert sie den Auf- u. Untergang der ↗Sonne, den Rhythmus der Jahreszeiten u. den ewigen Kreislauf von Tod u. Geburt, gelegentl. auch die harmon. Verbindung v. Himmel u. Erde u. damit zeitweilig auch den ↗Regenbogen u. den ↗Regen.

Scheibe, wie der ↗Kreis häufig Sonnen-Symbol (z. B. in Indien u. Ägypten); die Darstellung einer geflügelten S. repräsentiert den Lauf der ↗Sonne u. im übertragenen Sinn allg. den Aufschwung in höhere Sphären. – In China Symbol himmlischer Vollkommenheit; eine im Zentrum mit einem ↗Loch versehene Jade-S. (Pi) symbolisiert den Himmel.

Scheideweg, *Kreuzweg, Wegkreuzung,* in den meisten Kulturen bedeutsamer Ort der Begegnung mit transzendenten Mächten (Göttern, Geistern, Toten), häufig dem Symbolgehalt der ↗Türe nahestehend, da auch der S. den notwendigen Übergang zu Neuem (v. einer Lebensphase zur anderen, v. Leben zum Tod) symbolisieren kann. Um die Götter oder Geister des S.es günstig zu stimmen, wurden an S.en oft Obelisken, Altäre oder Steine aufgestellt oder Inschriften angebracht. Fast überall in Europa gilt der S. auch als Treffpunkt v. Hexen u. bösen Dämonen. Möglicherweise hat nicht zuletzt deshalb auch das Christentum gerne Kreuze, Madonnen- u. Heiligenstatuen u. Kapellen an S.en aufgestellt. – Bei vielen afrikan. Stämmen spielt die Symbolik des S.es eine bedeutsame Rolle bei rituellen Handlungen. – In der griech. Mythologie tötet Ödipus seinen Vater an einem S. Die Griechen opferten einer dreigestaltigen oder dreiköpfigen Göttin der dreifachen Weggabelung: Hekate, Herrin v. Spuk- u. Zauberwesen, die außerdem dem Totenreich nahestand. Auch die Statue des Seelenführers Hermes wachte an S.en u. Weggabelungen. Eine berühmte, v. Prodikos erfundene Geschichte berichtet v. Herakles, der sich am S. für die Tugend, gg. die Weichlichkeit entscheidet. Die Römer kannten einen Kult der Laren des S.es, mit dem sie das Schicksal günstig stimmen wollten. – Nach spätgerman. Recht wurden am S. auch Rechtshandlungen vorgenommen.

Scheideweg: die dreigestaltige Hekate; griech., 4. Jh.

Schere, als Schneidinstrument Symbol des aktiven, männl. Prinzips. In der griech. Mythologie Attribut der Moire (↗Moiren) Atropos, die damit den Lebensfaden (↗Faden) durchschneidet: Symbol der Abhängigkeit des Menschen von den das Schicksal lenkenden Mächten u. Symbol für den plötzlichen Tod.

Schiff, Sinnbild für Reise u. Überfahrt, damit auch Symbol für das Leben, die Lebensfahrt. – Im Christentum ist das S., häufig mit zusätzl. Bezug auf die ↗Arche Noah, ein Symbol der durch die Wogen der weltl. Gefahren sicher steuernden Kirche. Auch die architekton. Gestalt des Kirchenbaues (worauf bereits die Bz. Mittel-, Seiten- u. Querschiff deutet) wurde, häufig ins Detail gehend, mit einem S. verglichen; gelegentl. findet man auch Altäre in S.form. ↗Kahn.

Schildkröte, spielte vor allem in der Mythologie Indiens, Chinas u. Japans eine große Rolle. Die Zeichnungen auf ihrem Rückenpanzer wurden in verschiedenen Hinsichten als Muster kosm. Struktu-

Schildkröte: nach einer hinduist. Darstellung der Erschaffung der Welt (Ausschnitt), bei der das uranfängl. Milchmeer durch period. Drehung der Weltachse in Butter verwandelt wird; die Weltachse steht auf einer S.

ren gedeutet. Häufig begegnet sie selbst oder ihre Füße als Stütze des Universums, des himml. Thrones, der Urgewässer oder auch z. B. der Inseln der Unsterblichen. In mongol. Mythen erscheint eine goldene S., die den zentralen ↗Berg des Universums trägt. Der gewölbte Rückenpanzer der S. wurde verschiedentl. als Abbild des Himmels gesehen, der sich über der nach früheren Vorstellungen flachen Scheibe der Erde in Gestalt des Bauchpanzers erhebt. Die S. selber erscheint so als Mittlerin zw. Himmel u. Erde oder auch insges. als Sinnbild des Universums. – Da sie sehr alt wird, begegnet sie auch häufig – z. B. auf chin. Gräbern – als Symbol der Unsterblichkeit; aus ihrem Panzer u. ihrem Gehirn bereitete man deshalb angebl. lebensverlängernde Elixiere. In Japan (wo man ihr eine Lebensdauer v. 12 000 Jahren nachsagte), wurde sie häufig zusammen mit der ↗Kiefer u. dem ↗Kranich, zwei weiteren Unsterblichkeits-Symbolen, abgebildet. Ihr hohes Alter sowie die geheimnisvollen, als Schrift gedeuteten Zeichen auf ihrem Rücken machten sie außerdem zu einem Symbol der Weisheit. Auch in Afrika, wo sie verschiedentl. mit schachbrettförmigem Rücken dargestellt wird, ist sie ein Symbol der Weisheit, Geschicklichkeit u. Macht, auch hier gilt im übrigen ihr Rückenpanzer als Sinnbild des Himmelsgewölbes. – Da sie sich in ihr Gehäuse wie in eine andere Welt zurückziehen kann, ist sie, bes. in Indien, ein Symbol der Konzentration u. Meditation. – In China verkörpert die S. außerdem den Winter, den Norden u. das Wasser. – In der Antike war sie wegen ihrer zahlreichen Nachkommen ein Fruchtbarkeits-Symbol u. der Aphrodite (Venus) heilig, mit Bezug auf die phallische Form ihres Kopfes war sie außerdem dem Pan geweiht. Wegen ihrer Zurückgezogenheit in den Panzer wurde sie auch als Sinnbild häusl. Tugenden verstanden. – Die S. galt aber auch – vor allem im Orient u. im oriental. beeinflußten Abendland – als dämon., mit dunklen Mächten im Bunde stehendes Tier; darauf gehen z. B. Darstellungen zurück, die die S. (Dunkelheit) im Kampf mit dem ↗Hahn (Licht) zeigen. Für die Kirchenväter ist die gerne im Schlamm lebende (Sumpf)-S. häufig ein Symbol für die Niedrigkeit der bloßen Sinnenlust. Da man im Altertum aus ihrer Schale (Resonanzboden) die Leier herstellte, kann sie in der christl. Literatur, aber auch zugleich als Symbol für die moral. Verwandlung des sündigen Fleisches durch den Geist Erwähnung finden.

Schlange: die Uräusschlange mit der Sonnenscheibe; Bronze

Schilfrohr, da es leicht im Winde schwankt, Sinnbild des Wankelmuts u. der Schwäche; wegen seiner Biegsamkeit aber auch gelegentl. Symbol der Flexibilität. - Nach den mytholog. Vorstellungen des Shintoismus begann die Weltschöpfung damit, daß überall S.

aus den Urwassern hervorsproß. – Weil die röm. Soldaten Jesus verspotteten, indem sie ihm ein Zepter aus S. in die Hand gaben, ist es auch verschiedentl. ein Attribut auf Ecce-homo-Darstellungen.

Schirm, meist symbolisch als ↗Sonnenschirm.

Schlange, spielt bei den meisten Völkern eine außerordentl. wichtige u. sehr vielgestaltige Rolle als Symbol-Tier; symbolprägend waren vor allem ihre Sonderstellung im Tierreich (Fortbewegung über der Erde ohne Beine, Leben in Erdlöchern, aber aus Eiern schlüpfend wie ein Vogel), ihr kaltes, glattes u. schillerndes Äußeres, ihr giftiger Biß u. ihr Gift, das sich auch zu Heilzwecken verwenden läßt sowie ihre period. Häutungen. – Häufig begegnet sie als chthonisches Wesen, als Gegenspielerin des Menschen (aber auch als apotropäisches Tier), als Hüterin heiliger Bezirke oder der Unterwelt, als Seelentier, als Sexual-Symbol (männl. wegen ihrer phall. Form, weibl. wegen ihres verschlingenden Bauches) sowie (wegen ihrer Häutungen) als Sinnbild ständiger Erneuerungskraft. – In Afrika wurde die S. verschiedentl. kult. als Geist oder Gottheit verehrt. – In den alten mittelamerikan. Kulturen spielte bes. die *gefiederte* S. eine große Rolle; sie war urspr. ein Sinnbild des Regens u. der Vegetation, später wurde sie zur „mit grünen Quetzalfedern bedeckten Nachthimmelschlange“, die der „Türkis-“ oder „Taghimmelschlange“ gegenüberstand u. vereinigt mit dieser ein Symbol des Kosmos darstellte. – In China galt die S. als mit der Erde u. dem Wasser verbunden u. daher als Yin-Symbol (↗Yin und Yang). – Die ind. Mythologie kennt die *Nagas,* S.en, die als wohltätige oder unheilbringende Mittler zw. Göttern u. Menschen fungieren u. verschiedentl. (wie auch andere S.en in anderen Kulturen) mit dem ↗Regenbogen in Verbindung gebracht wurden. Die *Kundalini-S.,* die als zusammengerollt am unteren Ende der Wirbelsäule vorgestellt wird, gilt als Sitz kosm. Energie u. ist ein Lebens- u. (psychoanalyt. formuliert) ein Libido-Symbol. – Aus Mesopotamien stammt der älteste (Ende des 3. Jahrtausends v. Chr.) Beleg für einen ↗Äskulapstab. – Im Symboldenken der Ägypter spielt die S. eine wesentl. u. sehr vielgestaltige Rolle; so kannte man z. B. mehrere S.ngöttinnen, etwa eine Kobra-Göttin, die das Wachstum der Pflanzen bewachte. Auch das (gute oder böse) Schicksal wurde – z. B. als „Hausgeist“ – verschiedentl. in Gestalt einer S. verehrt. Daneben begegnen zahlreiche myth. S.en (geflügelt, mit Füßen, mehreren Köpfen usw.). Die *Uräus-S.* galt als Repräsentantin einer mit vielen Namen belegten Göttin; man sah in ihr die Verkörperung des Auges des Sonnengottes; nach mytholog. Vorstellungen bäumt sie sich an der Sonne oder der Stirn des Sonnengottes

Schlange: die eherne S. des Moses am Kreuz, alchimist. gedeutet als ‚serpens mercurialis‘; aus: Eleazar, Uraltes chymisches Werk, 1760

Schlange: die Kundalini-S. mit den Hauptkanälen des Nâdîsystems als Schlangenstab

Schlange: Paradiesschlange am Baum der Erkenntnis; nach einem Holzschnitt (Ausschnitt) v. H. Baldung gen. Grien; 1505

Schlange: S. als weibl. Versucherin am Paradiesbaum; Holzschnitt v. Steffen Arndes, aus: Hortus sanitatis, Lübeck, 1492

Schlange: S. um den Baum der Erkenntnis gewunden; Detail einer Darstellung im Cod. Vigilanus seu Albeldensis

auf u. vernichtet durch ihren Feuerhauch die Feinde; als Schutz- u. Herrscher-Symbol erscheint ihre Darstellung auf der Stirn der ägypt. Könige. Aber auch der Hauptfeind des Sonnengottes u. der Weltordnung, *Apophis,* hat die Gestalt einer S. In Ägypten findet sich außerdem erstmals das Symbol des ↗ *Ouroboros,* der sich in den Schwanz beißenden S. – Den Juden galt die S. vorwiegend als bedrohl. Wesen, das AT zählt sie zu den unreinen Tieren; sie erscheint als das Urbild der Sünde u. des Satans u. ist die Verführerin des ersten Menschenpaares im Paradies; andererseits begegnet sie aber auch als ein Symbol der Klugheit. Als Gott den Ungehorsam der Israeliten mit einer Plage v. giftigen, geflügelten S.en bestrafte, befahl er Mose, auf dessen Bitten, eine eherne S. zu fertigen; wer v. den Gift-S.n gebissen wurde u. auf jene blickte, sollte am Leben bleiben. Eine eherne S. dieser Art war daher lange Zeit Kultgegenstand der Juden, dem Christentum galt sie wegen ihres heilbringenden Charakters als symbolisches Vorausbild Christi; die S.enformen an Bischofsstäben beziehen sich u. a. auf jene eherne S. sowie auf die S. als Symbol der Klugheit. – Auch die Antike kannte zahlreiche myth. u. symbolische S.engestalten, häufig in Form v. ungeheuerartigen Mischwesen (↗Chimäre, ↗Echidna, ↗Hydra). Im Kult des Heilgottes Asklepios (Äskulap) spielte die S. (mit Bezug auf ihre Häutung) als Symbol der ständigen Selbsterneuerung des Lebens eine wichtige Rolle (↗Äskulapstab). In röm. Häusern wurden häufig S.en als Sinnbilder der Haus- u. Familiengeister gehalten. – Die *Midgard-S.* der altnord. Mythologie ist eine riesige, verderbenbringende S., die die als Scheibe gedachte Erde (Midgard) umlagert: ein Symbol der ständigen Bedrohung der Weltordnung; im frühen Christentum wurde sie dem ↗Leviathan gleichgesetzt. – Die christl. Kunst des MA betont häufig den verführer. Aspekt der Paradies-S. durch eine enge Beziehung zur Frau (z. B. S.ndarstellungen mit Frauenkopf u. Brüsten) wodurch eine innere Verwandtschaft zur verführten Eva nahegelegt wird. – Die S. ist das 6. Zeichen des chin. ↗Tierkreises, sie entspricht der ↗Jungfrau. – ↗Aspis.

Schleier, Symbol der Verhüllung, des Geheimnisses; die *Entschleierung* ist demgegenüber ein Sinnbild der Offenbarung, der Erkenntnis, der Initiation. Der Zugang zu spirituellen Geheimnissen wird verschiedentl. durch die Enthüllung des menschl. Körpers zum Ausdruck gebracht. Die rituelle Entschleierung der ägypt. Göttin Isis z. B. war ein Symbol für das Erscheinen des göttl. Lichtes. Die Nacktheit Christi am Kreuz wurde unter diesem Gesichtspunkt gelegentl. als Zeichen des Offenbarwerdens esoter. Geheimnisse interpretiert. – In der ind. Philosophie wird die

Maya, die Bedingung der Möglichkeit aller vergängl. Erscheinungen, mit einem S. verglichen; wie dieser ver- u. enthüllt sie zugleich: sie verbirgt den wahren Grund alles Seins u. gibt dadurch erst der Fülle der Erscheinungswelt den scheinbar objektiven Charakter. – Im Islam gilt das Angesicht Gottes als v. 70 000 Licht- u. Schatten-S.n verhüllt; sie dämpfen den göttl. Glanz, um ihn für die Menschen ertragbar zu machen; eigentl., so erläutern manche Interpreten, umgeben die S. aber nicht Gott, sondern seine Geschöpfe; nur den Heiligen ist es möglich, diese S. teilweise zu lüften. Der Koran spricht u. a. auch v. einem S., der die Verdammten u. die Auserwählten voneinander scheidet. – Im Kultus u. Volksbrauchtum dient der S. oft der Abwehr feindl. Dämonen. – Als Zeichen der Ehrfurcht oder der Angst vor dem Heiligen trugen Opfernde häufig einen S. vor dem Gesicht. – Der *Trauerschleier* symbolisiert die Zurückgezogenheit der Trauernden, der S. der Braut oder der Mohammedanerin ist ein Sinnbild der Schamhaftigkeit u. der *Brautschleier* zugleich ein Zeichen der Vermählung. Einen ähnl. Sinn hat der S. der Nonnen, die sich als Bräute Christi [verstehen.

Schleier: ‚Der Schleier fällt vom Antlitz des Uralten'; nach einer Miniatur; Tours-Bibel

Schleifenkreuz ↗Ankh.

Schleuder, in einigen indian. Kulturen Attribut des Gewittergottes, wohl wegen des Geräusches, das sie beim Abschießen gibt.

Schloß, häufiges Märchenmotiv; steht oft inmitten verzauberter Wälder oder auf verwunschenen Bergen; symbolisiert meistens (vor allem, wenn es hell und leuchtend geschildert ist) die Summe u. Erfüllung aller auf das Positive gerichteten Wünsche. – Ein schwarzes u. leeres S. kann auch Symbol des Verlustes, der Hoffnungslosigkeit sein.

Schlüssel. Der Symbolgehalt des S.s hängt damit zusammen, daß er sowohl öffnet wie verschließt. Janus, der römische Gott der Türe (später allgemein des Anfangs), wurde meistens mit Pförtnerstab u. S. dargestellt. – In Japan gilt der S. als Glücks-Symbol, weil er die Reiskammer (auch die verborgenen Schätze im übertragenen, geistigen Sinne) aufschließt. – In der christlichen Kunst symbolisiert er – auch als Doppel-S. – die dem Apostel Petrus verliehene Vollmacht, zu lösen u. zu binden (vgl. auch die beiden S. des Papstwappens). – Im MA galt die S.-Übergabe als symbolische Rechtshandlung, die Vollmachten verlieh (z. B. die Übergabe des Stadt-S.s). – In esoterischen Symbol-Sprachen bedeutet der Besitz des S.s häufig: „eingeweiht sein". – Auch in Märchen u. Volkssagen erscheint der S., oft als Symbol des erschwerten Zuganges zu Geheimnissen oder (wie auch im Brauchtum u. im Volkslied) als erotisches Symbol.

Schlüssel: Petrus mit S. vom Altarflügel der ehem. Taufkirche St. Johann Baptist, Worms; um 1250

Schlüsselblume, *Himmelsschlüssel, Primel,* Früh-

Schlüsselblume

lingsblume vor allem der nördl. gemäßigten Zone mit meist gelben Blütendolden auf kräftigen Stielen, was der Pflanze ein gewisses schlüsselähnl. Aussehen verleiht; bei den Germanen der Muttergöttin Frija geweiht. Im MA Heil- u. Zauberpflanze, insbesondere galt sie als wirksam beim „Erschließen" verborgener Schätze. Frühlings-Symbol, da sie den Frühling „aufschließt" u. ihr Anblick trübe Wintergedanken vertreibt. Marien-Symbol, weil Maria durch ihren Sohn Jesus Christus den Menschen das Himmelstor aufschließt.

Schmetterling, wegen seiner Leichtigkeit u. bunten Schönheit in Japan Symbol der Frau; zwei S.e symbolisieren das ehel. Glück. – Die wesentl. Symbol-Bedeutung des S.s beruht jedoch auf seiner Metamorphose v. ↗Ei über die ↗Raupe u. die der Todesstarre verhaftete Puppe zum strahlend bunten, dem Sonnenlicht zugewandten Flügelinsekt. Er ist daher schon in der Antike ein Symbol für die durch den phys. Tod nicht zu zerstörende Seele (sein griech. Name ist „psyché"); in späterer Zeit wurde allerdings stärker das Gefällige, flatterhaft Schweifende des S.s u. seine Beziehung zu dem Liebesgott Eros betont. – In der christ. Symbolik ist der S. einerseits ein Auferstehungs- u. Unsterblichkeits-Symbol, andererseits, wegen seiner kurzen Lebensdauer u. vergängl. Schönheit, auch ein Sinnbild der leeren Eitelkeit u. Nichtigkeit. – In der psychoanalyt. Traumdeutung begegnet der S. verschiedentl. als Symbol für Befreiung u. Neuanfang. ↗Nachtfalter.

Schmetterling: Eros mit einem v. S.en gezogenen Pflug; Gemme, 18. Jh.

Schmetterlingspuppe ↗Puppe.

Schmied, als Bezwinger der ↗Metalle (bes. des ↗Eisens) u. als kraftvoller, schöpfer. Veränderer kosmogon. Symbol-Figur; in den religiösen Vorstellungen vieler Völker dem Hauptgott als Helfer zugeordnet (z. B. Zeus-Hephaistos); häufig mit ↗Blitz u. ↗Donner operierend. – Als Mensch erscheint der S. oft als Beherrscher des Feuers, als Heiler v. Krankheiten u. als Regenmacher; das negative Pendant hierzu ist die ebenfalls weitverbreitete Vorstellung vom S., der mit den Kräften des unterird. Feuers, mit schwarzer Magie u. der Hölle in Verbindung steht. – In den Vorstellungen afrikan. Völker spielt der S. – u. a. Hersteller v. Ahnen- u. anderen Kultbildern – eine wichtige, verschiedentl. auch gefürchtete Rolle u. nimmt sozial deshalb oft eine hohe Stellung ein; bei einigen Stämmen wird er allerdings auch verachtet.

Schmied: Darstellung aus: Hortus sanitatis, 1509

Schmuck, Symbol des Ausgezeichnetseins, der Macht, des esoter. Wissens; aber auch einfach Symbol des materiellen Reichtums; schließl., im negativen Sinne, Symbol der Nichtigkeit, des bloß äußerl. Scheins alles Irdischen. – Bei vielen Völkern wurde dem Tragen v. S. eine apotropäische Wirkung beigemessen.

Schnecke: sich aus einer S. erhebender Windgott der Maya

Schnecke, in zahlreichen Kulturen lunares Symbol, da sie ihre Fühler u. sich selbst wechselnd zeigt oder zurückzieht, insofern ein Bild des ständig zu- oder abnehmenden Mondes; in dieser Hinsicht auch allg. Symbol stetiger Erneuerung. – Indian. Windgötter wurden oft zum Ausdruck ihrer Fähigkeit, bis in die letzten Winkel vorzudringen (so wie die S. sich in ihr Haus zurückzieht), schneckenförmig dargestellt. – Wie die ↗Muschel wurde die S. auch verschiedentl. mit dem weibl. Geschlechtsorgan verglichen; in einigen indian. Kulturen war sie deshalb u. wegen ihres schützenden Hauses ein geläufiges Symbol für Empfängnis, Schwangerschaft u. Geburt. – Im Christentum gilt sie, da sie im Frühjahr den Deckel ihres Gehäuses sprengt, als Auferstehungs-Symbol. – Wegen der Form ihres Gehäuses steht die S. auch in symbol. Zshg. mit der ↗Spirale. – *Kauri-* oder *Porzellanschnecken* waren bei verschiedenen Naturvölkern nicht nur als Schmuck u. Geld, sondern auch als Amulette u. Fruchtbarkeits-Symbole beliebt.

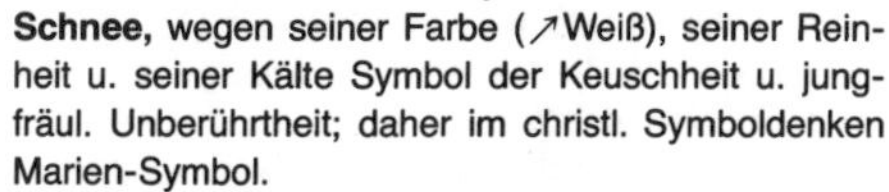
Schnee, wegen seiner Farbe (↗Weiß), seiner Reinheit u. seiner Kälte Symbol der Keuschheit u. jungfräul. Unberührtheit; daher im christl. Symboldenken Marien-Symbol.

Schneeglöckchen

Schneeglöckchen, eine der ersten Frühlingsblumen, daher Sinnbild der Hoffnung; auf christl. Tafelbildern des MA Marien-Attribut, da wir Maria die „Geburt der Hoffnung" verdanken.

Schnur, wie die ↗Kette Symbol der Verbindung, häufig bes. derjenigen zw. Himmel u. Erde, auch im Sinne des Befruchtens der Erde durch den Himmel verstanden, daher gelegentlich Symbol für den ↗Regen. – Vorstellungen des Buddhismus u. Hinduismus, der Neuplatoniker u. anderer Weltanschauungen zufolge ist der Geist des Menschen mit der Seele oder dem Leib durch eine astrale goldene S. verbunden. – Für die Freimaurer symbolisiert eine S. mit Knoten die Gemeinschaft aller Freimaurer.

Schöllkraut, Mohngewächs mit gelbl. Milchsaft; fr. als vielseitiges Heilmittel verwendet; aus dem goldgelben Saft versuchten die Alchimisten Gold zu machen. Der Name der Pflanze leitet sich v. dem griech. Wort für ↗Schwalbe (chelidon) her, da nach dem Volksglauben der Antike u. des MA die Schwalben ihre Jungen durch den Saft des S.s sehend machten. Das S. hat daher die symbolische Bedeutung: sehend zu machen, v. der geistl. Blindheit zu heilen, Lichtbringer zu sein; es verweist deshalb in der ma. Kunst häufig auf Christus. – Der Volksglaube sah in der Pflanze, die angebl. jedem, der sie bei sich trug, die Macht verlieh, Streit zu schlichten, auch ein Symbol der Zufriedenheit.

Schornstein ↗Kamin.

Schöllkraut

Schoß ↗Gebärmutter, ↗Abraham.

Schrei, früher als *Kriegsschrei* in den meisten Kulturen üblich als Ausdruck u. Sinnbild der Angriffslust. Der S. verkörpert auch Lebenskraft u. -freude, z. B. bei bestimmten (meist mit Fruchtbarkeitsriten zusammenhängenden) Festen der Antike.

Schuh. In der Antike war das Tragen v. S.en Vorrecht u. Symbol des freien Mannes, die Sklaven gingen barfuß. Der S. steht außerdem (als gleichsam weibl. Pendant) in Beziehung zur phallischen Symbolbedeutung des Fußes (↗Fuß) u. war bei verschiedenen Ernte- u. Hochzeitsbräuchen ein Fruchtbarkeits-Symbol.

Schütze: Tierkreiszeichen

Schurz, rituelle Bekleidung der Freimaurer; meistens ↗weiß; Sinnbild der Arbeit u. der Unschuld.

Schütze, 9. Zeichen des ↗Tierkreises; sein Element ist das ↗Feuer. ↗Pfeil und Bogen.

Schutzmantelmadonna ↗Mantel.

Schwalbe, als regelmäßig wiederkehrender Zugvogel vielfach Sinnbild des Frühlings u. damit auch des Lichts u. der Fruchtbarkeit. Ihr Nisten am Haus gilt als glückbringend. – Im MA Auferstehungs-Symbol, weil sie nach Ablauf des Winters mit dem Licht wiederkehrt u. weil man ihr nachsagte, sie könne ihren Jungen durch den Saft des ↗Schöllkrauts (das deshalb auch *Schwalbenkraut* heißt) das Augenlicht geben, so wie Gott am Jüngsten Tage die Toten wieder sehend macht. – Bei schwarzafrikan. Völkern gelegentl. Symbol der Reinheit, da sie sich nicht auf die Erde setzt u. daher nicht mit Schmutz in Berührung kommt.

Schwan: S. als Symbol des Geistes; Ausschnitt aus: Mylius, Philosophia reformata, 1622

Schwan. In Kleinasien wie in Europa ist der weiße S. Symbol des Lichtes, der Reinheit u. der Anmut (der schwarze S. dagegen tritt wie die schwarze ↗Sonne gelegentl. in okkulten symbol. Zusammenhängen auf); diese Symbolik ist ihrerseits z. T. aufgespalten in einen weiblichen u. einen männlichen Bedeutungskomplex. Vor allem bei slav. u. skandinav. Völkern u. in Kleinasien herrscht der weibl. Aspekt vor: der S. als Symbol der Schönheit, der himmlischen Jungfrau (befruchtet vom Wasser oder der Erde). In Indien, China, Japan, Skandinavien, bei Arabern u. Persern begegnet der Typus der Schwanenjungfrau, einer märchenhaften Gestalt aus dem Jenseits. In der Antike dagegen herrschte der männl. Aspekt vor: weiße Schwäne ziehen den Wagen des Apollo, Zeus nähert sich Leda in Gestalt eines S.es (allerdings werden auch Aphrodite u. Artemis gelegentl. v. Schwänen begleitet). – Nach griech. Glauben besaß der S. außerdem die Fähigkeit, wahrzusagen u. den Tod anzukündigen. – Im Fernen Osten ist der S. sowohl ein Symbol der Anmut wie auch der Vornehmheit u. des Mutes. – Bei den Kelten galt der S. als Verkörperung überirdischer Wesenheiten; sie unterschieden, wie z. B. der Hinduismus, nicht immer zw. der symbol. Bedeutung von S. u. ↗Gans, während in vielen anderen Kulturen die Gans als eher negatives Gegenbild zum S. verstanden wird. – In der Alchimie wurde der S. häufig dem Merkur (↗Mercurius) zugeordnet, er galt als Sinnbild des Geistes u. der Vermittlung von ↗Wasser u. ↗Feuer. – Das S.enei begegnet gelegentl. auch als Weltenei (↗Ei). – Der Singschwan, der angebl. vor seinem Tod (vor allem, wenn er im Eis eingefroren ist) klagende Gesänge anstimmt, wurde zum Sinnbild der letzten Werke oder Worte eines Menschen; in diesem Sinne gelegentl. auch Symbol Christi mit Bezug auf seine letzten Worte am Kreuz.

Schwanz, begegnet gelegentl. als verschleiertes Sexual-Symbol, z. B. in der roman. Kunst der oft mit ornamentalen Formen verbundene S. des Löwen.

Schwarz, steht als nicht-bunte Farbe symbolisch in Analogie zur Farbe ↗Weiß; es entspricht wie diese dem Absoluten u. kann daher sowohl die Fülle des Lebens wie den totalen Mangel daran ausdrücken. Häufig erscheint es unter dem Aspekt des Undifferenzierten, Abgründigen, zur Bezeichnung der Dunkelheit, des Urchaos, des Todes. Als Trauerfarbe steht es – anders als die Lichtfarbe Weiß, die Hoffnung signalisiert – dem resignierenden Schmerz nahe. – Als Farbe der Nacht partizipiert es an dem Symbol-Komplex Mutter–Fruchtbarkeit–Geheimnis–Tod, so ist S. auch häufig die Farbe v. Fruchtbarkeits- u. Muttergöttinen u. ihren Priesterinnen; in diesem Zshg. ist es symbolisch gelegentl. der Farbe des Blutes, ↗Rot, verwandt. In China ist S. die Farbe des weibl. Prinzipes Yin (↗Yin u. Yang) u. steht, nicht wie bei uns dem Weiß, sondern dem ↗Gelb (gelegentl. auch dem ↗Rot) als dessen ergänzender Gegensatz gegenüber. – Als Farbe des Bösen begegnet S. z. B. in der *Schwarzen Magie.* – Am spanischen Hof war S. lange Zeit die Farbe ernster Würde. – Unter psychoanalyt. Gesichtspunkt drücken schwarze Tiere u. Menschen als Traumgestalten häufig triebhafte Tendenzen des Unterbewußtseins aus.

Schwarze Sonne ↗Sonne.

Schwefel, in der Alchimie (meist lat. *Sulphur* oder *Sulfur)* neben ↗Salz u. Quecksilber (↗Mercurius) eines der philosophischen Elemente u. Weltprinzipien; repräsentiert „das Brennende" oder die Energie u. Seele (anima) der Natur; wurde verschiedentl. auch mit der ↗Sonne verglichen. – Der Volksglaube des MA wendete die Symbol-Bedeutung des S.s ins Infernalische u. sah in ihm, seiner Flamme u. seinem Geruch ein Attribut des Teufels.

Schwein, Symbol-Tier mit verschiedenen Bedeutungen; wegen seiner reichen Nachkommenschaft vor

Schwefel: Ausschnitt aus einer Darstellung in: Musaeum Hermeticum, Frankfurt, 1677

Schwein: Opferung eines S.s an die Fruchtbarkeitsgöttin Demeter; nach einer Darstellung auf einem att. Gefäß

allem als *Sau* oder Muttersau Fruchtbarkeits-Symbol, z. B. bei Ägyptern, Griechen u. Kelten; daher auch in Darstellungen als Glück u. Fruchtbarkeit bringendes ↗Amulett verwendet; (die redensartl. Wendung „S. haben“ für „unverdient Glück haben“ war allerdings urspr. wohl eher spöttisch gemeint u. geht auf ma. Wettspiele zurück, deren letzter, d. h. eigentl. unverdienter Preis häufig ein S. war). – In der griech.-röm. Antike gehörte das S. zu den bevorzugten Opfertieren. – Daneben wurde das S. jedoch bei vielen Völkern verachtet; bei Juden, Mohammedanern u. anderen galt es als unreines Tier. Wegen seiner Gefräßigkeit u. seines Wühlens im Unrat ist es auch ein verbreitetes Symbol für Niedrigkeit u. Verrohung, in der ma. Kunst vor allem für Maßlosigkeit – bes. Völlerei u. Unkeuschheit – oder auch für Unwissen. – Eine besondere Rolle spielt gelegentl. das *Wildschwein;* vor allem der *Eber* wurde, z. B. bei den Griechen oder in Japan, als Sinnbild der Kraft u. des Kampfesmutes verehrt. Bei den Kelten war das Wildschwein ein Symbol-Tier der Krieger- u. der Priesterklasse u. wurde bei sakralen Festen verzehrt. – In der ma. Kunst war es ein Symbol des Dämonischen. – Auf die falsche Deutung des Namens Eber (v. hebr. ibri, Stammvater der Ebräer) geht die merkwürdige Tatsache zurück, daß der Eber in der christl. Kunst des MA gelegentl. als Christus-Symbol erscheint. – Das S. ist das 12. u. letzte Zeichen des chin. ↗Tierkreises; es entspricht den Fischen (↗Fisch).

Schweiß, galt im Volksglauben verschiedentl. als Träger der Kräfte der ausscheidenden Person, er wurde daher sowohl zu Schadens- wie zu Heilzauber verwendet. – In einigen indian. Kulturen wurde die S.abgabe des Körpers als Opfer an den Sonnengott u. damit zugleich als Sühne u. Reinigung gedeutet.

Schwelle, *Türschwelle,* wie die ↗Türe selber Symbol des Übergangs v. einem Ort, Zustand usw. zum anderen oder auch der Trennung zw. diesen. – „Jemanden v. der S. weisen“ heißt, mit ihm nichts zu tun haben wollen, während „sich auf der S. eines anderen niederlassen“ bedeutet, sich unter dessen Schutz stellen. – Die S. des Tempels gilt in vielen Kulturen als heilig, so bedarf es oft einer gewissen Reinigung, bevor sie betreten wird (z. B. des Ausziehens der Schuhe an der S. der Moscheen); bei verschiedenen Völkern darf sie auch selbst nicht betreten werden.

Schwert: Vertreibung aus dem Paradies mit dem Flammenschwert; aus: Speculum Humanae Salvationis, niederländ. Blockbuch

Schwert, zunächst oft einfach Symbol militär. Tugenden, bes. männl. Kraft u. Tapferkeit; damit auch Symbol der Macht u. zugleich der ↗Sonne (unter dem Gesichtspunkt des aktiven, männl. Prinzips sowie mit Bezug auf die schwertähnl. blitzenden Sonnenstrahlen); ins Negative gedeutet, symbolisiert es die

Schrecken des Krieges; viele Kriegs- u. Gewittergötter haben das S. als Attribut. – Verschiedentl. auch phall. Symbol. – Als scharf schneidendes Instrument Symbol der Entscheidung, der Trennung in Gut u. Böse u. damit auch Symbol der Gerechtigkeit; auf vielen Darstellungen des Jüngsten Gerichts geht aus dem ↗Mund Christi ein, oft zweischneidiges, S. hervor. – Nach der ma. Zwei-Schwerter-Theorie, die die kuriale (Primat der Kirche über den Staat) u. die kaiserl. (Gleichberechtigung beider Instanzen) Machtauffassung formulierte, symbolisiert je ein S. die weltl. u. die geistl. Macht. – Gleichermaßen Symbol der Macht wie der Gerechtigkeit ist das *Flammenschwert*, mit dem ↗Adam u. Eva aus dem Paradies vertrieben wurden. – Das S. kann auch als Symbol des ↗Blitzes gelten, so etwa in Japan u. in Indien, wo es beispielsweise als S. des wed. Opferpriesters Blitz des Indra genannt wird. – Ein fest in der Scheide steckendes S. symbolisiert die Kardinaltugend Mäßigkeit bzw. Besonnenheit.

Schwert: Christus als Weltenrichter mit dem S. im Mund; nach einer Miniatur um 1260

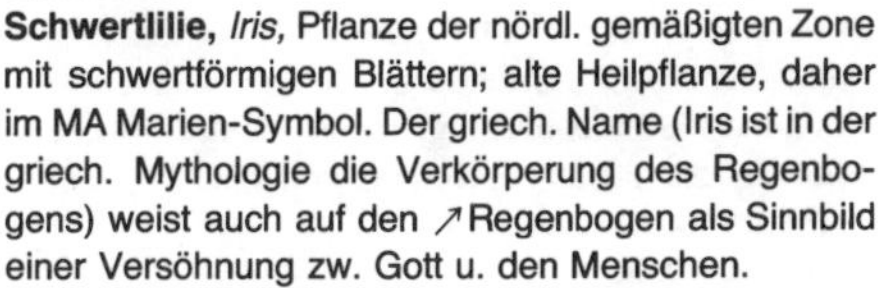

Schwertlilie, *Iris,* Pflanze der nördl. gemäßigten Zone mit schwertförmigen Blättern; alte Heilpflanze, daher im MA Marien-Symbol. Der griech. Name (Iris ist in der griech. Mythologie die Verkörperung des Regenbogens) weist auch auf den ↗Regenbogen als Sinnbild einer Versöhnung zw. Gott u. den Menschen.

Schwertlilie

Schwirrholz, vor allem in Australien, Afrika, bei Indianern u. Eskimos nur v. Männern verwendetes Kultgerät (bereits sein Anblick ist den Frauen meistens verboten): ein lanzettförmiges Holz mit einem Loch an einem Ende, durch das eine Schnur gezogen wird; das S. wird damit im Kreis geschwungen u. erzeugt einen summenden Ton, der meist als Stimme v. Geistern, als Stimme des ↗Donners oder als Ausdruck männl. Zeugungskraft verstanden wird. Es findet u. a. Verwendung bei Regen- u. Fruchtbarkeitsriten. In Griechenland stand es gelegentl. in Zshg. mit betont sexuellen Riten.

Sechs, galt bei den Pythagoreern – als Mitte zw. ↗Zwei u. ↗Zehn (die ↗Eins wurde dabei nicht als eigentl. Zahl gewertet) – als vollkommene Zahl. – In China stand die 6 in Zshg. mit den Einflüssen des Himmels. – Im christl. Symboldenken begegnet die 6 ambivalent: heilig als Zahl der 6 Schöpfungstage; bedeutsam auch als Zahl der Werke der Barmherzigkeit; in der Apokalypse jedoch erscheint die 6 als Zahl des Bösen; 666 ist die Zahl des apokalypt. Tieres. ↗Hexagramm.

Sechsunddreißig, enthält als Teiler die häufig mit der ↗Erde verbundene Symbol-Zahl ↗Vier u. die ↗Neun, die ihrerseits 3mal die heilige ↗Drei enthält; sie selbst u. ihre Vielfachen spielen daher verschiedentl. eine Rolle als Symbol kosm. Verbindungen zw.

Seeigel

Sense: Tod als Gerippe mit S. u. Stundenglas; nach einem Stich v. Anders Trost (Ausschnitt)

Seraph: S. v. der Kathedrale in Reims; 1. Hälfte 13. Jh.

Sesam

Himmel, Erde u. Mensch (z. B. 36 als Zahl des Himmels, 72 als Zahl der Erde, 108 als Zahl des Menschen). Die 36 ist weiterhin ein Totalitäts-Symbol, weil sie die Summe der ersten vier geraden u. der ersten vier ungeraden Zahlen (wobei 1 als erste ungerade Zahl gerechnet wird) darstellt (20 + 16); sie war in dieser Hinsicht bes. bei den Pythagoreern von Bedeutung.

See, *Teich,* oft anschaul. gedeutet als aufgeschlagenes ↗Auge der Erde. – Verschiedentl. verstanden als Aufenthaltsort v. unterird. Wesenheiten, Feen, Nymphen, Wassermännern usw., die den Menschen anlocken, um ihn in ihr Reich hinabzuziehen. – In der Traumsymbolik oft Sinnbild des Weibl. oder des Unbewußten.

Seeigel, Stachelhäuter, die vor allem in den Küstengebieten der Weltmeere leben. Versteinerte S. spielten bei den Kelten eine Rolle als Symbole für das Weltenei (↗Ei).

Seerose ↗Lotos.

Segen, eine mit symbol. Gesten (z. B. Handauflegen, Kreuz-Schlagen) verbundene, als real wirksam verstandene Kraftübertragung oder Heranwünschung göttl. Gnade. ↗Hand, ↗Rechts und links.

Sempervivum ↗Hauswurz.

Senkblei ↗Lot.

Sense, wie die ↗Sichel Symbol der alles zerstörenden Zeit u. des Todes: seit der Renaissance bes. Attribut der als Gerippe (Sensenmann, ↗Skelett) dargestellten Personifikationen v. Zeit u. Tod.

Seraph *m* [Mz. Seraphim], in der Bibel erwähntes, vier- oder sechsflügliges Wesen der höheren Hierarchien, dessen Name „Der Brennende" bedeutet; begegnet auch als „Feuerschlange"; der Symbolbedeutung v. ↗Licht, ↗Feuer u. Vogel (↗Vögel) nahestehende Verkörperung geistiger Gewalt.

Sesam *m,* alte, verbreitete Kulturpflanze mit fingerhutähnl. Blüten u. Kapselfrüchten, die den ölhaltigen Samen bergen. Die Samen galten in China u. im Alten Orient als lebenverlängernde u. den Geist stärkende Nahrung. – Die Formel aus 1001 Nacht „S., öffne dich", die bewirken sollte, daß die Schatzhöhle sich auftue u. ihren Schatz preisgebe, hängt möglicherweise auch mit der S.pflanze zusammen; der Bezugspunkt wäre die Tatsache, daß man erst nach Aufbrechen der Samenkapsel zu den geschätzten Samen gelangt.

Sichel, wegen ihrer Form häufig mit der Mondsichel in Verbindung gebracht (↗Halbmond). Symbol der jedes Jahr sich erneuernden Ernte, insofern zugleich Symbol der Zeit u. des Todes (als Schnitters) wie der Hoffnung auf Erneuerung u. Wiedergeburt. ↗Sense.

Sieb, Symbol des Aussonderns, des krit. Trennens u.

Unterscheidens, bes. Symbol der Scheidung v. Gutem u. Schlechtem bzw. Bösem; in diesem Sinne häufig in symbol. Zshg. mit der göttl. Gerechtigkeit oder dem Jüngsten Gericht erwähnt, vor allem in Verbindung mit Metaphern, die sich auf das Aussieben von Getreide beziehen. – In Zshg. mit den vier Kardinaltugenden symbolisiert das S. die Klugheit.

Sieben, gilt von alters her als heilige Zahl, was u. a. wohl auf die vier verschiedenen Mondphasen zu je sieben Tagen zurückgeht. Die 7 ist eine Zahl der Vollendung, der Fülle u. der Vollständigkeit. Sie vereint in sich additiv die Himmelssymbolik der ↗Drei mit der erdhaften Symbol-Bedeutung der ↗Vier. – Der Buddhismus kennt 7 verschiedene Himmel. – Die Chinesen sahen die 7 Sterne des Großen Bären in Zshg. mit 7 Körperöffnungen u. 7 Öffnungen des menschl. Herzens. – Im Altertum kannte man (zusammen mit ↗Sonne u. ↗Mond) 7 Planeten, die man als göttl. u. als anschaul. Ausdruck der kosm. Ordnung verstand. Bei den Babyloniern begegnen auch die „bösen Sieben", eine Gruppe v. 7 meist zus. auftretenden Dämonen. – In Griechenland spielte die 7, u. a. dem Apollo heilig, eine wichtige Rolle; bekannt sind die 7 (oder 3) Hesperiden, die 7 Tore Thebens, die 7 Söhne des Helios, die 7 Söhne u. 7 Töchter der Niobe, die Sieben Weisen, die Sieben gg. Theben usw. Berühmt sind die „Sieben Weltwunder", eine Zusammenstellung der prächtigsten Bau- u. Kunstwerke des Altertums. – Die 7 ist im Judentum eine bes. ausgezeichnete Zahl, worauf z. B. der 7armige ↗Leuchter verweist. In der Bibel begegnet die 7 mehrfach, sowohl unter positivem wie negativem Vorzeichen, jedoch stets als Ausdruck einer Totalität: 7 Gemeinden, Buch mit 7 Siegeln, 7 Himmel, in denen die engl. Hierarchien wohnen, 7 Jahre, in denen Salomon den Tempel erbaute usw., aber auch: 7 Köpfe des apokalypt. Tieres, 7 Schalen des göttl. Zorns usw.; das Böse erscheint in der Apokalypse allerdings auch symbolisch als die Hälfte v. 7, also dreieinhalb (zum Zeichen der gebrochenen Macht des Satans). – Eine wichtige Rolle spielt die 7 als Totalitäts-Zahl auch in Märchen u. Volksbrauchtum: 7 Brüder, 7 Raben, 7 Geißlein, 7 verschiedene Speisen an besonderen Tagen usw.

Siegel, vor allem im Alten Orient sehr gebräuchl. als Repräsentant für Eigentumsrecht, Macht usw. der Persönlichkeit. In der Bibel u. in der christl. Literatur wird das S. wie die Münze (↗Geld) verschiedentl. erwähnt als Symbol der Gottgehörigkeit. *Versiegelt* sind auch göttl. Geheimnisse, z. B. in der Apokalypse, in der das ↗Lamm das Buch mit den sieben S.n öffnet.

Silber, als weißleuchtendes Metall Reinheits-Symbol; bei den Sumerern, in der Antike u. bis zur spät-ma.

Sichel: der Herr mit der S.; nach einer Miniatur in der Bamberger Apokalypse

Sieben: die siebenblättrige Blume; aus: Boschius, Symbolographia, 1702

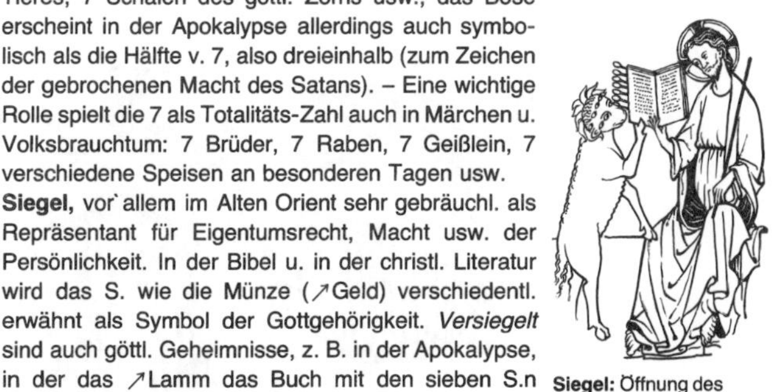

Siegel: Öffnung des Buches mit den 7 Siegeln; nach einer Miniatur aus der 2. Hälfte des 13. Jh.

Sirenen: Odysseus u. die S.en; Stamnos des Sirenenmalers, um 475 v. Chr.

Alchimie mit dem ↗Mond u. damit auch mit dem weibl. Prinzip in Verbindung gebracht (in Opposition zum männl., sonnenhaften ↗Gold). – Für die ägypt. Mythologie bestanden die Knochen der Götter aus S., ihr Fleisch aus Gold. – In der christl. Symbolsprache versinnbildlicht das durch Läuterung gewonnene S. die Läuterung der Seele. In den Psalmen wird das Wort Gottes mit S. verglichen. Auch Maria wird, als reine Jungfrau, mit dem S. in Verbindung gebracht.

Silberbaum ↗Arbor philosophica.

Silbernes Zeitalter ↗Zeitalter.

Sinau ↗Frauenmantel.

Sirenen, [Mz.], in der griech. Mythologie Dämonen mit Vogelleib u. Frauenkopf, oft auch mit Brüsten; hausen auf Meeresklippen u. sind mit übernatürlichem Wissen u. die Sinne verwirrendem Gesang begabt, mit dem sie Seefahrer anlocken, die sie dann töten u. fressen. Häufig als Symbol der Gefahren der Seefahrt oder allg. verführerischer todbringender Gefahren gedeutet. Psychoanalyt. können sie auch als Sinnbild zwanghafter selbstzerstörerischer Tendenzen verstanden werden. – Spätere Deutungen der Antike sahen die S. positiver als Sänger des Elysiums, die mit der Sphärenharmonie in Verbindung standen. Wegen dieser Beziehung zum Jenseits wurden sie auch häufig auf Sarkophagen abgebildet. – Das MA, das die S. oft auch fischschwänzig darstellte, sah in ihnen ein Sinnbild weltlicher u. teuflischer Verlockung. – Die am Rhein hausende *Lorelei* kann als eine deutsche Fluß-Sirene verstanden werden.

Sisyphos ↗Felsen, ↗Tantalos.

Skarabäus *m, Mistkäfer, heiliger Pillendreher,* formt aus Dung „Pillen", die in die Erde versenkt werden u. in die das Weibchen Eier legt. Die scheinbare Entstehung des S. aus diesen Kugeln machte ihn in Ägypten zum heiligen, sonnenhaften Tier (Übereinstimmung des Namens mit dem Wort für „aufgehende

Skelett: Holzschnitt aus: La danse macabre des femmes, Paris, 1486; Ausschnitt.

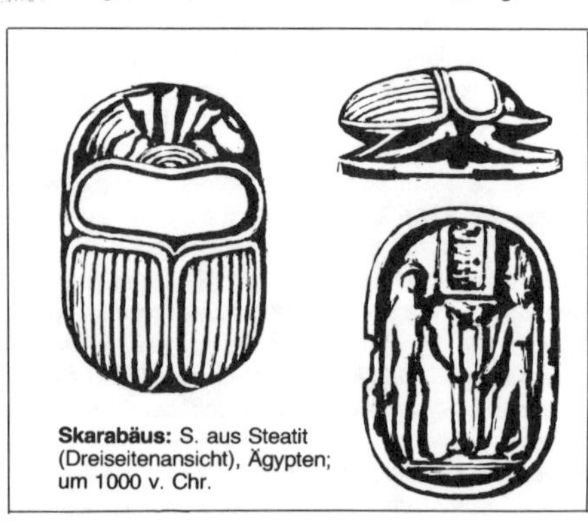
Skarabäus: S. aus Steatit (Dreiseitenansicht), Ägypten; um 1000 v. Chr.

Sonne") u. zum Symbol der Auferstehung, weitverbreitet in Form v. Siegelsteinen oder als Amulette. Größere Exemplare wurden der Mumie auf das Herz gelegt; sie tragen einen Totenbuchtext, in dem das Herz aufgefordert wird, beim Totengericht nicht gg. den Verstorbenen auszusagen.

Skelett, Personifikation des Todes, oft in nachdenkl. Haltung oder mit der ↗Sense u. dem Stundenglas (↗Sanduhr) dargestellt; begegnet bereits in der späten Antike (die Griechen verkörperten den Tod noch als jünglingshaften Bruder des Schlafes oder als Genius mit gesenkter Fackel). – Das spät-ma. *Totentanz*motiv zeigt Menschen jeden Alters, Geschlechts u. Standes, die einen Reigen mit S.en tanzen, v. denen sie hinweggerafft werden; in späteren Darstellungen tritt das S. auch an Menschen als unerwartete Bedrohung mitten im Leben heran.

Skelett: ‚Der Tod und der Krämer' aus dem Totentanz v. H. Holbein d. J.

Skorpion, in Ägypten als gefährl. u. gefürchtetes zugleich heiliges Tier, dem man göttl. Ehren erwies; eine ägypt. Fruchtbarkeitsgöttin u. Beschützerin der Verstorbenen wurde mit einem S. auf dem Kopf dargestellt; auch Darstellungen v. S.en mit dem Kopf der Isis begegnen verschiedentl. – In Afrika war der S. vielfach als Verkörperung gefährl. Mächte so sehr gefürchtet, daß man es nicht wagte, seinen Namen auszusprechen. – In der Bibel erscheinen S.e als Gottesstrafen, als Symbol für die abtrünnigen Israeliten oder als Symbol für den Teufel. – In der ma. Kunst symbolisiert der S. den Satan, den Häretiker, den Tod oder den Neid. – Der S. ist das 8. Zeichen des ↗Tierkreises, sein Element ist das ↗Wasser.

Skorpion: S. mit dem Kopf der Göttin Isis; Bronzeverzierung auf einem Stab, Ägypten; Spätzeit

Skorpion: Tierkreiszeichen

Smaragd *m,* partizipiert allg. an der Symbolbedeutung der Farbe ↗Grün. – Die Indianer Mittelamerikas brachten ihn in Verbindung mit dem ↗Blut (die Farben Grün u. ↗Rot gelten bei Indianern häufig gleichermaßen als Ausdruck der Lebenskraft), dem ↗Regen u. ↗dem Mond. Auch in Europa steht der S. wegen seiner grünen Farbe in Zshg. mit der Fruchtbarkeit u. v. daher mit dem Feuchten, dem Mond u. dem Frühling. – In Rom war der S. Attribut der Venus. – Nach der Offenbarung des Johannes gehört der S. zu den Steinen des himmlischen Jerusalem. – Der Symbolgehalt des S.s im MA war vielschichtig: er galt als hochgradig wirksamer Talisman, da er sich, angebl. selbst urspr. der Hölle entstammend, bes. gut gg. die infernal. Kräfte verwenden ließ. Zugleich glaubte man aber mit einem S. auf der Zunge könne man böse Geister herbeirufen u. mit ihnen Zwiesprache halten. Dem geweihten, d. h. seiner bösen Kräfte beraubten S. sprach man die Fähigkeit zu, Gefangene befreien zu können. Im Symboldenken der christl. Kirche bedeutet der S. Reinheit, Glaube u. Unsterblichkeit.

Sonne: Sonnen- oder Gottessymbol; Jakobuskirche, Tübingen

Sodom u. Gomorrha, bibl. Städte, v. Jahwe wegen ihrer Gottlosigkeit u. ihres Sittenverfalls zerstört; bereits im AT und bis heute sprichwörtl. Symbol für Lasterhaftigkeit u. Verfall. ↗Feuer.

Sol invictus ↗Sonne.

Soma *m,* berauschender Saft einej gleichnamigen Pflanze, aus dem man in Indien ein rituelles Trankopfer bereitete; wurde häufig symbolisch mit dem ↗Mond identifiziert.

Sonne, bei allen Völkern eines der wichtigsten Symbole, viele Naturvölker u. frühe Hochkulturen verehrten sie als Gott; oft wird sie dargestellt als anschaul. Verkörperung des Lichtes (↗Licht) u. damit zugleich der höchsten kosm. Intelligenz, der Wärme, des ↗Feuers, des lebenspendenden Prinzips; ihr tägl. neuer Auf- u. Untergang ließ sie auch zu einem symbolischen Vorausbild der Auferstehung sowie allg. jeden Neuanfangs werden. Weil die S. alle Dinge mit demselben Licht bescheint u. dadurch erst erkennbar macht, ist sie auch ein Symbol der Gerechtigkeit. – Eine besondere Verehrung genoß die S. in Ägypten, man sah in ihr die Verkörperung des Sonnengottes Rê (zuzeiten in Verbindung oder Identifikation mit anderen Göttern, z. B. Amun, Chnum usw.); dieser hatte zwei *S.nschiffe,* mit denen er über den Himmel fuhr. Sehr häufige S.ndarstellungen sind der ↗Skarabäus mit der S.nkugel oder die (oft geflügelte) S.nscheibe (↗Scheibe) mit der Uräusschlange (↗Schlange). – Weitere Sonnengötter sind z. B. der babylon. Schamasch, der griech. Helios (mit ↗Pferden u. S.nwagen), der röm. Sol bzw. der spätröm. *Sol invictus* („die unbesiegte S."). Häufig, so z. B. bei den Inkas, in Ägypten u. Japan war der Sonnenkult eng mit dem Herrscherkult verbunden. Auch andere Götter, nicht eigentl. S.ngötter, stehen der S. oft sehr nahe, so z. B. Osiris oder Apollo. – Der ind. Weda vergleicht Brahma, das Absolute, mit der geistigen S. – In China galt die S. (im Ggs. zum ↗Mond) als Ausdruck des Prinzips Yang (↗Yin und Yang). – Plato sah in der S. die anschaubare Repräsentation des Guten. – Im Christentum wird Christus mit der S. verglichen (z. B. als *S. der Gerechtigkeit,* in frühchristl. Zeit auch mit dem spätröm. Sol invictus in Beziehung gesetzt). – Der Ggs. S.–Mond entspricht bei den meisten Völkern dem Gegensatzpaar männl.–weibl., es sind jedoch auch mehrere Beispiele (z. B. in Zentralasien oder im dt. Sprachbereich) mit umgekehrter Bedeutungsverteilung (die S. als wärmendes, nährendes, mütterl. Prinzip) bekannt. – In der Alchimie entspricht der S. das ↗Gold, das auch „S. der Erde" genannt wird. – Die S. kann jedoch, bes. in heißen Ländern, auch negativ erscheinen als Prinzip der Trockenheit u. Dürre u. damit als Gegenspielerin des fruchtbarma-

Sonne: Helios auf einer rhodes. Münze; 3. Jh.

Sonne: der falkenköpfige Rê-Harachte mit der aufgehenden Sonne; aus dem Grab des Sennudjem; 20. Dyn.

chenden Regens (↗Regen). – Einige indian. Kulturen kennen auch die Vorstellung einer *schwarzen S.,* das ist die S., die während der Nacht diese Welt verläßt, um in einer anderen zu leuchten; sie ist ein Symbol des Todes u. des Unheils u. erscheint auf Darstellungen z. B. auf dem Rücken des Todesgottes oder auch in Gestalt des ↗Jaguars. – In der Alchimie ist die schwarze S. ein Symbol für die prima materia. – Auch in der bildenden Kunst u. Literatur der neueren Zeit begegnet gelegentl. eine schwarze S., meist als Symbol für metaphys. Angst oder Melancholie.

Sonne: der König opfert der S.; ägypt. Darstellung; 18. Dyn.

Sonnenblume, wegen ihrer strahlig angeordneten Blütenblätter u. ihrer goldgelben Farbe sowie wegen ihrer Eigenschaft, sich stets nach der Sonne zu wenden, in verschiedenen Kulturen Sonnen- u. Hoheits-Symbol. – Im Christentum Symbol der Gottesliebe, Symbol der Seele, die Gedanken u. Gefühle unablässig auf Gott richtet; insofern auch Symbol des Gebets.

Sonnenbraut ↗Ringelblume.

Sonnenfinsternis, bes. die *totale* S., hat als selten eintretendes, das gesamte Leben lähmendes Ereignis, die Menschen zu allen Zeiten erschreckt u. gab oft Anlaß zu bösen Vorahnungen u. Katastrophen – Prophezeiungen. – Im Islam u. Buddhismus, aber auch in anderen Kulturkreisen, wird die S. (u. die Mondfinsternis) häufig mit dem Tod des Gestirns in Verbindung gebracht, den man sich als Verschlungenwerden durch ein Monstrum vorstellte; das Chinesische verwendet für die Finsternis eines Gestirns u. für „essen, fressen" dasselbe Wort. Die Sonnen- oder Mondfinsternis wurde in China als Störung der makrokosm. Ordnung gedeutet, die auf einer Störung der mikrokosm. Ordnung, namentl. durch Herrscher oder deren Frauen verursacht, beruht. – Das Neuerscheinen des Gestirns nach einer Finsternis wurde häufig als Beginn eines neuen Zyklus, einer neuen Ära verstanden.

Sonne: S. als Kraft- u. Fruchtbarkeitssymbol; Val Camonica

Sonnenschirm, gelegentl. Sinnbild des Himmelszeltes; im Altertum v. Diener über den Herrscher gehalten; Symbol für Macht u. Würde. In China u. Indien oft mehrstöckig als Symbol der himml. Hierarchien.

Sonnentor ↗Türe.

Sonnenwende, im christl. Symbol-Denken gelegentl. mit Johannes dem Täufer u. Christus in Zshg. gebracht: die Sommer-S. (abnehmende Dauer des „hellen" Tages) als Symbol für Johannes den Täufer („Jener muß wachsen, ich aber abnehmen"), die Winter-S. (zunehmende Dauer des „hellen" Tages) als Symbol für Christus oder Christi Geburt.

Specht, vor allem der *Grünspecht,* gilt bei vielen Völkern als schutz- u. glückbringend, verschiedentl.

Sonnenschirm: der königl. S.; sassanid. Relief; 5. Jh.

auch als weissagend u. wetterkündend. Bei den Germanen wurde er auch als Sinnbild des Blitzes (möglicherweise, weil er mit seinem spitzen, langen Schnabel durch die Baumrinde dringt) u. des Donners (wegen seines Klopfens) verstanden. – Im Christentum wurde der S. wegen seines ständigen Klopfens gelegentl. auch zum Symbol des unablässigen Gebets. Da er die Würmer (↗Wurm) vertilgt, galt er zugleich als Feind des Teufels u. damit zeitweilig als Symbol Christi.

Sphinx: S. v. einer griech. Amphore

Speer ↗Lanze.

Speichel, bei schwarzafrikan. Völkern häufig in engem symbol. Zshg. mit dem Wort u. dem Sperma, also mit schöpfer. Kräften, gesehen.

Sperber, in Ägypten Vogel des Horus, insofern Sonnen-Symbol; auch bei Griechen u. Römern mit der ↗Sonne in Verbindung gebracht. – Die Tatsache, daß das Weibchen größer u. kräftiger als das Männchen ist, machte den S. auch gelegentl. zum Symbol der Dominanz der Frau in der Ehe.

Sphinx, tier-menschl. Mischgestalt mit dem Körper eines Löwen u. dem Kopf eines Königs oder (selten) einer Königin; uraltes Herrscher-Symbol. Bei den Ägyptern zumeist Darstellung des Pharao oder gelegentl. des Sonnengottes als unerschütterl., gewaltiger Schutzmacht. Bei Phönikern, Hethitern u. Assyrern als geflügelter Löwe oder Stier mit Menschenkopf dargestellt. – Bei den Griechen ist der (oder die) S., meist weibl. u. mit Flügeln, urspr. ein rätselhaftes, oft grausames Wesen, auf das sich auch heute noch unser redensartl. Wortgebrauch bezieht. – In neuerer Zeit, z. B. in der symbolist. Kunst der Wende des 19. zum 20. Jh., sah man die S. häufig als Symbol für die Rätselhaftigkeit der Frau oder für die femme fatale.

Spiegel: Darstellung der Eitelkeit in Sebastian Brants Narrenschiff; Basel, 1494

Spiegel, mit Bezug auf die abbildende u. „reflektierende“ Funktion des Denkens Symbol der Erkenntnis, Selbsterkenntnis, des Bewußtseins sowie der Wahrheit u. Klarheit. Auch Symbol für die Schöpfung, die die göttl. Intelligenz „widerspiegelt“; Symbol für das reine menschl. Herz, das z. B. Gott (in der christl. Mystik) oder das Wesen Buddhas in sich aufnimmt. Redensartl. begegnet auch häufig der Vergleich: Auge oder Gesicht als S. der Seele. – Wegen seiner Klarheit ist der S. ein Sonnen-Symbol als indirekte Lichtquelle, aber auch ein Mond-Symbol; wegen seiner Passivität ist er ein Sinnbild des Weiblichen, in China auch ein Symbol des kontemplativen, nicht-handelnden Weisen. – In Japan, wo der S. ein Symbol der vollkommenen Reinheit der Seele sowie der Sonnengöttin ist, findet sich ein heiliger S. in zahlreichen shintoistischen Tempeln. – Wegen seiner opt. Verwandtschaft mit der Wasseroberfläche wird er bei einigen schwarzafrikan. Völkern als Symbol des Wassers bei Regenzauber verwendet. – In der bildenden Kunst des MA u. der Renaissance begegnet der S. sowohl als Symbol der Eitelkeit u. der Wollust wie auch der Klugheit u. Wahrheit. In der ma. Kunst begegnet er außerdem als Symbol für die Jungfräulichkeit Marias, in der Gott sein Ebenbild in Gestalt seines Sohnes „spiegelte". – Im Volksglauben verschiedener Völker wurde dem S. apotropäische Wirkung beigemessen.

Spiel, häufig Sinnbild eines Kampfes, sei es gg. andere Menschen oder gg. nach Regeln zu überwindende Hindernisse. – S.e standen ursprüngl. zumeist mit sakralen Handlungen in Zshg. – Verschiedentl. wurde dem Ausgang v. S.en mag. oder zukunftsweisende Bedeutung beigemessen. – Im Anschluß an lebenswichtige Ereignisse, z. B. die Ernte, können S.e auch Ausdruck des Dankes an die Götter sein (z. B. als symbolische Darstellung des Kampfes der Elemente oder des Sieges der Vegetation über die Elemente). ↗Schachspiel.

Spindel, wegen ihrer gleichmäßig drehenden Bewegung Symbol unabänderl. Gesetzmäßigkeit, des unerbittl. Schicksals oder auch der ewigen Wiederkehr; verschiedentl. auch Sexual-Symbol.

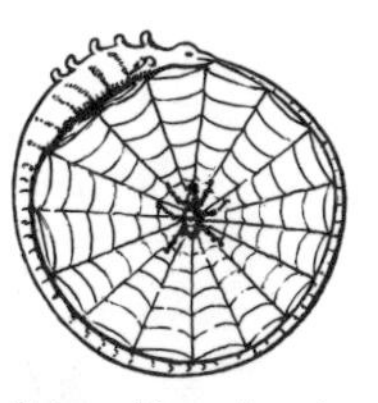

Spinne: Maya, die ewige Weberin der täuschenden Sinnenwelt, als S. umschlossen vom Ouroboros; Vignette v. Titelblatt einer brahman. Spruchsammlung

Spinne, Symbol-Tier mit gegensätzl. Bedeutungen. Wegen ihres kunstvollen, radial angelegten Netzes u. ihrer zentralen Position darin gilt sie in Indien als Symbol der kosm. Ordnung u. als „Weberin" der Sinnenwelt. Da sie die Fäden ihres Netzes aus sich selbst hervorbringt wie die Sonne ihre Strahlen, ist sie auch ein Sonnen-Symbol, das Netz kann unter diesem Gesichtspunkt auch die Emanation des göttlichen Geistes symbolisieren. Weil sie an dem von ihr selbst gesponnenen Faden emporläuft, erscheint sie in den Upanischaden auch als Symbol der geistigen Selbstbefreiung. – Im Islam gelten weiße S.n als gut, schwarze als böse. – In der Bibel erscheint die S. wegen ihres leicht zerreißbaren Netzes als Symbol des Hinfälligen u. des eitlen Hoffens. – Volkstüml. Vorstellungen stellten gelegentl. die todbringende S. der ↗Biene gegenüber; dem Aberglauben gilt ihr Erscheinen je nach Tageszeit als glück- oder unheilverheißend.

Spirale, bereits in vorgeschichtl. Zeit beliebtes ornamentales Motiv mit umstrittenem Symbol-Gehalt, der jedoch wahrscheinl. mit den Komplexen „zykl. Entwicklung", „Mondphasen u. ihr Einfluß auf Wasser, Fruchtbarkeit usw.", allg. (bes. die Doppelspirale) mit der „Bewegung v. Involution u. Evolution im gesamten Kosmos", mit „Wiederkehr u. Erneuerung", eventuell auch mit dem ↗Labyrinth zusammenhängt.

Spirale: S., vermutl. als Lebens- u. Fruchtbarkeitssymbol; Bacha, Schweden; jüngere Steinzeit

Sprache, abgesehen v. zahlreichen symbolischen Einzelbedeutungen, die mit Lauten u. Zeichen (↗Alpha, ↗Apha u. Omega, ↗Buchstaben, ↗Omega,

Stab: Aaron vor dem grünenden Stab; Bronzetür v. S. Zeno, Verona; um 1100

Stadt: Personifikation der Roma als Stadtgöttin; nach einer Miniatur im Perikopenbuch Heinrichs II.

↗Taw) verbunden wurden, insgesamt Sinnbild für Gottes Schöpfertum; das *Wort* oder die S. Gottes stand nach Auffassung vieler Religionen am Anfang der Welt; es ist nunmehr Ausdruck der ordnenden Vernunft, die immanent allen Dingen zugrunde liegt.

Stab, Symbol für Macht, für (mag.) Wissen, z. B. der Zauberstab; oft als wirkkräftig durch Berührung vorgestellt, so etwa der S. des Mose beim Wunder des aus dem Fels springenden Wassers. – In Griechenland galt der S. des Hermes als zauberwirksam u. segenbringend. – Ind. Gottheiten, namentl. der Todesgott, tragen einen S. zum Zeichen der Macht, zu richten u. zu strafen. – Häufig wurden dem S. apotropäische Wirkungen zugeschrieben; im alten China z. B. wurden mit einem S. – meistens aus Pfirsichbaum- oder Maulbeerbaumholz – böse Mächte vertrieben. – Gelegentl. wird in der Bibel oder der apokryphen Überlieferung ein S. erwähnt, der sich in Lebendiges verwandelt (↗Schlange, grünender ↗Zweig) als Ausdruck des göttl. Willens (S. des Aaron, S. des Joseph vor dem Verlöbnis mit Maria). – Engel tragen zum Zeichen ihrer Botenfunktion in der bildenden, namentl. in der byzantin., Kunst häufig einen langen Botenstab. – Aus dem Hirtenstab, der in der christl. Kunst auch Christus, Propheten u. Heiligen zugeordnet ist, entwikkelte sich der *Krummstab* der Bischöfe u. Äbte. – Herrschaftsstäbe, wie der Marschallstab u. das ↗Zepter sind Symbole der rechtl. u. häufig zugleich richterl. Macht. – In psychoanalyt. Sicht kann der S. auch phall. Bedeutung haben. – Gelegentl. wurde auch die *Weltachse* mit einem S. verglichen. – Das *Stabbrechen* war eine uralte fränk. Sitte zum Zeichen des Bruchs der Rechtsgemeinschaft; verschiedentl. auch bei Hinrichtungen üblich. ↗Äskulapstab, ↗Kerykeion.

Stachel ↗Dorn.

Stadt, als befestigte, geordnet angelegte Wohnstätte zugleich Symbol göttl. Ordnung. – Da die S. ihre Bürger beschützt u. birgt wie eine Mutter ihre Kinder, wurde sie häufig als mütterl. S.göttin, oft mit einer Mauerkrone auf dem Kopf, personifiziert. – In der christl. Kunst des MA begegnet die S. z. B. als das himmlische Jerusalem (↗Jerusalem, himmlisches) oder etwa in der Gegenüberstellung zweier Städte, von denen die eine, Jerusalem, die Kirche der Juden, die andere, Bethlehem, die aus der Heidenkirche hervorgegangene christl. Kirche repräsentiert. Im späteren MA kann die S., als umfriedeter Bezirk, auch ein Symbol der Jungfrau Maria sein.

Staub, verschiedentl., z. B. in der Bibel u. in der christl. Literatur, Symbol für die Vergänglichkeit des Menschen; in der Genesis auch Symbol für die unzählbar große Nachkommenschaft Adams.

Stein, spielt in den meisten Kulturen symbolisch eine

bedeutende Rolle. Weltweit verbreitet ist vor allem die Verehrung der *Meteoriten* als „vom Himmel gefallener S.e"; sie wurden verstanden als sinnbildl. Ausdruck einer Verbindung zw. ↗Himmel u. ↗Erde. – Wegen seiner Härte u. Unveränderlichkeit wird der S. häufig mit ewigen, unveränderl., göttl. Mächten in Verbindung gebracht u. oft als Ausdruck konzentrierter Kraft verstanden. Trotz seiner Härte wird der S. aber oft nicht als etwas Starres, Totes, sondern als lebenspendend gesehen; im griech. Mythos z. B. entstehen die Menschen nach der Sintflut aus S.en, die Deukalion ausgesät hatte. Viele S.e, vor allem Meteoriten, galten als Fruchtbarkeit bringend u. Regen spendend; sie wurden z. B. v. unfruchtbaren Frauen, die sich Kindersegen wünschten, berührt; im Frühling oder bei Trockenheit opferte man ihnen, um Regen u. reiche Ernte zu erlangen. – Ein unbehauener S. galt z. B. in der frühen Antike vor der Darstellung v. Göttern in Menschengestalt als Symbol des Hermes oder des Apollo. – Aufgerichtete S.e als *Grabsteine* bedeuteten Schutz der Toten vor feindl. Mächten, verschiedentl. verstand man sie auch als Ort, an dem die Kraft oder die Seele des Toten weiterlebt. Zum Kult der Muttergöttin Kybele gehörte ein heiliger schwarzer S. – Das Kernstück im kult. Leben des Islam ist ein schwarzer Meteorit, der *Hadschar al-aswad* in der Ka'aba zu Mekka. – Die Bibel kennt den ↗Felsen u. den S. als Sinnbilder der Stärke des schützenden Gottes. – ↗Edelsteine, ↗Feuerstein, ↗Menhir, ↗Nabel, ↗Stein der Weisen.

Steinbock: Tierkreiszeichen

Steinbock, 10. Zeichen des ↗Tierkreises; sein Element ist die ↗Erde.

Steinbrech, niedrige, meist auf Steinen wachsende Staude, die auch in Spalten u. Ritzen eindringt, weshalb man ihr früher nachsagte, Felsen sprengen zu können. Mit Bezug darauf erscheint sie als Symbol für den auferstandenen Christus, vor dem „die Felsen zerspringen".

Stein der Weisen, *lapis philosophorum,* in der Alchimie eine aus der *materia prima* aufgrund langwieriger Prozesse angebl. herstellbare Substanz, die unedle Metalle in edle verwandeln u. verjüngend u. heilend wirken sollte. Eine wichtige Rolle spielte bei diesen Prozessen die Trennung u. Wiedervereinigung gegensätzl. Prinzipien, vor allem des Weibl. u. des Männl., weshalb der S. d. W. auch häufig als ↗Hermaphrodit dargestellt wird. Urspr. müssen wohl alle Versuche, den S. d. W. zu finden, auchals symbol. Handlungen gedeutet werden, die im Grunde psych. u. religiös motivierte Bestrebungen anschaul. begleiten: die urspr. formlose *materia prima* zerfällt durch eine Art Tod in ihre Grundelemente u. erlebt im S. d. W. eine Wiederauferstehung auf höherer Ebene. – C. G.

Stern: die hl. Jungfrau mit dem Sternenkranz; aus: Speculum humanae salvationis; 15. Jh.

Stern: Erschaffung v. Sonne, Mond u. gestirntem Himmel; nach der Darstellung einer Genesis-Szene, Mosaik der Cappela Palatina in Palermo; 2. Hälfte 12. Jh.

Stiefmütterchen

Jung interpretiert diese Vorgänge als Individuationsprozeß.

Stelzen. In China diente der Gebrauch v. S. (beispielsweise bei rituellen Tänzen) zur Identifikation mit dem ↗Kranich, einem Symbol der Unsterblichkeit.

Sterne, als Lichter am dunklen Nachthimmel Symbol für das die Finsternis durchdringende, geistige Licht; sie können auch Symbol hoher oder allzu hoher Ideale sein („nach den S.en greifen"). – Die Bewegung der S. in regelmäßigen Bahnen symbolisieren harmon. Zusammenwirken göttl. Mächte. – In den mytholog. Vorstellungen mancher Völker werden die S.e allg. oder bestimmte S.e als an den Himmel versetzte Verstorbene gedeutet; einige indian. Kulturen gingen sogar so weit, zu jedem Lebewesen auf der Erde ein Pendant unter den S.n anzunehmen. – Nach spätjüd. Vorstellung wurde jeder S. v. einem Engel behütet; ein S. oder ein Engel geleitet auch die drei Weisen aus dem Morgenland nach Bethlehem (*S. v. Bethlehem*). – Unter dem Gesichtspunkt der *Vielzahl* symbolisiert der S.nhimmel im AT die verheißene zahlreiche Nachkommenschaft Abrahams, die nach Auffassung ma. Theologen zugleich wiederum ein Symbol der geistl. in der Kirche verbundenen verschiedenen Völker u. Rassen ist. – Maria als unbefleckte Jungfrau wird gelegentl. mit einer *S.nkrone* auf dem Haupt dargestellt. ↗Abendstern, ↗Komet, ↗Morgenstern, ↗Polarstern.

Steuerrad, Symbol der Verantwortung, der Autorität, der höheren Weisheit.

Stiefmütterchen, Veilchenart; der botan. Name *Viola tricolor* weist auf die häufig vorkommende Dreifarbigkeit des S.s, derentwegen die Pflanze mehrfach als Dreieinigkeits-Symbol begegnet. – Daneben wurden dem S. noch sehr unterschiedl. Symbol-Bedeutungen beigemessen; so gilt es als Sinnbild der Schüchternheit junger Mädchen, der Treue von Liebenden sowie des Neides, den man vor allem Stiefmüttern nachsagte.

Stieglitz, *Distelfink,* stand in dem Ruf, v. ↗Disteln zu leben; weil er dennoch so schön singt, war er im MA ein Symbol Christi (vor allem des Christkindes) u. ein Sinnbild der durch Leiden geläuterten gläubigen Seele.

Stier, Symbol der Kraft, des männl. Kampfesmutes, der Wildheit; steht wegen seiner Aktivität mit der ↗Sonne, wegen seiner Fruchtbarkeit auch mit dem ↗Mond in symbolischem Zshg. (auch die Hörner des S.s u. der ↗Kuh waren wegen ihrer an den Sichelmond erinnernden Form ein Mond-Symbol). – Der S. war bei vielen Völkern ein bes. wertvolles Opfertier. – Bereits jungsteinzeitl. Felsbilder in Nordafrika zeigen Darstellungen v. S.en, die das Bild der Sonne zw. den

Hörnern tragen. – In Ägypten wurde der Fruchtbarkeitsgott Apis in Gestalt eines S.es, häufig mit der Sonnenscheibe zw. den Hörnern, verehrt; da er auch mit Osiris gleichgesetzt wurde, war er zugleich ein Totengott. Tod u. Begräbnis des jeweils zum heiligen Apis-S. erklärten S.es wurden stets feierlich begangen u. mündeten in eine „Auferstehung" (d. h. Auswahl eines neuen S.kalbs). – Eine bes. wichtige Rolle spielte der S. als Macht- u. Fruchtbarkeits-Symbol in der minoischen Kultur. – Die iran. Mythologie kennt u. a. die Verkörperung kosm. Fruchtbarkeit in Gestalt eines Ur-S.es, der v. Mithra getötet wurde, worauf aus seinem Körper alle Pflanzen u. Tiere hervorwuchsen. Das S.opfer u. die Taufe mit S.blut im Mithra-Kult (↗Opfer), v. dem Frauen ausgeschlossen waren, stellen die ständig wiederholte Auseinandersetzung mit den Fruchtbarkeits-, Todes- u. Auferstehungskräften des S.es dar. – In Indien stand der Gott Shiva in Zshg. mit einem weißen S., dem Symbol gebändigter Fruchtbarkeitskräfte. – Bei verschiedenen Völkern steht der S. wegen seiner Fruchtbarkeit auch in Bezug zum Gewitter, zum ↗Regen u. zum ↗Wasser. – Unter psychoanalyt. Gesichtspunkt entspricht der S. den animal. Kräften u. der Sexualität des Menschen; in dieser Sicht stellen wohl auch die S.kämpfe noch heute u. a. den stets erneuerten Versuch dar, durch anschaul. Darbietungen den inneren Sieg über jene Kräfte zu antizipieren. – Der S. ist das 2. Zeichen des ↗Tierkreises, sein Element ist die ↗Erde. – ↗Minotaurus, ↗Ochse.

Stier: Tierkreiszeichen

Stier: Stierkampfszene, nach F. de Goya.

Stier: Apis, dem hl. S. der Ägypter, wird vor der Göttin Isis eine Lotosblüte dargeboten; Kleinplastik aus Bronze.

Stockrose ↗Malve.

Storch, in der Bibel zu den unreinen Tieren gezählt, aber sonst allg. als Glücks-Symbol verehrt. Im Fernen Osten Symbol des langen Lebens, da man annahm, er selber werde sehr alt. Häufig (z. B. in Ägypten, in der Antike, bei den Kirchenvätern) galt er als Symbol der kindlichen Dankbarkeit, da man den flüggen Störchen nachsagte, sie ernährten ihre Eltern. – Als Schlangenvertilger (↗Schlange) galt er im Christentum auch als Feind des Teufels u. damit als Symbol Christi. – Da er sich von im Boden lebenden Tieren (die angebl. die Seelen Verstorbener in sich aufnehmen) ernährt, sah man ihn gelegentl. auch als Seelenträger. – Als alljährlich wiederkehrender Zugvogel ist er ein Symbol der Auferstehung; auch als Kinderbringer gilt er wahrscheinlich u. a. deshalb, weil er zur Zeit der erwachenden Natur zurückkehrt. – Sein ruhiges, nachdenklich wirkendes Stehen auf einem Bein machte ihn (u. bes. die S.engattung *Marabu*) zu einem Symbol der philosophischen Kontemplation.

Strauß, *Blumenstrauß,* als Verbindung vieler, oft auch verschiedener u. verschiedenfarbiger Blumen, Symbol der Einheit in der Vielheit.

Strauß: die Sonne brütet Straußeneier aus; nach einer Marientafel aus Ottobeuren (Ausschnitt), um 1450/60

Strauß: nach einer ägypt. Darstellung; 20. Dyn.

Swastika: Steinrelief mit glückverheißenden Symbolen (Ausschnitt); Nordindien, 1./2. Jh.

Sykomore: die ägypt. Himmelsgöttin Nut in der S.; Mitte 2. Jahrtausend v. Chr.

Strauß (Vogel). Den Ägyptern galten die Straußenfedern als Symbole der Gerechtigkeit u. Wahrheit (Verkörperung der Göttin Maat, der Weltordnung). – Nach ma. Naturauffassung (↗Physiologus) brütet der S. seine Eier nicht selbst aus, sondern blickt sie nur unablässig so lange an, bis die Jungen ausschlüpfen. Das Straußenei galt daher als Meditations-Symbol. Nach anderen Vorstellungen läßt der S. seine Eier durch die ↗Sonne ausbrüten; er ist daher auch ein Symbol Christi, der durch Gott auferweckt wurde. Das Straußenei gilt auch als Symbol für die jungfräul. Mutterschaft Marias. Der S., der seine Eier verläßt, ist im negativen Sinne ein Symbol für den gottvergessenen Menschen. Außerdem erscheint gelegentl. die Synagoge, die geistig blind bleibt, unter dem Bild des Vogels S., der angebl. seinen Kopf in den Sand steckt (gelegentl. auch Symbol für die Todsünde Trägheit). Diese symbolische Bedeutung hat sich bis heute erhalten in bezug auf Menschen, die vor unangenehmen Tatsachen die Augen verschließen.

Stufenleiter ↗Leiter.

Stundenglas ↗Sanduhr.

Sturm ↗Wind, ↗Unwetter.

Sulfur ↗Schwefel.

Sulphur ↗Schwefel.

Sumpf, *Moor,* in Asien verschiedentl. Symbol der Ruhe u. Zufriedenheit. – Bei den Sumerern Sinnbild der ungegliederten Materie, der Passivität, der Frau. – Im antiken Griechenland stand die symbolische Bedeutung des Sumpfes der des ↗Labyrinths nahe. – In der psychoanalyt. Traumdeutung begegnet der S. verschiedentl. als Sinnbild des Unbewußten.

Superbia (Hochmut), weibl. Personifikation einer der 7 Todsünden, reitet auf einem Löwen oder einem Pferd; Symbole u. a.: Adler, Pfau, Zentaur.

Swastika *w, Hakenkreuz,* ein ↗Kreuz mit vier gleich langen Balken, deren Enden rechtwinklig geradlinig oder bogenförmig verlängert sind, so daß der Eindruck einer in sich kreisenden Bewegung entsteht; es wird auch *crux gammata* genannt, weil es aus vier (meist umgekehrten) griech. Gamma-(Γ)-Zeichen besteht. Begegnet als weitverbreitetes Symbol in Asien u. Europa, seltener auch in Afrika u. Mittelamerika. Es wird meistens gedeutet als Sonnenrad, als sich kreuzende Blitze oder (in nord. Ländern) als ↗Hammer Thors; häufig wurde es als Glücks- u. Heils-Symbol verstanden; bei den Buddhisten symbolisiert es den „Paradiesschlüssel", in der roman. Kunst des MA hat es wohl häufig apotropäische Bedeutung.

Sykomore *w,* Bz. für verschiedene Bäume, in Ägypten bes. für die *Maulbeer-* oder *Eselsfeige,* die als Erscheinungsform der Himmelsgöttin betrachtet wurde. Ihr Laub u. ihr Schatten galten als Sinnbild für

Ruhe u. Frieden im jenseitigen Leben; die Seelen der Verstorbenen stellte man sich gelegentl. als ↗Vögel vor, die im Gezweig der S. leben.

Synagoge ↗Augenbinde.

Tag, im Ggs. zur ↗Nacht Symbol der Klarheit, der Vernunft, der Unverstelltheit („die Sonne bringt es an den T.“). – Die vier T.eszeiten wurden symbol. häufig mit den vier Jahreszeiten gleichgesetzt: der Frühling mit dem Morgen; der Sommer mit dem Mittag; der Herbst mit dem Nachmittag oder dem Sonnenuntergang; der Winter mit der Nacht. Diese Identifikationen spielen auch in der Astrologie eine Rolle. ↗Mittag.

Tal, im Ggs. zum ↗Berg Symbol für Abstieg u. Tiefe, im negativen Sinne als geistig-seel. Verlustsituation, positiv als Vertiefung des Erlebens u. Wissens; außerdem im Ggs. zum männl. sich erhebenden Berg Symbol des weibl. Schoßes. – Im Islam Symbol für den Weg der spirituellen Entwicklung. – Häufig anzutreffen ist das T. als Sinnbild in der Literatur des Taoismus: das weite, offene T. symbolisiert die Offenheit gegenüber himml. Einflüssen; als Sammelort für alle v. den Bergen strömenden Wasser ist es zugleich Sinnbild der geistigen Konzentration. – Das grüne, fruchtbare T. ist außerdem bei verschiedenen Völkern im Ggs. zu den kargen Bergen ein Symbol der Fülle u. des Wohllebens.

Tamariske

Talisman *m,* umgangssprachl. weitgehend ident. mit dem ↗Amulett; gelegentl. v. diesem, dem eher apotropäische Eigenschaften zugeschrieben wurden, als aktiver Glücksbringer unterschieden. Astrolog. wurde der T. gedeutet als Verbindungsglied zu astralen Strahlungs-Kräften, die er in sich akkumulieren soll.

Tamariske *w,* Baum oder Strauch mit schuppenähnl. Blättern u. häufig ährenähnl. Blütenständen. Galt in China als Unsterblichkeits-Symbol, sein Harz daher als lebensverlängernde Droge.

Tantalos, im griech. Mythos König, der den Göttern, um ihre Allwissenheit zu prüfen, seinen geschlachteten Sohn Pelops als Speise vorsetzte. Zur Strafe wurde er in die Unterwelt gestürzt u. litt dort ewigen Hunger u. Durst: über ihm hingen Zweige, die zurückwichen, wenn er danach griff, mit den Beinen stand er in einem See, der entschwand, wenn er trinken wollte. Neben Sisyphos (↗Felsen) gilt T. u. a. als Personifikation der Unerfüllbarkeit aller menschl. Wünsche.

Tanz: akrobat. Tänzerin; Zeichnung auf einem Ostrakon aus dem Neuen Reich, Ägypten

Tanz. Als rhythmisch strukturierte u. zugleich ekstatische Bewegung wurde der T. in vielen Kulturen sowohl mit Schöpfer- wie mit Ordnungskräften in

Tanz: tanzende Bajadere; nach einer ind. Radschput-Miniatur; 18. Jh.

Taube: sog. Aphrodite mit T.; Goldblech, Mykene

Taube: T. als Hl. Geist; nach einer Miniatur der hl. Dreifaltigkeit; sog. Landgrafenpsalter; um 1212

Verbindung gebracht. Daher erscheinen in vielen Mythen Götter u. Heroen, die tanzend die Welt hervorbringen u. zugleich ordnen (häufig mit Bezug auf zyklische Veränderungen der Planeten, Jahres- u. Tageszeiten usw.). Rituelle Tänze galten in vielen Kulturen als Mittel, eine Verbindung zw. Himmel u. Erde herzustellen, also Regen, Fruchtbarkeit, Gnade usw. herabzuflehen oder (vor allem bei Tänzen v. Schamanen u. Medizinmännern) Einblick in die Zukunft zu eröffnen. – Verbreitet sind auch gestische Symbol-Bewegungen beim Tanzen, vor allem mit den Händen (↗Hand), deren Sinn meistens nur Eingeweihten verständlich ist. – In China stand die T.kunst als Ausdruck kosmischer Harmonie in engem Zshg. mit der Symbolik u. Rhythmik der Zahlen. – Bei schwarzafrikan. Völkern war der T. ursprünglich mit fast allen Aktionen des tägl. Lebens u. des Ritus als transzendente Komponente verbunden. – Die Ägypter kannten eine Vielzahl verschiedener kult. Tänze, an denen mehrfach, wie auch in vielen anderen Kulturen, Personifikationen der Gottheiten teilnahmen. – Das AT berichtet von T.szenen als dem Ausdruck geistiger Freude (der Festtanz der Frauen nach Davids Sieg über Goliath, Davids T. vor der Bundeslade) sowie vom verführerisch-todbringenden T. der Salome.

Tarock, *s* oder *m, Tarot,* seit dem MA, zunächst in Frankreich, gebräuchl. Kartenspiel mit 78 Blättern, die immer wieder Anlaß zu spekulativen symbol. Deutungen gaben; häufig wurde vor allem die Folge der Trumpfkarten als Sinnbild eines Initiationsweges gesehen.

Tau, *Tautropfen,* steht der Symbol-Bedeutung des Regens (↗Regen) nahe als Ausdruck eines Einflusses des ↗Himmels auf die ↗Erde; da er jedoch nachts u. unhörbar ausfällt u. im übrigen in der frühen Morgensonne glitzert oder wie Perlen (↗Perle) aussieht, ist seine Symbol-Bedeutung geheimnisvoller u. stärker seel.-geistig betont. Gelegentl., z. B. in der Kabbala, erscheint er (vom ↗Baum des Lebens ausgehend) als Sinnbild der Erlösung u. der Erneuerung des Lebens. – In China galt der T. als v. ↗Mond kommend u. als Unsterblichkeit verleihend. – Der Buddhismus allerdings sieht im T. ein Sinnbild der Vergänglichkeit u. Nichtigkeit unserer Welt. – Die Griechen deuteten den T. als Sinnbild der Befruchtung u. Fruchtbarkeit.

Taube, stand in Vorderasien in Zshg. mit der Fruchtbarkeitsgöttin Ischtar bzw. in Phönikien mit dem Astarte-Kult. In Griechenland war die T. der Aphrodite heilig. – In Indien, z. T. auch in Germanien, galt eine dunkle T. als Seelen-, aber auch als Todes- u. Unglücksvogel. – Der Islam sieht in ihr einen heiligen Vogel, weil sie angebl. Mohammed auf der Flucht beschützte. – In der Bibel läßt Noah nach der Sintflut drei T.n ausfliegen, von denen eine mit einem Ölzweig zurückkehrt; Zeichen der Versöhnung mit Gott u. seither Symbol des Friedens. Die weiße T. ist außerdem ein Symbol der Einfalt u. Reinheit u. vor allem, in der christlichen Kunst, ein Symbol des Heiligen Geistes; sie kann aber auch gelegentlich ein Symbol des getauften Christen sein oder des Märtyrers (mit dem ↗Lorbeer oder der Märtyrerkrone im Schnabel) oder der Seele im Zustand des himml. Friedens (z. B. auf dem Baum des Lebens oder auf dem Gefäß mit Lebenswasser sitzend). – In Zshg. mit den vier Kardinaltugenden symbolisiert die T. die Mäßigkeit. – Ein weißes T.npaar ist ein populäres Liebes-Symbol.

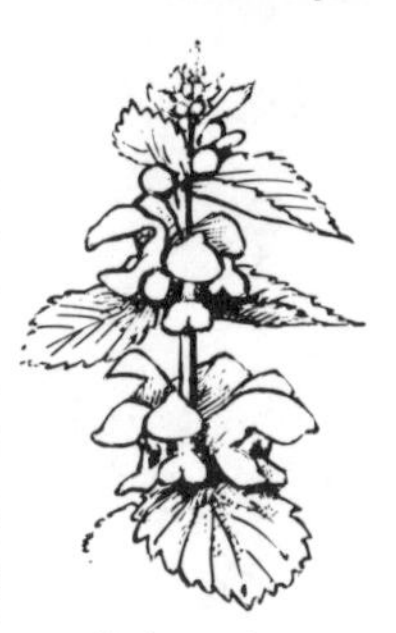
Taubnessel

Taubnessel, Lippenblüter; als Heilpflanze verschiedentl. Marienattribut in der christl. Kunst des MA.

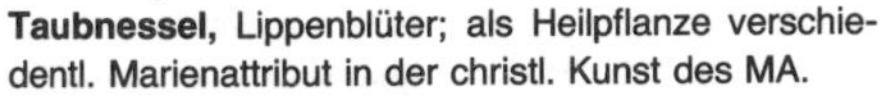

Taufe, rituelle Waschung, das Eintauchen in oder Besprengen mit ↗Wasser im Sinne der geistigen *Reinigung;* ist in vielen Kulturen verbreitet, hauptsächl. in Verbindung mit Geburts- u. Todesriten oder bei ↗Initiationen. Oriental. Religionen kennen häufig das spirituell reinigende Baden in heiligen Flüssen (z. B. Euphrat oder Ganges). – Im Attis- u. Mithras-Kult war die Bluttaufe mit Stierblut üblich. – Im Ggs. zu den sich wiederholenden Waschungen v. Reinigungsriten ist die *christl. T.,* urspr. eine Art Bad, ein einmaliger Akt, der die Aufnahme in die christl. Kirche besiegelt. Die T. Christi bedeutet zugleich spirituelle Reinigung u. Herabkunft des Heiligen Geistes. Nach Paulus ist das Tauchbad der christl. T. Symbol für Sterben u. Auferstehen in Christus. ↗Hand- u. Fußwaschung.

Taufe: T. Jesu, Relief v. Taufbecken des Domes zu Hildesheim, um 1220

Tausend ↗Hundert.

Taw, der letzte Buchstabe des hebr. Alphabets, galt wie das griech. ↗Omega als Symbol des Endes oder der Vollendung.

Teich ↗See.

Teig, Symbol für die ungeformte Materie oder auch für die Verbindung v. ↗Wasser u. ↗Erde. Das Bearbeiten u. Formen v. T. wird gelegentl. auch mit der männl. Sexualität u. Schöpferkraft verglichen.

Tempel ↗Haus.

Temperantia *w,* Personifikation der *Mäßigkeit* bzw. *Besonnenheit,* einer der vier Kardinaltugenden; häufig dargestellt mit ↗Löwe, ↗Kamel, ↗Taube, ↗Elefant, Totenschädel (↗Schädel), ↗Sanduhr, ↗Zirkel oder einem fest in der Scheide steckenden ↗Schwert.

Tetraktys, Summe der Zahlen 1, 2, 3, 4 = 10, bei den Pythagoräern heilige Zahl, Inbegriff der Vollkommenheit; wurde personifiziert als Gott der Harmonie.

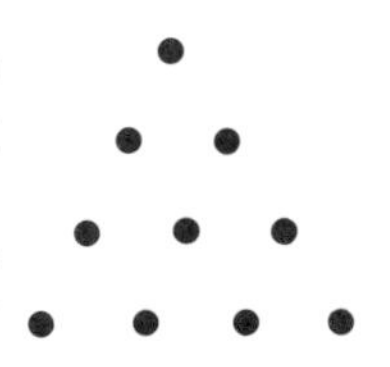
Tetraktys: geometr. Darstellung als figurierte Zahl durch das vollkommene Dreieck

Tetramorph *m* (Viergestalt), bis zum Spät-MA zusammenfassende Bz. für die Cherubim (↗Cherub) u. die Evangelistensymbole in einer Gestalt mit 4 Gesichtern

Tetramorph: T. auf zwei Rädern (Symbole des Alten u. des Neuen Testaments); Darstellung aus dem Athos-Kloster Watopädi; 1213

u. 4 oder 6 Flügeln; die Vorstellung geht zurück auf eine in der Offenbarung Johannis u. bei Ezechiel beschriebene Vision v. vier geflügelten Lebewesen, die einem ↗Menschen, einem ↗Löwen, einem ↗Stier u. einem ↗Adler glichen (bei Ezechiel je ein Wesen mit einem Löwen-, Menschen-, Stier- u. Adlergesicht). Es handelt sich dabei wohl urspr. um ein Sinnbild für die geistige Allgegenwart Gottes.

Thron, Symbol für Herrschaft u. Ruhm im weltl. u. sakralen Bereich, oft durch einen Sockel erhöht u. mit einem ↗Baldachin versehen. Form u. Material des T.es sind häufig zusätzl. symbolisch bedeutsam, so kennt z. B. der Buddhismus die Vorstellung v. einem diamantenen (↗Diamant) T. Buddhas, der am Fuße des Bodhibaumes (↗Feigenbaum) stehen soll. – Die ägypt. Göttin Isis wurde urspr. möglicherweise als Verkörperung des Herrscherthrones verstanden, den man sich als göttl. Wesenheit vorstellte; sie trägt häufig die Schriftzeichen für T. auf dem Kopf. – Der T. Gottes oder einzelner Gottheiten gilt in verschiedenen Religionen als v. Engeln oder heiligen Symbol-Tieren getragen. – Der Koran spricht v. Allah häufig unter dem Namen „Herr des T.es" oder „Meister des T.es"; der T. symbolisiert hier die Summe der göttl. Weisheit, er wird beschrieben als aus einem unfaßbar hell leuchtenden, grünen Material geschaffen u. als mit 70 000 Zungen ausgestattet, die Gott in allen Sprachen loben; er soll jeden Tag 70 000mal die Farbe wechseln u. in sich die Urbilder alles Seienden enthalten; die Entfernung der ihn stützenden Pfeiler voneinander beträgt jeweils eine Strecke, die ein rasch fliegender Vogel in 80 000 Jahren zurücklegen könnte. – Im Judentum vertrat der T. des Königs oder aber die ganze Stadt Jerusalem symbolisch den T. u. die Herrschaft Jahwes über sein Volk. Im AT erscheint der T. vor allem als Symbol der richterl. Gewalt Gottes. – Die frühe christl. Kirche übernahm v. den Römern die *Kathedra,* einen Sessel mit gewölbter Lehne, auf dem höhergestellte Persönlichkeiten Platz nahmen, während die anderen standen. Die Kirche machte daraus ein Symbol des geistl. Lehramtes u. gab ihm liturg. Bedeutung als Sitz des Kirchengründers oder Bischofs. – Die frühchristl. Kunst entwickelte das Motiv der symbolischen Thronbereitung für die Wiederkunft Christi am Jüngsten Tag (↗Etimasie).

Thron: T. des Herrschers; aus der Bibel v. Viviano; 840

Thyrsosstab, vor allem in der Antike gebräuchlicher Stab mit Pinienzweigen (↗Pinie), v. einem Pinienzapfen bekrönt, mit ↗Efeu u. Weinlaub (↗Wein, ↗Weinstock) umwunden; Symbol für Fruchtbarkeit u. Unsterblichkeit; wurde bei kultischen Feiern v. Muttergottheiten oder zu Ehren des Hermes (Merkur) u. bei den Dionysosmysterien v. Eleusis verwendet. Auch Attribut des Dionysos u. der Mänaden. – In der christl.

Kunst begegnet der T. als Symbol vegetativer Lebenskraft oder aber des Heidentums.

Tiefe, als sinnbildl. Vorstellung Bereich des Dunkeln, Geheimnisvollen (das sich aus der T. erheben kann), auch des Wesentlichen, jedoch auch des Bösen, des Triebhaften u. des Materiellen im negativen Sinne.

Tiere, repräsentieren häufig sinnbildl. übermächtige göttl. u. kosm. Kräfte sowie die Mächte des Unterbewußten u. des Instinkts. Die Tierdarstellungen der ↗Felsenbilder stehen wahrscheinl. in engem Zshg. mit myth. religiösen Vorstellungen u. Zeremonien. – Götter wurden bei vielen Völkern in Tiergestalt oder mit Tierköpfen usw. dargestellt (z. B. in Ägypten u. Indien), selbst im Christentum wird der Heilige Geist durch ein Tier, die ↗Taube, repräsentiert. Bei Naturvölkern spielte das Tier häufig eine Rolle als „alter ego" des Menschen. In der Symbolsprache vieler Kulturen erscheinen T., auch Fabel-T., als Sinnbilder menschl. Eigenschaften. Tier-menschl. Mischwesen symbolisieren häufig die geistig-körperl. Doppelnatur des Menschen. ↗Evangelistensymbole, ↗Minotaurus, ↗Opfer, ↗Tierkreis, ↗Zentaur.

Tiere: der ägypt. Gott Horus mit Falkenkopf

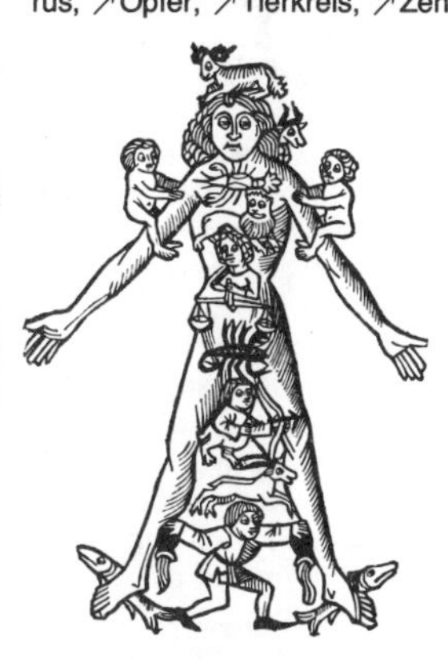

Tierkreis: Darstellung der Beziehungen zw. Mensch u. Tierkreis; Holzschnitt aus einem dt. Kalender, Augsburg, 1490

Tierkreis, *Zodiakus,* die im Jahr einmal v. der Sonne (scheinbar) durchlaufene Zone beiderseits der Ekliptik (ca. 18° breit, in ihr bewegen sich auch die Planeten u. der Mond), nach den Sternen in 12 Sternbilder bzw. entsprechende *T.zeichen* eingeteilt; erscheint v. allen Orten auf der Erde aus gleich, wurde jedoch v. verschiedenen Völkern entweder zu verschiedenen (jedoch fast stets zwölf) Bildern zusammengefaßt oder aber – bei gleicher Bildeinteilung – verschieden benannt, so entsprach etwa dem uns bekannten Steinbock bei den Babyloniern der Ziegenfisch, unserem Krebs bei den Chinesen die Katze usw. Wegen der Präzession (Vorrücken der Tag- u. Nacht-Gleichen) verschiebt sich der Nullpunkt der Zählung

Tierkreis-Sternbilder und die zugeordneten Planeten

Frühlingszeichen
Widder (Mars)
Stier (Venus)
Zwillinge (Merkur)

Sommerzeichen
Krebs (Mond)
Löwe* (Sonne)
Jungfrau* (Merkur)

Herbstzeichen
Waage* (Venus)
Skorpion* (Mars)
Schütze* (Jupiter)

Winterzeichen
Steinbock* (Saturn)
Wassermann (Saturn bzw. Uranus)
Fische (Jupiter bzw. Neptun)

* „Taghäuser" der Planeten, die restlichen „Nachthäuser"

ständig, so daß unterschieden wird zw. dem T.zeichen u. dem Sternbild (z. B. am 15. 2. 1978 tritt die Sonne ins Sternbild Wassermann, am 19. 2. 1978 aber in das Tierkreiszeichen Fische!). Für die Astrologie entsprechen die einzelnen T.zeichen verschiedenen Lebensformen. Über die Motive der Zuordnung v. Sternanordnungen zu bestimmten Charakteren u. Typen (wie z. B. Jungfrau-Typ, Wassermann-Typ), bestehen zahlreiche Spekulationen, beispielsweise wird angenommen, daß der Charakter einer durch ein bestimmtes T.zeichen geprägten Jahreszeit für das Erleben der Menschen sinnbildhaft mit dem Charakter des Tieres oder ähnl. zusammenhing, nach dem man die Sternanordnung benannte. – Die Verknüpfung v. Astrologie u. Alchimie erfolgte in vielen Details über die T.zeichen; in der Medizin des MA bis ins 18. Jh. wurde der T. als makrokosm. Zeichensystem im Mikrokosmos gespiegelt, so daß die kosm. T.zeichen ihre Entsprechung im menschl. Organismus, bildl. als *Aderlaßmännchen,* zugeordnet erhielten. – Der T. ist in der Vorstellung des *kosm. ↗ Rades* mit dem Symbol des ↗Kreises verknüpft. – In der christl. Kunst des MA begegnen Darstellungen des T.es (oft verbunden mit Monatsarbeiten) häufig als Symbole der ablaufenden Zeit zugleich aber als Sinnbilder der göttl. Unwandelbarkeit jenseits allen Wechsels, weiterhin als Symbol der Himmelssphären. Im einzelnen bezog man die T.zeichen verschiedentl. auf die 12 Apostel oder aber auf verschiedene christl. Inhalte, häufig allerdings mit variierender Bedeutungszuordnung; beispielsweise deutete man den Widder als Sinnbild des Christuslammes, die Zwillinge als AT u. NT, den Löwen als Symbol der Auferstehung, der den Skorpion (das Sinnbild der Schlange) besiegt, die Fische als Juden u. Heiden, die durch das Taufwasser gerettet werden, das durch Christus, den Wassermann ausgegossen wird, usw.

Tiger, Symbol der Kraft u. Wildheit mit sowohl negativer wie positiver Bedeutung. In China zunächst Schutzgeist der Jagd, später des Ackerbaus. Verschiedentl. begegnet der im dunklen Dickicht lebende, vor allem durch das Prinzip Yin (↗Yin und Yang) geprägte T. als guter oder böser Gegenspieler des ↗Drachen. Der weiße T. ist ein Symbol königl. Tugenden. – Im Buddhismus ist der T., der seinen Weg durch den Dschungel findet, ein Sinnbild der geistigen Anstrengung. Da er sich auch in der Dunkelheit u. bei Neumond orientieren kann, ist der T. zudem ein Symbol des inneren Lichts oder auch der Zunahme v. Licht u. Leben nach dunklen u. schweren Zeiten. – Als reißendes Raubtier symbolisiert der T. oft die gefährl. Gewalt unkontrollierter Triebkräfte. – Der T. ist das 3. Zeichen des chin. ↗Tierkreises, er entspricht den ↗Zwillingen.

Tiger: chin. Darstellung, Ming-Zeit

Tintenfisch, findet sich sowohl in der ornamentalen Kunst der Kelten wie der Kreter; steht wegen seiner, häufig gewundenen, Fangarme in sinnbildl. Zshg. mit der ↗Spinne u. der ↗Spirale; als Meerbewohner, der gegenüber Feinden Wolken einer dunklen Flüssigkeit ausstößt, möglicherweise auch als Symbol unterird. Mächte zu verstehen.

Tintenfisch: Dekor auf einem Porphyr-Gewicht aus Knossos, Kreta

Tisch, als Zentrum, um das herum man sich versammeln kann, Symbol gemeinsamer Mahlzeit, aber auch einer auserwählten Gemeinschaft (z. B. der Tafelrunde des Königs Artus). – Der Islam kennt die Vorstellung v. einem großen T., auf den Gott die Schicksale der Menschen einzeichnet.

Todsünden ↗Acedia (Trägheit), ↗Avaritia (Geiz), ↗Gula (Völlerei), ↗Invidia (Neid), ↗Ira (Zorn), ↗Luxuria (Wollust), ↗Superbia (Hochmut).

Tisch: Christus erscheint nach seiner Auferstehung zum letztenmal den Aposteln; Miniatur im Hortus deliciarum der Herrad v. Landsberg, Ende 12. Jh.

Tomate, wegen ihres roten Saftes, aber auch wegen der zahlreichen Kerne bei schwarzafrikan. Völkern gelegentl. symbolisch mit dem Blut u. der Fruchtbarkeit in Zshg. gebracht. – In Europa früher verschiedentl., wie der rote ↗Apfel, Liebes-Symbol.

Topf, verbreitetes Symbol für die ↗Gebärmutter u. damit oft zugleich für die Frau. ↗Gefäß.

Tor ↗Türe.

Totenschädel ↗Schädel.

Totentanz ↗Skelett.

Trank, *Elixier,* als *T. der Unsterblichkeit* Sinnbild einer Steigerung des Bewußtseins, die mit dem Wissen der ewigen Fortdauer verbunden ist. Das negative Gegenbild hierzu ist der *T. des Vergessens.*

Transmutation ↗V. I. T. R. I. O. L.

Trappe *w,* Kranichvogel, der sich häufig laufend fortbewegt. Das Männchen ist oft v. mehreren Weibchen begleitet, die T. gilt daher bei schwarzafrikan. Völkern als Symbol der polygamen Ehe. Wegen seiner Erdverhaftetheit wird der Vogel auch als Symbol für Kinder gesehen, die sich nicht v. der Mutter lösen wollen.

Traube ↗Weinstock.

Trauerschleier ↗Schleier.

Trauerweide ↗Weide.

Treppe, in der symbol. Bedeutung im wesentl. dekkungsgleich mit der ↗Leiter: Symbol seel. u. geistiger Entwicklung, der stufenweisen Zunahme an Weisheit

Treppe: die Stufen zur himml. Stadt; Holzschnitt aus: Raymundus Lullus, Liber de Ascensu, Valencia, 1512

u. Wissen. Im Ggs. zur Leiter, die in der Regel als von unten nach oben, also in Richtung des Himmels verlaufend, verstanden wurde, begegnet die T. gelegentl. auch als absteigende, unter die Erde, in dunkle Bereiche führend u. symbolisiert insofern entweder den Abstieg ins Totenreich oder den Zugang zu okkultem Wissen oder zum Unterbewußtsein. – Eine *weiße* T. kann symbolisch auf Klarheit u. Weisheit, eine *schwarze* auf schwarze Magie weisen. – Die Sonnenreligion der Ägypter verstand die Stufenpyramide als T., auf der die Seele zum Himmel aufsteigt; es finden sich auch Darstellungen v. Barken, in deren Mitte eine Treppe errichtet ist, auf der die Seelen zum Licht steigen. – Auch die babylon. Zikkurat muß wohl in ähnl. Sinne verstanden werden. – Die *Wendeltreppe* partizipiert auch an der Symbolik der ↗Spirale.

Trommel, häufig verwendetes Kultinstrument; ihr rhythm. erzeugter Klang wird verschiedentl., z. B. im Buddhismus, verborgenen Klängen u. Kräften des Kosmos gleichgesetzt. Häufig, so z. B. bei schwarzafrikan. Völkern, diente die T. zum mag. Herabrufen himml. Kräfte, die Kriegstrommel insbesondere stand meist in engem symbol. Zshg. mit ↗Blitz u. ↗Donner. – In China wurde der Klang der T. mit dem Umlauf der ↗Sonne u. bes. mit der Wintersonnenwende in Verbindung gebracht, d. h. mit dem Zeitpunkt des größten Einflussses des Prinzips Yin (↗Yin und Yang), zugleich aber des erneuten Steigens der

Sonne u. damit des wiederum zunehmenden Einflusses des Prinzips Yang.

Trunkenheit ↗Rausch.

Truthahn, bei den Indianern Nord- u. Mittelamerikas Symbol weibl. Fruchtbarkeit u. männl. Zeugungskraft; häufig als Opfertier bei Fruchtbarkeitsszeremonien verwendet.

Turban, die aus Stoffstreifen gewundene Kopfbedekkung der Hindus u. Muslime; begegnet in verschiedenen, auch sehr prächtigen Aufmachungen u. ist insofern oft zugleich ein Symbol für Würde u. Macht. Die Muslime unterscheiden sich durch den T. v. den Ungläubigen.

Turban: nach einer Darstellung des Sultans Selim III.

Türe: Tabernakeltüre

Türe, *Pforte, Tor,* ähnl. der ↗Brücke Sinnbild des Übergangs v. einem Bereich in den anderen, z. B. vom Diesseits ins Jenseits, vom profanen in den heiligen Bereich usw. Verbreitet ist die Vorstellung v. einer *Himmelstür* oder einem *Sonnentor,* die den Übergang in außerird., göttl. Bereiche markieren. Auch die Unterwelt oder das Totenreich liegen nach den Vorstellungen vieler Völker jenseits großer Tore. – Die verschlossene T. weist häufig auf ein verborgenes Geheimnis, aber auch auf Verbot u. Vergeblichkeit, die geöffnete T. stellt eine Aufforderung zum Durchschreiten dar oder bedeutet ein offenbares Geheimnis. – Die Darstellungen Christi an ma. T.n (z. B. im Tympanon) beziehen sich auf das bekannte Christuswort: „Ich bin die T.", Mariendarstellungen an T.n dagegen nehmen häufig Bezug auf die symbol. Deutung Marias als *Himmelspforte,* durch die Gottes Sohn in die Welt trat. – ↗Janus.

Türkis, *m,* Schmuckstein, in mehreren indian. Kulturen symbolisch mit der ↗Sonne u. dem ↗Feuer verbunden. – Im Orient als ↗Amulett verwendet.

Turm, Symbol für Macht oder für das Übersteigen des alltägl. Niveaus. Wegen seiner Form auch Phallus-Symbol, zugleich jedoch – als meist fensterloser,

Turm: die bibl. Bilder des Hohenliedes (Anrufungen der Lauretan. Litanei), u. a. der Turm Davids, umgeben als Mariensymbole die hl. Jungfrau; Darstellung in P. Canisius, De Maria Virgine, Ingolstadt 1577

verschlossener Raum – auch Symbol für Jungfräulichkeit (so wird Maria z. B. mit einem elfenbeinernen T. verglichen). Als befestigter, weltabgeschiedener Raum kann der T. auch ein Symbol für philosoph. Denken u. Meditation sein (negativ ↗Elfenbeinturm). – In Darstellungen der christl. Kunst des MA ist ein T. häufig ein Symbol der Wachsamkeit; in frühchristl. Zeit symbolisiert ein T. auch oft die gesamte „heilige Stadt". Ein *Leuchtturm* ist, vor allem z. Zt. des frühen Christentums, ein Symbol für das ewige Ziel, das das Lebensschiff (↗Schiff) auf den Wogen des diesseitigen Lebens ansteuert. – Der babylon. Stufenturm (Zikkurat) war wahrscheinlich ein Symbol des Weltenbergs (↗Berg); die einzelnen Stufen symbolisieren den stufenweisen geistigen Aufstieg des Menschen zum Himmel. Der Turmbau von ↗Babel war eine Zikkurat.

Türschwelle ↗Schwelle.

Tyche, griech. Schicksalsgöttin, entspricht der ↗Fortuna.

Udjat-Auge ↗Auge.

Umschreiten. Das U. heiliger Stätten, z. B. des ↗Altars im Judentum, der Ka'aba im Islam, des Stupa im Buddhismus, der Kirche im Christentum (Prozessionen) usw. ist im religiösen Brauchtum weit verbreitet. Möglicherweise hängt es, als Nachahmung der Bewegungen von Sonne u. Gestirnen, mit kosmischer Symbolik sowie mit der symbol. Bedeutung des ↗Kreises zusammen. Die Anzahl der Umschreitungen richtet sich meistens nach hl. Symbol-Zahlen.

Ungeheuer, *Monstrum,* häufig wohl Personifizierung v. Angstvorstellungen (z. B. ↗Zerberus), die sowohl auf die Außenwelt wie auf bedrohliche Aspekte der eigenen Seele bezogen sein können. – In der Bibel (↗Leviathan) Verkörperung der Gott entgegengesetzten Ordnung. – Begegnet in Sagen u. Märchen häufig als Schatzhüter oder Räuber u. Bewacher einer Jungfrau, der bekämpft u. überwunden werden muß, was unter psychoanalyt. Gesichtspunkt als Sinnbild für Schwierigkeiten u. Prüfungen auf dem Weg der Persönlichkeitsentwicklung gedeutet werden kann.

Ungesäuerte Brote ↗Sauerteig.

Unten ↗Tiefe.

Unwetter, *Sturm, Gewitter,* in den religiösen Vorstellungen vieler Völker als Symbol oder realer Ausdruck des Handelns göttl. Mächte verstanden; auch Zeitenwenden werden oft als Unwetterkatastrophen vorgestellt. ↗Blitz, ↗Donner.

Uräusschlange ↗Schlange.

Urne ↗Grab.

Uroboros ↗Ouroboros.

Vegetationsbräuche, rituelle symbol. Handlungen, durch die das Wachstum der Pflanzen beeinflußt werden sollte. Die gewünschte Höhe des Getreides z. B. wurde durch ebenso hohe Sprünge versinnbildlicht, die Fruchtbarkeit bzw. Befruchtung der Erde durch rituelles Begießen einer Jungfrau mit Wasser usw.

Veilchen, wohlriechende, niedrigwachsende, meist blaublühende Frühlingspflanze. In der Antike wurden bei Festen Thyrsosstäbe, aber auch die Teilnehmer mit V. bekränzt, u. a. weil man glaubte, sie bewahrten vor Rausch u. Kopfweh. – Im MA Sinnbild der bescheiden auftretenden Tugendhaftigkeit u. der Demut, damit zugleich Marien-Symbol. Wegen seiner Farbe (↗Violett) auch Symbol der Passion Christi.

Venus (Planet) ↗Kupfer.

Verbrennung: der personifizierte Geist entweicht beim Verbrennungsvorgang aus der prima materia; Darstellung aus: Tractatus qui dicitur Thomae Aquinatis de alchimia, 1520

Verbrennung, Sinnbild der vollkommenen Läuterung, der Verwandlung v. Materie in nach oben (↗Höhe, ↗Rauch) aufsteigende, geistige Substanz; spielt z. B. bei Begräbniszeremonien (bes. als Leichenverbrennung) u. in der Alchimie eine Rolle. ↗Feuer.

Veilchen

Veronica ↗Ehrenpreis.

Verpackung, folgt in China von alters her häufig bestimmten Regeln, die nicht v. der Form des zu verpackenden Gegenstandes abhängen, vielmehr mit der Symbolik der in China heiligen Zahl ↗Fünf in Zshg. stehen; der Gegenstand repräsentiert dabei jeweils, v. den 4 Ecken u. Seiten eines Papiers, Tuches usw. flankiert, die Zahl Fünf u. damit für den Augenblick eine Analogie zum Zentrum der Welt.

Vier, steht als Symbol-Zahl in engem Zshg. mit dem ↗Quadrat u. dem ↗Kreuz. Sie ist die Zahl der 4 Himmelsrichtungen u. damit der 4 Hauptwinde, der 4 Jahreszeiten, der 4 Elemente (↗Feuer, ↗Wasser, ↗Luft u. ↗Erde), der 4 Temperamente, der 4 Paradiesflüsse, der 4 Evangelisten, der 4 Lebensalter (Kindheit, Jugend, Reife, Alter), usw. Als raumgliederndes Ordnungsprinzip ist sie vor allem ein Symbol der Erde u. ein, oft auf diese bezogenes, Totalitäts-Symbol. ↗Tetramorph.

Vierundzwanzig, Zahl der Gesamtheit der Tag- u. Nachtstunden u. Zweifaches der vollkommenen Zahl ↗Zwölf, insofern Zahl des harmon. Gleichgewichts; in der Apokalypse Zahl der 24 Greise.

Vier: die vier Winde; alter Holzschnitt

Vierzehn, im christl. Symboldenken bedeutsam als

Verdoppelung der heiligen ↗Sieben; Zahl der Güte u. Barmherzigkeit, daher z. B. Zahl der 14 Nothelfer.

Vierzig, in der Bibel Zahl der Erwartung, der Vorbereitung, der Buße, des Fastens oder der Strafe; die Wasser der Sintflut strömten 40 Tage u. 40 Nächte auf die Erde; Moses wartete auf dem Berg Sinai 40 Tage u. 40 Nächte, bevor er die Gesetzestafeln empfing; die Stadt Ninive tat 40 Tage lang Buße um der Strafe Gottes zu entgehen; die Wüstenwanderung der Israeliten dauerte 40 Jahre; Jesus fastete 40 Tage lang in der Wüste, nach seiner Auferstehung erschien er seinen Jüngern während einer Zeit v. 40 Tagen. – Die christl. Kirche kennt mit Bezug auf das Fasten Christi die 40tägige Fastenzeit vor Ostern.

Viola tricolor ↗Stiefmütterchen.

Violett, zw. ↗Rot u. ↗Blau stehend häufig Symbol der Vermittlung, des Gleichgewichts (zw. ↗Himmel u. ↗Erde, Geist u. Körper, Liebe u. Weisheit), des Maßes u. der Mäßigung. – In der christl. Kunst ist V. oft die Farbe der Passion Christi (als sinnbildl. Hinweis auf die vollständige Verbindung Gottes mit den Menschen durch Christi Leiden u. Tod); in der kath. Liturgie symbolisiert. V. Ernst u. Bußgesinnung u. ist daher die Farbe der Advents- u. Passionszeit. – Im Symboldenken des Volkslieds u. -brauchtums symbolisiert V. verschiedentl. die Treue.

Vögel: geflügelter Eros; Myrina, hellenist. Epoche

V. I. T. R. I. O. L., mehrdeutige Symbol-Formel der Alchimisten, häufig für den Prozeß der *Transmutation* (Verwandlung unedler Metalle in edle, d. h. vor allem ↗Gold) gebraucht. Die Buchstaben wurden meist gedeutet als Anfangsbuchstaben der Formel „Visita Inferiora Terrae Rectificando Invenies Occultum Lapidem" (suche die unteren Bereiche der Erde auf, vervollkommne sie u. du wirst den verborgenen Stein – d. h. den ↗Stein der Weisen – finden). Als esoter. Initiationsformel muß V. I. T. R. I. O. L. wohl verstanden werden in Zshg. mit dem Hinabstieg in die eigene Seele u. der Suche nach dem tiefsten Wesenskern.

Vögel, gelten seit altersher wegen ihres Fluges als dem ↗Himmel verwandt, als Mittler zw. Himmel u. Erde, als Verkörperungen des Immateriellen, namentl. der Seele. – Im Taoismus z. B. stellte man sich die Unsterblichen in Gestalt v. V.n vor. – Verbreitet war die Auffassung, die Seele verlasse nach dem Tod den phys. Körper als Vogel. – Sehr viele Religionen kennen himml. Wesen mit *Flügeln* oder in Vogelgestalt, z. B. Engel (↗Cherub, ↗Seraph) oder Eroten. – Der Koran spricht v. V.n in sinnbildl. Zshg. sowohl mit dem Schicksal wie mit der Unsterblichkeit. – V. bevölkern in verschiedenen Mythologien des Abendlandes, aber auch Indiens, als geistig-seel. Zwischenwesen oder als Seelen Verstorbener den Weltenbaum (↗Baum); die Upanischaden z. B. sprechen in diesem Zshg. v.

Vögel: die Seele des Verstorbenen verläßt den Körper in Gestalt eines Vogels mit Menschenkopf; nach einem ägypt. Totenpapyrus

zwei V.n: einem, der die Früchte des Weltenbaumes frißt – Symbol der aktiven Individual-Seele, u. einem Vogel, der nicht frißt, sondern nur schaut – Symbol des absoluten Geistes u. der reinen Erkenntnis. – Die Vorstellung v. einer engen Verbindung der V. zu göttl. Mächten liegt auch der Bedeutung zugrunde, die man der Weissagungskraft des Vogelfluges, z. B. in Rom, beimaß. – In Afrika begegnen V. häufig als Symbole der Lebenskraft, verschiedentl. im Kampf mit der ↗Schlange, die dann den Tod oder verderbenbringende Mächte symbolisiert. – In der Kunst des frühen Christentums erscheinen V. als Symbole der geretteten Seelen. – Die psychoanalyt. Traumdeutung sieht im Vogel oft ein Symbol für die Person des Träumenden. ↗Adler, ↗Eisvogel, ↗Elster, ↗Ente, ↗Fasan, ↗Hahn, ↗Henne, ↗Huhn, ↗Milan, ↗Nachtigall, ↗Pfau, ↗Pelikan, ↗Phönix, ↗Pirol, ↗Rabe, ↗Schwalbe, ↗Schwan, ↗Specht, ↗Sperber, ↗Storch, ↗Taube, ↗Wachtel.

Waage, Symbol des maßvollen Gleichgewichts, der Gerechtigkeit u. damit des Richtens u. der öffentl. Rechtsprechung. Auch Symbol des Totengerichts; in ägypt. Totenbüchern wiegen Horus u. Anubis das Herz der Toten vor Osiris gegen eine Feder (↗Strauß), eine Darstellung, die man mehrfach in der ägypt. Kunst antrifft. – In der Antike begegnet die W. z. B. als Macht- u. Gerechtigkeits-Symbol in Gestalt der goldenen W. des Zeus bei Homer. – Weit verbreitet ist in der christl. Kunst die Darstellung des Erzengels Michael als Seelenwägers mit einer W., bes. bei Weltgerichtsdarstellungen. – Die W. ist das 7. Zeichen des ↗Tierkreises; ihr Element ist die ↗Luft.

Waage: Tierkreiszeichen

Wachtel, in China Symbol des Frühlings, weil sie ein Zugvogel ist, der im Frühling wiederkehrt. Steht dem Feuer, dem Licht u. damit dem Prinzip Yang nahe. Ihr alljährl. Kommen u. Gehen machte die W. auch zu einem Symbol des wechselnden Einflusses der gegensätzl. Mächte ↗Yin und Yang. ↗Frosch.

Waffen, Sinnbild der Macht; symbolisch mehrdeutig, da sie sowohl dem Angriff wie der Verteidigung u. dem Schutz dienen; Attribute der Helden u. krieger. Götter. In der Symbolsprache der Bibel hat sowohl Satan wie auch Jahwe *Rüstung u. Waffen.* – Als *geistige W.* können auch andere Symbole, z. B. ein vorgehaltenes Kreuz, dienen.

Waage: Schöpfungsszene; die W. als Symbol der göttl. Gerechtigkeit; nach einer Darstellung im Cotton-Psalter, 11. Jh.

Wagen, hängt eng mit der Symbolbedeutung des Rades (↗Rad) u. daher mit der ↗Sonne zusammen; steht deshalb auch in Zusammenhang mit dem Kult von Sonnen- oder Vegetations-Gottheiten (Mithra, Kybele, Attis, Apollo). – Der mit Getöse über den

Waage: Wägung des Herzens beim Totengericht; Ägypten; ptolemäische Epoche

Himmel fahrende W. ist ein Sinnbild für Zeus, den „Blitzeliebenden" u. „Hochdonnernden". Gute u. böse Gottheiten wurden in vielen Religionen als auf W. zur Erde kommend vorgestellt. Die Zugtiere der verschiedenen Götter-W. modifizieren den Symbol-Gehalt des W.s, so die ↗Adler des W.s des Zeus, die Schwäne (↗Schwan) oder Tauben (↗Taube) des Wagens der Aphrodite usw. Der feurige W., der zum Himmel fährt, symbolisiert gelegentlich die spirituelle Erhöhung eines Menschen (Elias, Franz v. Assisi). – Der W. kann auch die verschiedenen Komponenten der menschlichen Persönlichkeit repräsentieren, die durch den ↗Wagenlenker beherrscht werden.

Wagenlenker: griech. Rennwagen mit W. u. Apobate; Weihrelief für einen olymp. Sieg; Ende 5. Jh.

Wagenlenker, in der Antike Symbol der Beherrschung, der Leidenschaften u. Triebe u. damit Symbol der Vernunft. ↗Wagen.

Wal, gelegentl. Symbol des abgründigen, vieldeutigen Dunkels; begegnet z. B. in der bibl. Geschichte des Propheten Jonas, der sich dem göttl. Auftrag, in Ninive zu predigen, entzieht, über Bord geworfen, v. einem großen Fisch, meist als W. dargestellt, verschluckt u. v. diesem wieder an Land gespien wird (symbol. u. a. gedeutet auf Christi Tod, Begräbnis u. Auferstehung). – Wie andere Tiere (↗Elefant, ↗Krokodil, ↗Schildkröte) wird auch der W. in den myth. Vorstellungen mancher Völker als ein Träger des Weltalls vorgestellt.

Wagen: die Himmelfahrt des Elias auf dem Feuerwagen; nach einer frühchristl. Wandmalerei im Friedhof der Lucina, Rom

Wald, spielt in den religiösen Vorstellungen u. im Volksaberglauben zahlreicher Völker eine bedeutende Rolle als heiliger u. geheimnisvoller Bereich, in dem gute u. böse Götter, Geister u. Dämonen, Wilde Männer, Holz-, Moos- u. Waldweiblein, Feen usw. wohnen. *Heilige Haine,* die Asylschutz gewähren, finden sich in vielen Kulturen. Darstellungen des W.es oder der W. als Schauplatz dramat. Handlungen weisen daher häufig symbolisch auf Irrationales, aber auch auf Geborgenheit. – Als Ort der Abgeschiedenheit vom Treiben der Welt ist der W. wie die ↗Wüste bevorzugter Aufenthaltsort v. Asketen u. Eremiten u. insofern auch ein Symbol für geistige Konzentration u. Innerlichkeit. – Bes. im dt. Sprachbereich begegnet der geheimnisbergende, dunkle W. häufig in Märchen, Sagen, in der Dichtung u. im Lied. – Die Psychoanaly-

Wal: Jona entsteigt dem Rachen des Wals; nach einer Darstellung in: Speculum humanae salvationis, 15. Jh.

se sieht im W. oft ein Sinnbild des Unbewußten, eine Symbol-Beziehung, die sowohl in Traumbildern wie in realer Angst vor dem dunklen W. manifest werden kann; verschiedentl. wird er auch als Symbol der Frau gedeutet (bes. der bewaldete Hügel).

Walnuß ↗Nuß.

Waschung, rituelle ↗Taufe.

Wasser, Symbol mit sehr komplexem Bedeutungshorizont. Als ungeformte, undifferenzierte Masse symbolisiert es die Fülle aller Möglichkeiten oder den Uranfang alles Seienden, die *materia prima.* In diesem Sinne erscheint es in zahlreichen Schöpfungsmythen: in der ind. Mythologie beispielsweise trägt es das Weltenei (↗Ei). Die Genesis spricht vom Geist Gottes, der im Uranfang über den Wassern schwebte. Bei verschiedenen Völkern tritt zu dieser Vorstellung noch die symbolische Tat eines Tieres hinzu, das in die Tiefen hinabtaucht u. den unendl. Wassern ein Stück Land abgewinnt. – Das W. ist auch ein Symbol der körperl., seel. u. geistigen Reinigungs- u. Erneuerungskraft sowohl im Islam, im Hinduismus u. Buddhismus wie im Christentum (↗Bad, ↗Hand- u. Fußwaschung, ↗Taufe). In diesen Zshg. gehören auch die Vorstellungen vom W. als Jungbrunnen (↗Brunnen). – In China ist das W. dem Prinzip Yin (↗Yin und Yang) zugeordnet, auch in anderen Kulturen wird das W. zumeist mit dem Weiblichen, der dunklen Tiefe u. mit dem ↗Mond in Verbindung gebracht. Weltweit verbreitet ist die mit Fruchtbarkeit u. Leben zusammenhängende Symbolik des W.s (↗Meer, ↗Regen), das unter diesem Aspekt gelegentl. der Wüste gegenübergestellt wird. Auch die geistige Fruchtbarkeit u. das geistige Leben werden häufig durch das W. symbolisiert (↗Quelle), z. B. die Bibel spricht vom W. des Lebens im spirituellen Sinne; auch als Ewigkeitssymbol (W. des ewigen Lebens) begegnet das innerhalb keiner Grenzen einfangbare W. in verschiedenen Zusammenhängen. – Das W. kann aber auch, als zerstörerische Macht, negativen Symbol-Charakter haben, z. B. als Sintflut. – Die Psychoanalyse sieht im W. vorwiegend ein Symbol des Weiblichen u. der Kräfte des Unterbewußten. – In der Alchimie wird das W. durch das Zeichen ▽ versinnbildlicht. – Die Astrologie verknüpft das W. mit den Tierkreiszeichen (↗Tierkreis) Krebs, Skorpion u. Fische.

Wasser: der Wassermann vom Tierkreis v. Dendera

Wasserfall, wichtiges Motiv der chin. Landschaftsmalerei. Sein Herabstürzen wird im Ggs. zum nach oben strebenden ↗Felsen, seine Dynamik im Ggs. zur Ruhe des Felsens gesehen u. in Verbindung mit dem Gegensatzpaar ↗Yin u. Yang gebracht. Seine scheinbar gleichbleibende Form bei in Wirklichkeit ständigem Wechsel der Wassertropfen gilt dem Buddhismus

Wasser: W. als Element der Vereinigung v. Gegensätzen; nach einer Darstellung in: Trésor des trésors, 17. Jh.

Wassermann: Tierkreiszeichen

auch als Symbol der Flüchtigkeit u. Scheinhaftigkeit alles Irdischen.

Wassermann, 11. Zeichen des ↗Tierkreises; sein Element ist die ↗Luft.

Weben, häufig Symbol für das Wirken der Schicksalsmächte; im Islam z. B. werden Struktur u. Bewegungen des gesamten Universums mit einem *Gewebe* verglichen. Auch die ihr Netz „webende" ↗Spinne wird verschiedentl. in diesem Zshg. gesehen.

Wedel ↗Fächer.

Wegerich, in China wegen der Vielzahl seiner Blüten bzw. Samen ein Symbol der Fruchtbarkeit.

Wegkreuzung ↗Scheideweg.

Weide: Trauerweide

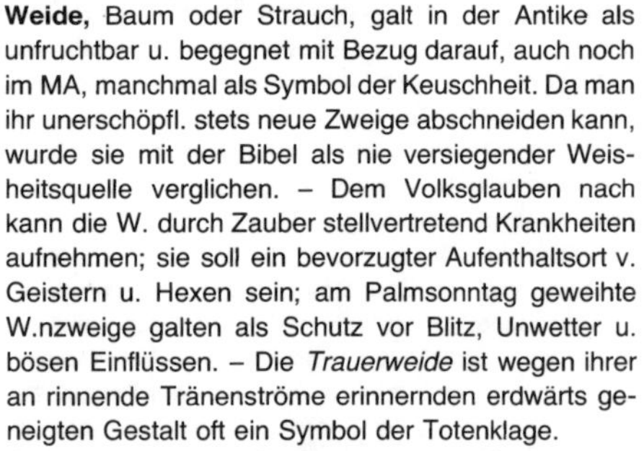

Weide, Baum oder Strauch, galt in der Antike als unfruchtbar u. begegnet mit Bezug darauf, auch noch im MA, manchmal als Symbol der Keuschheit. Da man ihr unerschöpfl. stets neue Zweige abschneiden kann, wurde sie mit der Bibel als nie versiegender Weisheitsquelle verglichen. – Dem Volksglauben nach kann die W. durch Zauber stellvertretend Krankheiten aufnehmen; sie soll ein bevorzugter Aufenthaltsort v. Geistern u. Hexen sein; am Palmsonntag geweihte W.nzweige galten als Schutz vor Blitz, Unwetter u. bösen Einflüssen. – Die *Trauerweide* ist wegen ihrer an rinnende Tränenströme erinnernden erdwärts geneigten Gestalt oft ein Symbol der Totenklage.

Weihnachtsbaum, *Christbaum,* der zu Weihnachten fast überall in der christl. Welt mit Lichtern besetzte u. geschmückte Nadelbaum; er wurde erst im 19. Jahrhundert allg. üblich, geht aber wohl bereits auf den heidn. Brauch zurück, in den sogen. *Rauhnächten* (25. Dezember – 6. Januar), in denen man die Umtriebe böser Geister fürchtete, als Abwehrmittel grüne Zweige in den Häusern aufzuhängen u. Kerzen anzuzünden. Im Christentum ist der W. ein Symbol Christi als des wahren Lebensbaumes (↗Baum), die Lichter symbolisieren das in Bethlehem geborene „Licht der Welt", die häufig als Schmuck verwendeten Äpfel stellen einen Symbol-Bezug zum paradies. ↗Apfel der Erkenntnis u. damit zur Erbsünde her, die durch Christi Tat aufgehoben wurde, so daß der Menschheit die Rückkehr ins Paradies – symbolisiert durch den W. – wieder offen steht.

Weihrauch: Opferszene, Darbietung v. W.; Relief am Osiristempel v. Abydos, Ägypten

Weihrauch, findet im Kult zahlreicher Völker Verwendung. Die mit dem W. verbundenen symbol. Vorstellungen basieren auf dem Duft, dem ↗Rauch u. der Zusammensetzung aus unverderblichen Harzen: der aufsteigende Rauch versinnbildlicht die zum Himmel aufsteigenden Gebete, der Duft soll böse Geister u. Einflüsse vertreiben, das ↗Harz symbolisiert die Unvergänglichkeit. – Im Christentum wurde der W. zunächst bei Bestattungen verwendet, später allg. bei liturg. Handlungen.

Wein, wegen seiner Farbe u. mit Bezug auf die Tatsache, daß er aus dem „Lebenssaft" des Weinstocks gemacht ist, häufig ein Symbol des Blutes (den Griechen galt er als Blut des Dionysos); galt oft als Lebenselixier u. Unsterblichkeitstrank (so z. B. bei den semit. Völkern, bei den Griechen, im Taoismus). In Griechenland waren *W.pfer* an Götter der Unterwelt verboten, da W. der Trank der Lebenden ist. Wegen seiner rauscherzeugenden Wirkung sah man in ihm auch verschiedentl. ein Instrument zur Erlangung esoter. Wissens. – Im Islam ist der W. u. a. ein Getränk der göttl. Liebe, ein Symbol spiritueller Erkenntnis u. der Seinsfülle der Ewigkeit; so stellte man sich im Sufismus die Existenz der Seele vor Erschaffung der Welt als v. dem W. der Unsterblichkeit umgeben vor. – Nach bibl. Tradition ist er ein Symbol der Freude u. der Fülle der v. Gott kommenden Gaben. Im Christentum erhält der W. in der eucharist. Verwandlung seine heiligste u. tiefste Bedeutung als Blut Christi.

Weinstock: Heinrich Seuse schaut Christus im W.; Holzschnitt v. A. Sorg, Augsburg, 1482

Weinberg ↗Weinstock.

Weinstock, *Rebstock,* Symbol der Fülle u. des Lebens. In Griechenland dem Dionysos geweiht; mit Bezug auf die Dionysos-Mysterien, die den Gott der Ekstase zugleich als Herrn des Todes u. der Erneuerung alles Lebens feierten, war der W. auch ein Symbol der Wiedergeburt. – Im jüd. u. christl. Symboldenken ist der W. ein heiliger Strauch mit vielfältiger symbol. Bedeutung; er galt als Sinnbild des Volkes Israel (für das Gott ebenso Sorge trägt wie der Mensch für seinen W.) u. als Baum des Messias; auch der Messias selbst wurde bereits im AT mit einem W. verglichen. Christus setzte sich dem wahren W. gleich, der als lebenskräftiger Stamm die Gläubigen wie die Rebzweige trägt, das heißt: nur wer aus ihm seine Kraft erhält, kann wahrhaft Früchte tragen. – Auch der umfriedete u. behütete *Weinberg* ist ein Symbol des auserwählten Volkes; später wurde er auch gleichnis-

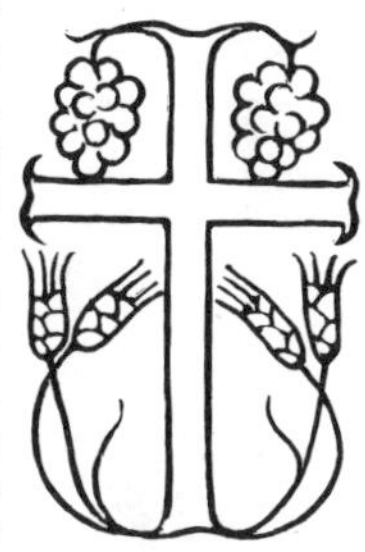

Weinstock: Kreuz mit Trauben u. Ähren, Symbol der Eucharistie

Weinstock: die Rückkehr der Kundschafter aus dem gelobten Land; aus einer Kinderbibel, vermutl. letztes Jh.

haft auf die heilige Kirche bezogen. – Die *Traube,* die die Kundschafter aus dem gelobten Land mitbrachten, ist ein Symbol der Verheißung; auf frühchristl. Sarkophagen ist sie ein Sinnbild des verheißenen jenseitigen Reiches, in das der Verstorbene eingegangen ist. ↗Wein.

Weiß, Farbe des ↗Lichtes, der Reinheit u. der Vollkommenheit. Als nicht-bunte Farbe hat W. wie sein Pendant ↗Schwarz eine Sonderstellung unter allen übrigen Farben (die sich additiv zu Weiß zusammensetzen); es steht dem Absoluten, dem Anfang wie dem Ende sowie deren Vereinigung nahe u. wird daher häufig bei Geburts-, Hochzeits-, Initiations- u. Todesriten verwendet; Farbe der Trauer z. B. in slaw. Ländern u. in Asien, zeitweilig auch am franz. Königshof. – W. war die bevorzugte Farbe bes. auserwählter Opfertiere. – Priester tragen häufig weiße Gewänder mit Bezug auf die Geist- u. Lichtsymbolik dieser Farbe, die Engel u. die Seligen werden aus demselben Grund im Christentum oft als weiß gekleidet vorgestellt, die neugetauften Christen trugen weiße Kleider, bei der Verklärung Christi wurden seine Gewänder „weiß wie Schnee"; die weißen Festkleider der Bräute, Klosterkandidatinnen u. Erstkommunikantinnen bedeuten Unschuld u. Jungfräulichkeit. – W. ist jedoch, im Gegensatz zur Lebensfarbe ↗Rot, auch die Farbe der Geister u. Gespenster; verschiedentl. findet sich auch die Gegenüberstellung Rot = Mann, Weiß = Frau.

Weizen: antike Münze mit Ährengarbe, die hier Fruchtbarkeit u. Wohlstand symbolisiert

Weißdorn. Die Dornenkrone Christi soll aus W. bestanden haben. Im MA Symbol der Vorsicht (die man braucht, um ihn unverletzt zu pflücken) u. der Hoffnung.

Weizen. Aussaat, Wachstum u. Ernte des Getreides, namentl. des Weizens, gelten als Symbol für Geburt u. Tod oder auch Tod u. Wiedergeburt. Im antiken Griechenland symbolisiert die *Ähre* als Frucht des mütterl. Schoßes der Erde auch die Frucht des menschl. Leibes; sie war ein Symbol der Demeter u. spielte eine zentrale Rolle in den Eleusinischen Mysterien. – In Ägypten galt der wachsende W. als Symbol des vom Tode auferstehenden Osiris. – Im MA sah man im *Weizenkorn* ein Symbol für den in die Unterwelt hinabgestiegenen u. wiederauferstandenen Christus. Die Eucharistie wird bis heute auf Altargerät sinnbildl. durch eine *Ähre* u. eine Traube angedeutet. Die *W.ähre* ist außerdem ein Symbol für Maria, denn sie enthält die Körner, aus denen das Mehl für die Hostie gewonnen wird. Maria wird auch mit dem Acker verglichen, auf dem Christus, als W., wachsen konnte (dargestellt als Ährenkleidmadonna).

Weizen: Madonna im Ährenkleid; Holzschnitt, 15. Jh.

Wellen, müssen symbolisch in engem Zshg. mit dem ↗Wasser verstanden werden, im Vordergrund steht jedoch dessen Charakter der Bewegung, die vor allem in Gestalt der *Wogen* einen unpersönl. bedrohl. Charakter annehmen kann. W. u. Wogen sind daher nicht nur ein Sinnbild für Bewegtheit u. Lebhaftigkeit, sondern häufig auch ein Symbol für nicht mehr zu beherrschende Kräfte.

Wellen: Sturm auf dem Meer; nach einer Miniatur in einem Perikopenbuch, um 1040

Weltachse, bei vielen Völkern anzutreffende Vorstellung v. einer ↗Himmel u. ↗Erde oder die Unterwelt, Erde u. Himmel verbindenden Achse: Symbol dafür, daß alle dem Menschen bekannten Ebenen oder Bereiche des Kosmos untereinander in Beziehung stehen u. um ein Zentrum angeordnet sind. Die W. hat man sich unter vielerlei Gestalten vorgestellt, zu den geläufigsten gehören die ↗Säule, der Pfeiler, die aufsteigende Rauchsäule, der ↗Baum, der hohe ↗Berg, der ↗Stab, die ↗Lanze; auch der ind. ↗Linga wird häufig in Zshg. mit der W. gebracht. – Verschiedentl. wurde die W. auch mit der Symbolik des ↗Lichts verbunden, so besteht sie z. B. nach Platon aus selbstleuchtendem Diamant. – Die christl. Literatur vergleicht gelegentl. auch das Kreuz Christi mit der W. – Der Tantrismus sieht in der *Wirbelsäule* ein Sinnbild der W.

Wicke

Weltalter ↗Zeitalter.

Weltenei ↗Ei.

Wermut, Beifuß-Art, bis 1 m hoher Korbblüter, Gewürz- u. Heilpflanze aus den wärmeren Gebieten Eurasiens; ihr bitterer Geschmack machte sie zum Symbol des Schmerzes u. der Bitternis.

Wetterhahn ↗Hahn.

Wicke, im alten Ägypten Sinnbild der Zartheit junger Mädchen. – In der christl. Kunst des MA Marien-Symbol.

Widder: Tierkreiszeichen

Widder, Symbol der Kraft. Im Altertum eines der beliebtesten Opfertiere. – Der ägypt. Schöpfergott Chnum wurde mit einem W.kopf dargestellt. – Griechen u. Römer verehrten den urspr. ägypt. Windgott Amun als Erscheinungsform des höchsten Gottes in Gestalt des widderköpfigen Jupiter-(Zeus-) Ammon. – Attribut des Indra u. des Hermes. – Im Christentum bezieht sich die Darstellung eines W.s verschiedentl. auf die „Opferung" Isaaks als symbol. Vorausbild des Opfertodes Christi. – Der W. ist das 1. Zeichen des ↗Tierkreises; sein Element ist das ↗Feuer.

Widder: Opferung eines W.s an Jupiter Ammon; nach einer Darstellung in: A. Kircher, Oedipus Aegyptiacus, 1652

Wiedehopf, in der arab. Dichtung Liebesbote. – Im MA wegen seines an Hörner erinnernden Schopfes u. wegen der stinkenden Flüssigkeit, die er gg. Feinde verspritzt, gelegentl. Teufels-Symbol; spielte daher auch bei Zauberern u. Hexen eine Rolle.

Wiege, Symbol des mütterl. Schoßes u. der Geborgenheit der frühen Kindheit.

Wiesel ↗Hermelin.

Wildschwein ↗Schwein.

Wind, wegen seiner Ungreifbarkeit u. seines oft raschen Richtungswechsels Symbol der Flüchtigkeit, Unbeständigkeit u. Nichtigkeit; als *Sturm* auch Symbol göttl. Mächte oder menschl. Leidenschaften; als *Hauch* Symbol der Wirkungen oder des Ausdrucks göttl. Geistes; W.e können daher, wie Engel, auch als Götterboten aufgefaßt werden. – In Persien spielte die Vorstellung vom W. als Stützer der Welt u. als Garant des kosm. u. moral. Gleichgewichts eine Rolle. – Im Islam trägt der W. die Urwasser, die ihrerseits den göttl. ↗Thron tragen.

Winkelmaß, Instrument, das zum Quadratzeichnen (↗Quadrat) verwendet wird, häufig Symbol der Erde (mit Bezug auf die Zahl ↗Vier); da mit dem W. nur rechte Winkel gezeichnet werden können, ist es auch Symbol der Geradheit, Aufrichtigkeit, Gesetzlichkeit; im Symboldenken der Freimaurer spielt es eine besondere Rolle. Es steht in symbol. Zshg. mit dem ↗Zirkel.

Wolf: die kapitolin. Wölfin

Wirbelsäule ↗Weltachse.

Wogen ↗Wellen.

Wolf, begegnet als ambivalentes Symbol-Tier unter einem negativen, wilden teuflischen u. einem positiven, geistverwandten Aspekt. Da er in der Dunkelheit gut sieht, kannte man ihn, bes. in Nordeuropa u. Griechenland, als lichthaftes Symbol, so kann er z. B. gelegentl. als Begleiter des Apollo (Apollon Lykios) erscheinen. – In China u. der Mongolei kannte man auch einen himmlischen W., der bei den Mongolen als Ahnvater des Dschingis-Chan, bei den Chinesen als Wächter des Himmelspalastes galt. Unter positivem Aspekt erscheint auch die legendäre Wölfin, die die ausgesetzten Zwillinge Romulus u. Remus säugte u. zum Wahrzeichen Roms wurde: ein Sinnbild hilfreicher animal. oder chthonischer Mächte. – Wie der ↗Hund begegnet auch der W. gelegentl. als Seelenführer. – Der reißende, alles verschlingende W. erscheint in der german. Mythologie als gefährlicher Dämon, der u. a. durch sein Geheul den Weltuntergang ankündigt. – Im Hinduismus ist der W. ein Begleiter schrecklicher Gottheiten. – In vielen Völkern begegnet er als Sinnbild des Krieges oder der Aggression. – Die Antike brachte den W. auch in Beziehung zur Unterwelt, so trägt beispielsweise Hades einen Mantel aus W.spelz. – Die christl. Symbolik bezieht sich vor allem auf das Verhältnis W. – Lamm, wobei das ↗Lamm die Gläubigen, der W. die den Glauben bedrohenden Mächte symbolisiert. Ein W., der einem Lamm die Kehle durchbeißt, kann auch ein Symbol für den Tod Christi sein. Unter den sieben Todsünden symbolisiert der W. die Völlerei sowie den Geiz. – Der ma. Volksglaube sah den W. als bedrohl., dämon. Tier; Zauberer, Hexen oder der Teufel erschienen in W.sgestalt; auch in vielen Sagen u. Märchen begegnet der W. unter ähnl. negativem Aspekt. – Der sprichwörtl. *W. im Schafspelz* ist ein Symbol für geheuchelte Harmlosigkeit.

Wolken, wegen ihres geheimnisvoll verschleiernden Charakters u. weil sie Teil des ↗Himmels sind, häufig als Wohnstätte der Götter gedeutet, oft als Umhüllung hoher Bergesgipfel (z. B. des Olymp). – Auch Gotteserscheinungen sind (z. B. in der Bibel) verschiedentl. v. W. begleitet. – Im Islam gelten W. als Sinnbild der vollständigen Unerkennbarkeit Allahs vor der Schöpfung. – In China ist die Wolke, die sich im Himmel auflöst, ein Symbol für die notwendige Verwandlung, der sich der Weise unterwerfen muß, um seine ird. Persönlichkeit verlöschen u. im Unendlichen aufgehen lassen zu können. – Als Regenbringer kann die Wolke auch gelegentl. Fruchtbarkeits-Symbol sein.

Wort ↗Sprache.

Würfel ↗Kubus.

Wurm, als im Schmutz u. oft unter der Erde lebendes Tier bei einigen Völkern Symbol des aus Dunkelheit u. Tod neu erwachenden Lebens. – Im MA auch gelegentl. mit der ↗Schlange u. daher mit dem Teufel identifiziert.

Wurzel Jesse: nach einer Darstellung auf der Bronzetür v. S. Zeno, Verona; um 1000

Wurzel Jesse, Bz. für den Stammbaum Jesu, hervorgehend aus der Familie des Isai (griech. Jesse), des Vaters Davids; in der bildenden Kunst meist dargestellt als ↗Baum, der aus dem ruhenden Jesse hervorgeht u. in seinem Gezweig die Bilder der Ahnen Jesu trägt.

Wüste, ambivalentes Symbol mit negativen u. positiven Aspekten. Im Islam erscheint sie zumeist im negativen Sinne als Ort der Verirrung. – In den Upanischaden begegnet die W. gelegentl. als Sinnbild für die undifferenzierte Ureinheit jenseits der Scheinwelt alles Seienden. – Die Bibel erwähnt die W. einerseits im Zshg. mit Verlassenheit u. Gottferne sowie als Ort, an dem die Dämonen wohnen; andererseits jedoch ist sie auch der Ort, an dem sich Gott in besonderer Intensität zeigen kann (z. B. die Feuer- u. Wolkensäule, die dem Volk Israel in der W. voranzieht; Johannes der Täufer kündigt den bevorstehenden Messias in der W. an). Auch in Zshg. mit Eremitenlegenden taucht die W. oft zugleich in doppeltem Sinne auf: einmal als Ort der Versuchung durch Dämonen usw. (z. B. hl. Antonius), andererseits als Ort der Meditation u. Gottnähe.

Yantra *s,* im Hinduismus übl. zeichenhafte Veranschaulichung einer Gottheit oder göttl. Kraft, insbesondere der Göttin Shri als Shakti; es visualisiert symbolisch die urspr., undifferenzierte Einheit mit Brahma, die sich zur Vielheit der empir. Welt entfaltet; es ist gebräuchl. als Meditationszeichen, aber auch als Amulett.

Yantra

Yin und Yang, die zwei konträren, kosmolog. Grundprinzipien der chin. Philosophie, denen alle Dinge, Wesenheiten, Ereignisse u. Zeitabschnitte zugeordnet wurden. Dem Prinzip Yin entspricht das Negative, Weibl., Dunkle, die Erde, die Passivität, das Feuchte, die unterbrochene Linie, dem Prinzip Yang das Positive, Männl., Helle, der Himmel, die Aktivität, das Trockene, die ununterbrochene Linie. Die beiden Prinzipien stellen die Polarisation dar, in die die Einheit des Uranfangs auseinandergebrochen ist. Sie werden anschaul. dargestellt als Kreis, der durch eine geschlängelte Linie symmetr. aufgeteilt wird; von den beiden entstehenden Feldern ist das eine dunkel, das andere hell, trägt jedoch in der Mitte einen Punkt in der Farbe des jeweils anderen Feldes zum Zeichen der gegenseitigen Abhängigkeit beider Prinzipien; die Einflüsse v. Yin u. Yang stehen sich nie als grundsätzl. feindl. gegenüber, sie befinden sich vielmehr in ständiger Einflußnahme aufeinander u. period. wechselnder Zu- oder Abnahme in best. Zeitabschnitten.

Yin und Yang, adaptiert als Markenzeichen für makrobiotische Nahrung.

Yoni *w,* weibl. Entsprechung zum ↗Linga; Symbol des mütterl. Schoßes u. der Gebärkraft. Meist zusammen mit dem Linga, als dessen Sockel, dargestellt. Das graph. Zeichen für die Y. ist ein auf der Spitze stehendes ↗Dreieck.

Yoni

Ysop *m,* kleiner, weiß oder blau blühender Lippenblüter mit würzigen Blättern; diente im Judentum u. im christl. Ritus als Wedel für Besprengungen mit dem Blut der Opfertiere oder geweihtem Wasser, dem gelegentl. auch Y. beigemischt war. Da die unscheinbare Pflanze auf steinigem Boden wächst, galt sie auch als Sinnbild der Demut; als häufig verwendetes Heilmittel war sie außerdem ein Marienattribut in der ma. Kunst.

Zahlen, in den meisten Kulturen u. Religionen Symbol-Träger mit reichhaltiger, oft komplizierter u. heute keineswegs immer durchschaubarer Bedeutung. Die Z. galten oft als Ausdruck kosm. u. menschl. Ordnungen oder der Sphärenharmonie (Pythagoreer). Die *geraden* Z. wurden häufig als männl., hell oder gut, die *ungeraden* als weibl., dunkel oder böse verstanden. Verschiedentl. spielte die Austauschbarkeit v. Z. u. ↗Buchstaben eine Rolle (z. B. in der Kabbala). Bestimmte *Z.verhältnisse* wurden mehrfach in der Baukunst, der Plastik, der Malerei, der Musik, der Literatur u. im sakralen u. profanen Brauchtum beachtet, z. B. der *Goldene Schnitt.* – Bei der Zuordnung v. Symbol-Bedeutungen u. bestimmten Z. spielten häufig auch zahlentheoret. Überlegungen eine Rolle, die ihrerseits jeweils mit dem Z.system zusammenhingen, in dem gezählt wurde.

Zähne, Symbol für Kraft u. Vitalität, auch Aggressivität. Die Psychoanalyse versteht den *Verlust* der Z. (z. B. im Traum) vor allem in Zshg. mit dem männl. Sexualorgan u. deutet ihn als Zeichen v. Frustration, Schwäche oder Kastrationsangst. Die Vorstellung v. der *vagina dentata* (mit Zähnen besetzte V.) beruht auf einer Vermischung der Genitalsphäre mit dem oralen Bereich u. wird meist als Projektion einer männl. Kastrationsangst verstanden.

Zeder

Zeder. Die Libanon-Z. wird in der Bibel häufig erwähnt, sie galt wegen ihrer Größe als Symbol des Hohen, Erhabenen u. wegen ihres dauerhaften Holzes als Symbol der Kraft u. der Ausdauer. Wie alle Koniferen ist sie auch ein Symbol der Unsterblichkeit. – Im MA wurde sie mit Maria in Verbindung gebracht.

Zedrat-Zitronenbaum, im Fernen Osten die „Hand des Buddha“ genannt; Symbol des langen Lebens. Wegen der zahlreichen Kerne ist die Zedrat-Zitrone auch ein Fruchtbarkeitssymbol.

Zehn, als Summe der ersten vier Zahlen u. Anzahl der Finger an beiden Händen heilige Zahl u. Totalitäts-Symbol; für das dem Dezimalsystem verpflichtete Denken, Sinnbild der Rückkehr zur Einheit auf höherer Stufe, Symbol des in sich geschlossenen Kreises. Die 10 spielte vor allem bei den Pythagoreern eine große Rolle (↗Tetraktys). – In China sah man die 10 sowohl in Zshg. mit dem Ganzheits- u. Mittelpunkts-Symbol ↗Fünf wie mit dem Dualitätsprinzip ↗Zwei. – In der Bibel begegnet die 10 häufig als Zahl eines abgeschlossenen Ganzen: 10 Gebote, 10 ägypt. Plagen, 10 Jungfrauen, 10 Aussätzige.

Zeitalter, *Weltalter,* weite Zeiträume umfassende Einteilungskategorie der frühen Menschheitsgeschichte, häufig als Abfolge typisierend-symbolischer Zustandsbilder gedacht. Die Vorstellung v. meist vier oder fünf aufeinanderfolgenden Z.n, bes. v. einem

Zentaur: Z. u. Krieger, Metope v. Parthenon-Tempel, Akropolis, Athen

urspr. *Goldenen Z.,* findet sich in vielen Kulturen, beispielsweise in der Antike, belegt seit Hesiod: im *Goldenen Z.* lebten die Menschen sehr lange, sorglos, ohne Not, Arbeit u. Gesetze. Die Menschen des *Silbernen Z.s* waren gottlos u. wurden v. Zeus vernichtet, im darauffolgenden *Bronzenen Z.* töteten die Menschen sich gegenseitig u. lebten nach ihrem Tod nicht mehr weiter; das *Heroische Z.,* in dem die Kriege um Troja u. Theben stattfanden, brachte einen neuen Aufschwung der menschl. Tugenden, führte jedoch das *Eiserne Z.* herbei, das als bis zur (damaligen) Gegenwart andauernd gedacht wurde u. den völligen Niedergang brachte.

Zentaur *m,* wildes Fabelwesen des griech. Mythos mit menschl. Oberkörper u. Pferdeleib. Die Z.en (außer Chiron) galten als roh u. unvernünftig u. werden meistens als Sinnbild der animal. Seite des Menschen gedeutet (im Ggs. dazu steht der die animal. Kräfte beherrschende ↗Reiter); auch Symbol. der leibl.-geistigen Doppelnatur des Menschen. – In der Kunst des MA wurden Z.en, oft mit ↗Pfeil u. Bogen, vor allem auf Friesen u. Kapitellen dargestellt; sie galten zumeist als Symbole des Lasters u. der Sünde, des Ketzers oder des Teufels. Der fliehende, nach rückwärts schießende Z. kann allerdings auch ein Sinnbild des Menschen im Kampf mit dem Bösen sein. In der Kunst des 19. u. 20. Jh. hat der Z. oft erot. Bedeutung ↗Minotaurus.

Zepter, Symbol für höchste Macht u. Würde, galt häufig als Träger göttl. Kräfte; oft auch Götterattribut; entwickelte sich aus dem ↗Stab.

Zerberus: Herakles holt den Z. aus der Unterwelt; Darstellung auf einer att. Amphora

Zerberus *m,* in der griech. Mythologie der Höllenhund, der den Eingang zur Unterwelt bewacht; er empfing jeden Verstorbenen freundl. schweifwedelnd, ließ jedoch normalerweise keinen Lebenden hinein u. keinen Toten mehr heraus. Zumeist zwei- oder dreiköpfig u. mit Schlangenschweif dargestellt; symbolisiert die Schrecken des Todes u. die Unwiederbringlichkeit des Lebens; heute meist umgangssprachl. als Personifikation im übertragenen Sinne gebrauchte Bezeichnung.

Ziege, als nutzbringendes Haustier seit alter Zeit verschiedentl. in Zshg. mit Fruchtbarkeitskulten stehend, wurde aber auch mit dämon. Mächten in Verbindung gebracht. In der griech. Mythologie wurde Zeus als Kind v. der Z. Amaltheia genährt (↗Horn, ↗Aigis). – In Indien, u. a. wohl auch wegen der Homonymie des Wortes für Z. u. des Wortes für „ungeboren", Symbol für die Urmaterie, Verkörperung der Urmutter.

Zikade ↗Grille.

Zikkurat ↗Treppe, ↗Turm.

Zimmer, *Kammer.* Viele Initiationsriten kannten das

Einschließen des Einzuweihenden in ein *geheimes Z.*, eine Kammer, ein unterirdisches Gelaß (↗Höhle) usw. – ein Symbol des mütterl. Schoßes oder des Grabes –, wo er häufig die Nacht zubrachte u. wo ihm spirituelle Erfahrungen u. Erkenntnisse zuteil wurden. – Das *geheime Z.,* das verbotenes Wissen birgt u. nur bei Strafe betreten werden darf, ist auch ein geläufiges Märchenmotiv; es begegnet z. B. als dreizehntes (↗Dreizehn) Z., das in Ggs. zu zwölf anderen Z.n tabu ist.

Zinn, in der Alchimie des MA mit *Jupiter* gleichgesetzt, der als wohltätiger Planet beschrieben wird, als Vermittler zw. Hitze u. Kälte, zw. Mars (↗Eisen) u. Saturn (↗Blei), als Klugheit u. Lebhaftigkeit bewirkend. ↗Metalle.

Zinnober, wegen seiner Farbe (↗Rot) Symbol des Lebens oder gelegentlich auch der Unsterblichkeit.

Zirkel: der Schöpfer, die Welt mit einem Z. ausmessend; nach einer Miniatur in einer Bibel moralisée, Fkr., Mitte 13. Jh.

Zirkel, als Instrument der planend entwerfenden Intelligenz Symbol aktiver Schöpfungskraft u. abwägender Geistestätigkeit, der Klugheit, Gerechtigkeit, Mäßigkeit u. Wahrheit; Attribut verschiedener Wissenschaften u. deren Personifikationen, wie Geometrie, Astronomie, Architektur, Geographie. Die Kombination des Z.s mit dem ↗Winkelmaß galt in esoter. Symbolsprachen (sowohl des alten China wie des Abendlandes) als Sinnbild für die Verbindung von ↗Kreis bzw. ↗Himmel (Zirkel) u. ↗Quadrat bzw. ↗Erde (Winkelmaß), d. h. für die Vollkommenheit. – Die Symbol-Tradition der Freimaurer kennt die Zuordnung verschiedener Öffnungswinkel der Z.schenkel zu verschiedenen geistigen Entwicklungsstufen: 90° (Entsprechung z. Winkelmaß) bedeutet beispielsweise das Gleichgewicht der geistigen u. materiellen Kräfte. Auch verschiedene Kombinationen von Winkelmaß u. Z. können das Verhältnis v. Geist u. Materie symbolisieren, so bedeutet ein Winkelmaß auf einem Z. die Beherrschung des Geistes durch die Materie, eine gekreuzte Anordnung beider Instrumente das Gleichgewicht v. Materie u. Geist u. ein Z. auf einem Winkelmaß die Beherrschung der Materie durch den Geist.

Zitrone, im Judentum Symbol des menschl. Herzens. Galt im MA als Symbol des Lebens u. als Schutz gg. lebensfeindl. Kräfte, z. B. gg. Verzauberung, Gift, Pest usw., wurde als Grabbeigabe verwendet u. spielte auch im Brauchtum bei Taufen, Hochzeiten, Konfirmation, Kommunion usw. eine Rolle. Im späten MA, als Symbol der Reinheit, Marienattribut.

Zitterpappel ↗Pappel.

Zodiakus ↗Tierkreis.

Zunge, verschiedentl. wegen ihrer Form u. schnellen Beweglichkeit sinnbildl. mit der ↗Flamme gleichgesetzt. – Bei schwarzafrikan. Völkern gelegentlich als

Zweig: der Erzengel Gabriel erscheint Maria mit einem Z.; nach der Verkündigung v. Simone Martini; 1333

Zwillinge: Tierkreiszeichen

Zwillinge: Personifizierung des Tierkreiszeichens; nach einem Relief v. Agostino di Duccio, Rimini, Tempio Malatestiano; 15. Jh.

Organ, das das Wort erzeugt, allg. unter dem Gesichtspunkt der Fruchtbarkeit gedeutet u. daher mit Regen, Blut u. Sperma in Verbindung gebracht.

Zwei, galt schon bei den Pythagoreern als erste wirkl. Zahl, weil sie die erste Mehrheit darstellt: erst die Zweiheit „gebiert" die Vielheit. Die 2 ist das Symbol der Verdoppelung, der Trennung, der Zwietracht, des Gegensatzes, des Konflikts, aber auch des Gleichgewichts; sie symbolisiert die Bewegung, die alle Entwicklungen erst in Gang setzt. – Zahlreiche Phänomene stützen eine *dualist.* Weltsicht, so die Gegensätze v. Schöpfer u. Geschöpf, ↗Licht u. ↗Schatten, Männl. u. Weibl., Geist u. Materie, Gut u. Böse, Leben u. Tod, ↗Tag u. ↗Nacht, ↗Himmel u. ↗Erde, Land u. ↗Wasser, aktiv u. passiv, ↗rechts u. links usw.; bes. ausgeprägte dualist. Weltdeutungen stellen die beiden Prinzipien der chin. Philosophie ↗Yin und Yang oder der pers. Zoroastrismus mit den Prinzipien des Guten (Ahura Masda) u. des Bösen (Ahriman) dar.

Zweige, vor allem grüne Z. (seltener auch ein goldener Zweig), symbolisieren Ehre, Ruhm u. Unsterblichkeit. Im Volksbrauchtum galten Z. verschiedener Bäume u. Sträucher als Glück u. Schutz verleihend. ↗Kirschblüte, ↗Olivenbaum, ↗Palme, ↗Weide.

Zwerge, kleine, alte, oft enten-, gänse- oder vogelfüßige, verschiedentl. wechselnd sichtbare u. unsichtbare, hilfreiche oder neckend boshafte menschenähnl. Wesen des Volksglaubens, die u. a. gedeutet werden können als sinnbildl. Verkörperungen nützl., aber letzten Endes unkontrollierbarer Naturkräfte sowie der nur dunkel oder gar nicht durchschauten Erlebnisse u. Handlungen des Unterbewußtseins.

Zwillinge, begegnen in verschiedenen Ausprägungen: entweder gleichgestaltig u. gleichfarbig oder der eine hell, der andere dunkel, der eine rot, der andere blau, der eine mit dem Kopf zum Himmel, der andere mit dem Kopf zur Erde usw. Symbol der Dualität in der Identität, der inneren Gegensätze des Menschen, der v. einem höheren Standpunkt aus gesehenen Einheit von Tag u. Nacht, von Licht u. Dunkelheit, des Gleichgewichts u. der Harmonie. – In den kosmogonischen Vorstellungen verschiedener Völker, z. B. bei Indianern, begegnen auch Z., von denen der eine gut, der andere böse, der eine hilfreich bei der Zivilisation, der andere zerstörerisch ist. – Die Z. sind das 3. Zeichen des ↗Tierkreises; ihnen wird in der Astrologie das Element ↗Luft zugeordnet.

Zwitter, der ↗Hermaphrodit.

Zwölf, Grundzahl des (bereits v. den Babyloniern verwendeten) Duodezimal- u. Sexagesimalsystems; v. daher heilige, glückbringende Zahl u. Symbol raumzeitl. Vollendung; noch heute bedeutsam in der

Astronomie u. Zeiteinteilung, z. B. Zahl der Monate des Jahres, der Tag- u. der Nachtstunden, Zahl der Tierkreiszeichen usw.; in China u. Zentralasien kannte man auch eine Zeiteinteilung nach jeweils 12 Jahre dauernden Perioden. – Auch in der Alchimie ist die 12 eine symbolisch bedeutsame Zahl, u. a. weil sie die Zahl der vier ↗Elemente u. der drei alchimist. Grundprinzipien (↗Salz, ↗Schwefel, ↗Mercurius) als Teiler enthält. – In der Bibel u. im christl. Symboldenken spielt die 12 eine große Rolle als Symbol der Vollkommenheit u. Vollständigkeit, sie ist u. a. die Zahl der 12 Söhne Jakobs u. damit der 12 Stämme Israels, der 12 Edelsteine auf dem Brustschild des jüd. Hohenpriesters, der 12 Apostel, der 12 Tore des himml. Jerusalem (↗Jerusalem, himmlisches); das Weib der Apokalypse trägt eine Krone mit 12 Sternen, die Zahl der Auserwählten beträgt 12 mal 12 000, eine Zahl, die die Gesamtheit aller Heiligen symbolisiert.

Zypresse

Zypresse, gilt bei vielen Völkern als heiliger Baum. Als immergrüne, langlebige Pflanze wird sie wie alle Koniferen als Symbol des langen Lebens u. der Unsterblichkeit verehrt. In der Antike galt sie dagegen als Todes-Symbol, weil sie, nachdem sie abgehauen ist, nicht mehr nachwächst; sie wurde daher mit Pluto u. dem Bereich der Unterwelt in Verbindung gebracht. – In China brachte man den Samen der Z. mit dem Prinzip Yang (↗Yin und Yang) in Zshg., sein Verzehr sollte langes Leben bewirken.

Literaturhinweise

Aurenhammer, H., Lexikon der christlichen Ikonographie, 1969–1977
Behling, L., Die Pflanzenwelt der mittelalterlichen Kathedralen, 1964
Beigbeder, O., La symbolique, [2]1961
Beigbeder, O., Lexique des symboles (La nuit des temps), 1969
Biedermann, H., Handlexikon der magischen Künste, 1976
Cairo, G., Dizionario ragionato dei simboli, 1967
Chevalier, J./Gheerbrant, A., Dictionnaire des symboles, 1974
Clébert, J. P., Bestiaire Fabuleux, 1971
Dieckmann, H., Märchen und Symbole (Psychologisch gesehen, Bd. 31), 1971
Ferguson, G., Signs and Symbols in Christian Art, 1961
Forstner, D., Die Welt der Symbole, 1977
Grotjahn, M., Die Sprache des Symbols, 1977
Heinz-Mohr, G., Lexikon der Symbole, Bilder und Zeichen der christlichen Kunst, [3]1974
Jung, C. G., Der Mensch und seine Symbole, 1968
Jung, C. G., Psychologie und Alchemie, 1975
Kirchgässner, A., Welt als Symbol, 1968
Lauf, D.-I., Symbole, Verschiedenheit und Einheit in der östlichen und westlichen Kultur, 1976
Lexikon der christlichen Ikonographie (hg. von E. Kirschbaum), 8 Bde., 1968–1976
Lipffert, K., Symbol-Fibel, [5]1975
Lurker, M., Bibliographie zur Symbolkunde, 3 Bde., 1964–1968
Lurker, M., Bibliographie der Symbolik, Ikonographie und Mythologie, 1968 ff.
Lurker, M., Wörterbuch biblischer Bilder und Symbole, 1973
De Osa, V., Das Tier als Symbol, 1968
Von Rabbow, A., Lexikon politischer Symbole, 1970
Randall, R. A., A Cloisters Bestiary, 1960
Rech, Ph., Inbild des Kosmos, 1960
Schiller, G., Lexikon der christlichen Ikonographie, 1966–1968
Schwarz-Winklhofer, I./Biedermann, H., Das Buch der Zeichen und Symbole, 1975
Seel, O., Der Physiologus, 1960
Symbolik der Religionen, Eine religionswissenschaftliche Reihe, 25 Bde., 1958 ff.
Urech, E., Lexikon christlicher Symbole, 1976
De Vries, A., Dictionary of Symbols and Imagery, 1976